PREVOST

MANON LESCAUT

ROMAN

TEXTE INTÉGRAL

Classiques Hachette

Texte conforme à l'édition originale de 1753.

Notes explicatives, questionnaires, bilans, documents et parcours thématique

établis par
Mireille CORNUD-PEYRON,
Professeur agrégé de l'université,
Maître de conférences à l'université
de la Sorbonne nouvelle.

Couverture : Audrey Izern

© HACHETTE LIVRE 2008, 58, rue Jean Bleuzen, CS 70007, 92178 Vanves Cedex.
ISBN : 978-2-01-169685-4

- Les mots suivis du signe (*) sont définis dans le lexique, à partir de la page 286.
- Le texte original ici reproduit ne comportait que deux grandes parties. Nous avons jugé pédagogiquement préférable de les scinder en plusieurs épisodes.

Nous avons néanmoins conservé une numérotation continue des lignes de ce texte, afin de rappeler leur continuité d'origine.

L'Abbé Prévost *par Saint-Aubin. Musée Carnavalet.*

C'est au cours d'une période riche en création romanesque que paraît, en 1731, Manon Lescaut, roman marqué par le climat de sensibilité qui caractérise l'époque, encore récente, à laquelle se situe la «fable*» du roman.

L'histoire de ce couple d'amants infortunés suscita «un succès de larmes» énorme, comme le rapporte Michelet dans son Histoire de France.

Dans un souci de réalisme et de modernité, l'auteur y affirme hautement l'aspiration légitime au bonheur, né de l'effusion d'une sensibilité vécue sans réserve, qui aspire à concilier vertu et passion.

La volonté de donner ses lettres de noblesse au genre amène le romancier du siècle des Lumières à «faire vrai». De diverses manières, Prévost tend à ce but :

revendiquer que l'histoire racontée vient de la personne même qui l'a vécue, donner la parole à un narrateur/personnage qui parle à la première personne, créer l'illusion du réel par une série de détails qui reflètent la réalité.

MANON DANS L'ÉVOLUTION DU ROMAN

Le roman se défait lentement de ses prétentions aristocratiques :
« Je l'ai déjà dit, un roman est un poème héroïque en prose. » (Lengley-Dufresnoy : *De l'usage des romans*, 1734).
Au XVIIe siècle, le roman est un genre travesti : *L'Astrée*, 1607-1624, avec ses faux bergers, *Cléopâtre* avec ses faux orientaux, 1642-1645, *La Princesse de Clèves* avec ses faux personnages historiques : *« Il n'en est pas un parmi ces héros qui se représente à visage découvert... »* (F. Deloffre).

Apparaissent cependant des signes de l'évolution du genre vers le roman bourgeois :
– En 1651, on peut lire un roman burlesque, *Le Roman comique*, de Scarron ; en 1657, des romans philosophiques, comme *L'Histoire comique des États et Empires de la Lune*, de Cyrano de Bergerac.
– Des modèles étrangers proposent le roman picaresque qui apprend aux écrivains français, *« la valeur pittoresque de la réalité la plus triviale »*, et la nouvelle, qui *« doit un peu davantage tenir de l'histoire et attacher les images des choses comme d'ordinaire nous les voyons arriver. »* (Segrais, *Nouvelles françaises*, 1656).

*C'est dans l'heureuse conciliation
d'une technique romanesque d'un grand art,
et d'une quête métaphysique en avance sur son temps,
que ce roman admirable est un chef-d'œuvre.
Le double discours qui sous-tend le récit,
facteur essentiel de la réussite éclatante de Prévost,
favorise la mise en lumière
de la juxtaposition des contraires,
faute et innocence, pureté et immoralité,
noblesse et vulgarité, sincérité et mensonge.
Ce roman de l'échec d'un grand amour
est aussi celui d'une victoire de l'amour ;
par ce double aspect,
l'histoire de Manon et de Des Grieux
atteint les cimes du mythe.*

MEMOIRES

D'UN HOMME DE QUA-
lité qui s'est retiré du monde.

HISTOIRE

*Du Chevalier des Grieux , &
de Manon Lescaut.*

LIVRE PREMIER.

E suis obligé de faire remonter mon Lecteur au tems de ma vie où je rencontrai pour la première fois le Chevalier des Grieux. Ce fut environ cinq ou six mois avant mon

A

AVIS DE L'AUTEUR
DES
Mémoires d'un homme de qualité[1].

Quoique j'eusse pu faire entrer dans mes *Mémoires* les Aventures du Chevalier Des Grieux, il m'a semblé que n'y ayant point un rapport nécessaire, le lecteur trouverait plus de satisfaction à les voir séparément. Un récit de cette longueur aurait interrompu trop longtemps le fil de ma propre histoire. Tout éloigné que je suis de prétendre à la qualité d'écrivain exact, je n'ignore point qu'une narration doit être déchargée des circonstances qui la rendraient pesante et embarrassée. C'est le précepte d'Horace :

> « *Ut jam nunc dicat jam nunc debentia dici,*
> *Pleraque differat, ac praesens in tempus omittat*[2]. »

Il n'est pas même besoin d'une si grave autorité, pour prouver une vérité si simple ; car le bon sens est la première source de cette règle.

Si le public a trouvé quelque chose d'agréable et d'intéressant dans l'histoire de ma vie, j'ose lui promettre qu'il ne sera pas moins satisfait de cette addition. Il verra, dans la conduite de M. Des Grieux, un exemple terrible de la force des passions. J'ai à peindre un jeune aveugle, qui refuse d'être heureux, pour se précipiter volontairement dans les dernières infortunes ; qui, avec toutes les qualités dont se forme le plus brillant mérite, préfère par choix une vie obscure et vagabonde à tous les avantages de la fortune et de la nature ; qui prévoit ses malheurs, sans vouloir les éviter ; qui les sent et qui en est accablé, sans profiter des remèdes qu'on lui offre sans cesse, et qui peuvent à tous moments les finir ; enfin un caractère ambigu, un mélange de vertus et de vices, un contraste perpétuel de bons sentiments et

---

1. Dans ces *Mémoires*, Prévost appelle l'*homme de qualité* le Marquis de Renoncour.
2. Ut jam... omittat : « Qu'on dise maintenant ce qui doit l'être maintenant. / Et que tout le reste soit différé et omis pour l'instant. » (*Art poétique*, vers 43-44.)

d'actions mauvaises. Tel est le fond du tableau que je présente. Les personnes de bon sens ne regarderont point un ouvrage de cette nature comme un travail inutile. Outre le plaisir d'une lecture agréable, on y trouvera peu d'événements qui ne puissent servir à l'instruction des mœurs ; et c'est rendre, à mon avis, un service considérable au public que de l'instruire en l'amusant.

On ne peut réfléchir sur les préceptes de la morale, sans être étonné de les voir tout à la fois estimés et négligés ; et l'on se demande la raison de cette bizarrerie du cœur humain, qui lui fait goûter des idées de bien et de perfection, dont il s'éloigne dans la pratique. Si les personnes d'un certain ordre d'esprit et de politesse veulent examiner quelle est la matière la plus commune de leurs conversations, ou même de leurs rêveries solitaires, il leur sera aisé de remarquer qu'elles tournent presque toujours sur quelques considérations morales. Les plus doux moments de leur vie sont ceux qu'ils passent, ou seuls, ou avec un ami, à s'entretenir à cœur ouvert des charmes de la vertu, des douceurs de l'amitié, des moyens d'arriver au bonheur, des faiblesses de la nature qui nous en éloignent, et des remèdes qui peuvent les guérir. Horace et Boileau marquent cet entretien comme un des plus beaux traits dont ils composent l'image d'une vie heureuse. Comment arrive-t-il donc qu'on tombe si facilement de ces hautes spéculations, et qu'on se retrouve sitôt au niveau du commun des hommes ? Je suis trompé si la raison que je vais en apporter n'explique bien cette contradiction de nos idées et de notre conduite : c'est que tous les préceptes de la morale n'étant que des principes vagues et généraux, il est très difficile d'en faire une application particulière au détail des mœurs et des actions. Mettons la chose dans un exemple. Les âmes biens nées sentent que la douceur et l'humanité sont des vertus aimables, et sont portées d'inclination à les pratiquer ; mais, sont-elles au moment de l'exercice, elles demeurent souvent suspendues. En est-ce réellement l'occasion ? Sait-on bien quelle en doit être la mesure ? Ne se trompe-t-on point sur l'objet ? Cent difficultés arrêtent. On craint de devenir dupe en voulant être bienfaisant et libéral ; de passer pour faible en paraissant trop tendre et trop sensible ; en un mot, d'excéder ou de ne pas remplir assez des devoirs qui sont renfermés d'une manière trop obscure dans les notions générales d'humanité et de douceur. Dans cette incertitude, il n'y a que l'expérience, ou l'exemple, qui puisse déterminer raisonnablement le penchant du cœur. Or l'expérience n'est point un avantage qu'il soit libre à tout le monde de se donner ; elle dépend des situations différentes où l'on se trouve placé par la fortune. Il ne reste donc que l'exemple qui puisse servir de règle à quantité de personnes, dans l'exercice de la vertu. C'est précisément pour cette sorte de lecteurs que des ouvrages tels que celui-ci peuvent être d'une extrême utilité ; du moins, lorsqu'ils sont écrits par une personne d'honneur et de bon sens. Chaque fait qu'on y rapporte est un degré de lumière, une instruction qui supplée à l'expérience ; chaque aventure est un modèle d'après lequel on peut se former : il n'y a manque que d'être ajusté aux circonstances où l'on se trouve. L'ouvrage entier est un traité de morale, réduit agréablement en exercice.

Un lecteur sévère s'offensera peut-être de me voir reprendre la plume, à mon âge, pour écrire des aventures de fortune et d'amour ; mais si la réflexion que je viens de faire est solide, elle me justifie ; si elle est fausse, mon erreur sera mon excuse.

Nota. C'est pour se rendre aux instances de ceux qui aiment ce petit ouvrage, qu'on s'est déterminé à le purger d'un grand nombre de fautes grossières qui se sont glissées dans la plupart des éditions. On y a fait aussi quelques additions qui ont paru nécessaires pour la plénitude d'un des principaux caractères. La vignette et les figures portent en elles-mêmes leur recommandation et leur éloge.

Questions

Compréhension

1. Qui est l'auteur de l'Avis et quelle explication donne-t-il de la narration séparée des aventures de Des Grieux et des Mémoires d'un homme de qualité ? Dans quelle mesure le dénouement est-il annoncé ?

2. Comment « l'auteur » justifie-t-il la lecture des aventures du chevalier ? En cherchant la structure du passage, appréciez l'ordre et le contenu des arguments employés par l'auteur pour mener à bien sa démonstration.

3. Comment l'auteur persuade-t-il le lecteur de l'existence de son personnage avant qu'il ne parle ?

4. Quel est, pour l'auteur, le principal personnage du roman ? Quelle en est « la fable* » ? Comment présente-t-il ce personnage ?

Écriture

5. Constituez les deux champs lexicaux qui caractérisent le personnage.

Mise en perspective

6. À quel héritage littéraire, moral et psychologique cette préoccupation se rattache-t-elle ?
Quelles écoles littéraires rappellent les données de cet avis ?
Essayez de retrouver une ou deux citations qui attestent des éléments d'intertextualité*.
Quel genre de roman cette préface annonce-t-elle ?

Bilan

L'action

• Ce que nous savons

Le projet littéraire, moral et psychologique de l'œuvre est présenté dans l'Avis de l'auteur pour des raisons qui concernent la réception de l'œuvre : le lecteur peut s'intéresser à une « addition » à l'histoire de sa vie pour des raisons morales qui s'ajoutent au souci de plaire ; cette addition est « un traité de morale, réduit agréablement en exercice ».

Ce dernier tome est consacré à l'histoire d'un jeune homme, le Chevalier Des Grieux, personnage principal dont le portrait est donné par l'auteur.

• À quoi nous attendre ?

Le lecteur connaît le dénouement tragique du récit, « les dernières infortunes » *d'un jeune aveugle...* « qui prévoit ses malheurs sans vouloir les éviter », *mais comment comprendre le paradoxe présenté dans le destin de son héros ?*

Le champ lexical qui présente le héros « construit » *un personnage qui a la sympathie de l'auteur ; on peut se demander comment Prévost va justifier la coexistence des deux aspects de celui-ci, totalement opposés.*

PREMIÈRE PARTIE

Je suis obligé de faire remonter mon lecteur au temps de ma vie où je rencontrai pour la première fois le Chevalier Des Grieux. Ce fut environ six mois avant mon départ pour l'Espagne. Quoique je sortisse rarement de ma solitude, la complaisance que j'avais pour ma fille m'engageait quelquefois à divers petits voyages, que j'abrégeais autant qu'il m'était possible. Je revenais un jour de Rouen, où elle m'avait prié d'aller solliciter une affaire au Parlement de Normandie, pour la succession de quelques terres auxquelles je lui avais laissé des prétentions du côté de mon grand-père maternel. Ayant repris mon chemin par Évreux, où je couchai la première nuit, j'arrivai le lendemain pour dîner à Pacy[1], qui en est éloigné de cinq ou six lieues[2]. Je fus surpris, en entrant dans ce bourg, d'y voir tous les habitants en alarme. Ils se précipitaient de leurs maisons, pour courir en foule à la porte d'une mauvaise hôtellerie, devant laquelle étaient deux chariots couverts. Les chevaux, qui étaient encore attelés, et qui paraissaient fumants de fatigue et de chaleur, marquaient que ces deux voitures ne faisaient qu'arriver. Je m'arrêtai un moment, pour m'informer d'où venait le tumulte ; mais je tirai peu d'éclaircissement d'une populace curieuse, qui ne faisait nulle attention à mes demandes, et qui s'avançait toujours vers l'hôtellerie, en se poussant avec beaucoup de confusion. Enfin, un archer[3], revêtu d'une bandoulière et le mousquet sur l'épaule, ayant paru à la porte, je lui fis signe de la main de venir à moi. Je le priai de m'apprendre le sujet de ce désordre. Ce n'est rien, Monsieur, me dit-il ; c'est une douzaine de filles de joie, que je conduis avec mes compagnons, jusqu'au Havre-de-

---

1. *Pacy* : Pacy-sur-Eure.
2. *lieue* : une lieu = près de 4 km.
3. *archer* : nom encore courant à l'époque pour agent de police.

Grâce[1], où nous les ferons embarquer pour l'Amérique.
Il y en a quelques-unes de jolies, et c'est apparemment
ce qui excite la curiosité de ces bons paysans. J'aurais
35 passé, après cette explication, si je n'eusse été arrêté par
les exclamations d'une vieille femme, qui sortait de l'hôtellerie en joignant les mains, et criant que c'était une
chose barbare, une chose qui faisait horreur et compassion. De quoi s'agit-il donc ? lui dis-je. Ah ! Monsieur,
40 entrez, répondit-elle, et voyez si ce spectacle n'est pas
capable de fendre le cœur ! La curiosité me fit descendre
de mon cheval, que je laissai à mon palefrenier. J'entrai
avec peine, en perçant la foule, et je vis en effet quelque
chose d'assez touchant. Parmi les douze filles, qui
45 étaient enchaînées six à six par le milieu du corps, il y
en avait une dont l'air et la figure étaient si peu
conformes à sa condition, qu'en tout autre état je l'eusse
prise pour une personne du premier rang. Sa tristesse et
la saleté de son linge et de ses habits l'enlaidissaient si
50 peu, que sa vue m'inspira du respect et de la pitié. Elle
tâchait néanmoins de se tourner, autant que sa chaîne
pouvait le permettre, pour dérober son visage aux yeux
des spectateurs. L'effort qu'elle faisait pour se cacher
était si naturel, qu'il paraissait venir d'un sentiment de
55 modestie. Comme les six gardes qui accompagnaient
cette malheureuse bande étaient aussi dans la chambre,
je pris le chef en particulier, et je lui demandai quelques
lumières sur le sort de cette belle fille. Il ne put m'en
donner que de fort générales. Nous l'avons tirée de l'Hô-
60 pital[2], me dit-il, par ordre de M. le Lieutenant général de
Police[3]. Il n'y a pas d'apparence qu'elle y eût été renfermée pour ses bonnes actions. Je l'ai interrogée plusieurs
fois sur la route ; elle s'obstine à ne me rien répondre.
Mais quoique je n'aie pas reçu ordre de la ménager plus

---

1. *Havre-de-Grâce* : le port fut créé par François Ier dans la région des « Marais de Grâce ».
2. *l'Hôpital* : c'est aujourd'hui La Salpêtrière (de sa première destination : fabriquer du salpêtre). Puis ce fut un asile pour personnes sans ressources ; enfin une prison où les femmes étaient très durement traitées.
3. *Lieutenant général de Police* : le préfet de police actuel.

65 que les autres, je ne laisse pas d'avoir quelques égards
pour elle, parce qu'il me semble qu'elle vaut un peu
mieux que ses compagnes. Voilà un jeune homme,
ajouta l'archer[1], qui pourrait vous instruire mieux que
moi sur la cause de sa disgrâce ; il l'a suivie depuis Paris,
70 sans cesser presque un moment de pleurer. Il faut que ce
soit son frère ou son amant. Je me tournai vers le coin
de la chambre où ce jeune homme était assis. Il paraissait enseveli dans une rêverie profonde. Je n'ai jamais vu
de plus vive image de la douleur. Il était mis fort simple-
75 ment ; mais on distingue, au premier coup d'œil, un
homme qui a de la naissance et de l'éducation. Je m'approchai de lui. Il se leva ; et je découvris dans ses yeux,
dans sa figure et dans tous ses mouvements, un air si fin
et si noble, que je me sentis porté naturellement à lui
80 vouloir du bien. Que je ne vous trouble point, lui dis-je,
en m'asseyant près de lui. Voulez-vous bien satisfaire la
curiosité que j'ai de connaître cette belle personne, qui
ne me paraît point faite pour le triste état où je la vois ? Il
me répondit honnêtement qu'il ne pouvait m'apprendre
85 qui elle était sans se faire connaître lui-même, et qu'il
avait de fortes raisons pour souhaiter de demeurer
inconnu. Je puis vous dire néanmoins ce que ces misérables n'ignorent point, continua-t-il en montrant les
archers ; c'est que je l'aime avec une passion si violente,
90 qu'elle me rend le plus infortuné de tous les hommes.
J'ai tout employé, à Paris, pour obtenir sa liberté. Les
sollicitations, l'adresse et la force m'ont été inutiles ; j'ai
pris le parti de la suivre, dût-elle aller au bout du monde.
Je m'embarquerai avec elle. Je passerai en Amérique.
95 Mais, ce qui est de la dernière inhumanité, ces lâches
coquins, ajouta-t-il en parlant des archers, ne veulent
pas me permettre d'approcher d'elle. Mon dessein était
de les attaquer ouvertement, à quelques lieues de Paris.
Je m'étais associé quatre hommes, qui m'avaient promis
100 leur secours pour une somme considérable. Les traîtres
m'ont laissé seul aux mains, et sont partis avec mon

---

1. *archer* : *cf.* note 3, page 15.

argent. L'impossibilité de réussir par la force m'a fait
mettre les armes bas. J'ai proposé aux archers de me
permettre du moins de les suivre, en leur offrant de les
105 récompenser. Le désir du gain les y a fait consentir. Ils
ont voulu être payés, chaque fois qu'ils m'ont accordé la
liberté de parler à sa maîtresse. Ma bourse s'est épuisée
en peu de temps ; et maintenant que je suis sans un sou[1],
ils ont la barbarie de me repousser brutalement, lorsque
110 je fais un pas vers elle. Il n'y a qu'un instant qu'ayant
osé m'en approcher malgré leurs menaces, ils ont eu
l'insolence de lever contre moi le bout du fusil. Je suis
obligé, pour satisfaire leur avarice et pour me mettre en
état de continuer la route à pied, de vendre ici un mau-
115 vais cheval qui m'a servi jusqu'à présent de monture.
      Quoiqu'il parût faire assez tranquillement ce récit, il
laissa tomber quelques larmes en le finissant. Cette
aventure me parut des plus extraordinaires et des plus
touchantes. Je ne vous presse pas, lui dis-je, de me
120 découvrir le secret de vos affaires ; mais si je puis vous
être utile à quelque chose, je m'offre volontiers à vous
rendre service. Hélas ! reprit-il, je ne vois pas le moindre
jour à l'espérance. Il faut que je me soumette à toute la
rigueur de mon sort. J'irai en Amérique. J'y serai du
125 moins libre avec ce que j'aime. J'ai écrit à un de mes
amis, qui me fera tenir quelque secours au Havre-de-
Grâce[2]. Je ne suis embarrassé que pour m'y conduire, et
pour procurer à cette pauvre créature, ajouta-t-il en
regardant tristement ma maîtresse[3], quelque soulagement
130 sur la route. Hé bien, lui dis-je, je vais finir votre embarras. Voici quelque argent que je vous prie d'accepter. Je
suis fâché de ne pouvoir vous servir autrement. Je lui
donnai quatre louis d'or[4], sans que les gardes s'en aper-
çussent, car je jugeais bien que, s'ils lui savaient cette
135 somme, ils lui vendraient plus chèrement leurs secours.
Il me vint même à l'esprit de faire marché avec eux,

---

1. *un sou* : un sou valait cinq centimes.
2. *Havre-de-Grâce* : cf. note 1, p. 16.
3. *maîtresse* : au sens de l'époque classique, femme qu'on aime et dont on est aimé.
4. *quatre louis d'or* : environ 1 600 F.

pour obtenir au jeune amant la liberté de parler continuellement à sa maîtresse jusqu'au Havre. Je fis signe au
chef de s'approcher, et je lui en fis la proposition. Il en
140 parut honteux, malgré son effronterie. Ce n'est pas,
Monsieur, répondit-il d'un air embarrassé, que nous
refusions de le laisser parler à cette fille ; mais il voudrait
être sans cesse auprès d'elle ; cela nous est incommode ;
il est bien juste qu'il paie pour l'incommodité. Voyons
145 donc, lui dis-je, ce qu'il faudrait pour vous empêcher de
la sentir. Il eut l'audace de me demander deux louis[1]. Je
les lui donnai sur-le-champ. Mais prenez garde, lui
dis-je, qu'il ne vous échappe quelque friponnerie ; car je
vais laisser mon adresse à ce jeune homme, afin qu'il
150 puisse m'en informer, et comptez que j'aurai le pouvoir
de vous faire punir. Il m'en coûta six louis d'or[2]. La
bonne grâce et la vive reconnaissance avec laquelle ce
jeune inconnu me remercia achevèrent de me persuader
qu'il était né quelque chose, et qu'il méritait ma libéra-
155 lité. Je dis quelques mots à sa maîtresse, avant que de
sortir. Elle me répondit avec une modestie si douce et si
charmante, que je ne pus m'empêcher de faire, en sortant, mille réflexions sur le caractère incompréhensible
des femmes.
160 Étant retourné à ma solitude, je ne fus point informé
de la suite de cette aventure. Il se passa près de deux
ans, qui me la firent oublier tout à fait, jusqu'à ce que le
hasard me fît renaître l'occasion d'en apprendre à fond
toutes les circonstances. J'arrivais de Londres à Calais, Picardie
165 avec le Marquis de... mon élève. Nous logeâmes, si je
m'en souviens bien, au Lion d'or, où quelques raisons
nous obligèrent de passer le jour entier et la nuit suivante. En marchant l'après-midi dans les rues, je crus
apercevoir ce même jeune homme dont j'avais fait la
170 rencontre à Pacy. Il était en fort mauvais équipage, et
beaucoup plus pâle que je ne l'avais vu la première fois.

---

1. *deux louis* : environ 800 F.
2. *six louis* : environ 2 400 F (*cf.* lexique : ARGENT).

Il portait sur le bras un vieux portemanteau[1], ne faisant qu'arriver dans la ville. Cependant, comme il avait la physionomie trop belle pour n'être pas reconnu facile-
175 ment, je le remis aussitôt. Il faut, dis-je au Marquis, que nous abordions ce jeune homme. Sa joie fut plus vive que toute expression, lorsqu'il m'eut remis à son tour. Ah! monsieur, s'écria-t-il en me baisant la main, je puis donc encore une fois vous marquer mon immortelle
180 reconnaissance! Je lui demandai d'où il venait. Il me répondit qu'il arrivait par mer du Havre-de-Grâce, où il était revenu de l'Amérique peu auparavant. Vous ne me paraissez pas fort bien en argent, lui dis-je; allez-vous-en au *Lion d'or* où je suis logé, je vous rejoindrai
185 dans un moment. J'y retournai en effet, plein d'impa-tience d'apprendre le détail de son infortune et les cir-constances de son voyage d'Amérique. Je lui fis mille caresses, et j'ordonnai qu'on ne le laissât manquer de rien. Il n'attendit point que je le pressasse de me
190 raconter l'histoire de sa vie. Monsieur, me dit-il, vous en usez si noblement avec moi, que je me reprocherais comme une basse ingratitude d'avoir quelque chose de réservé pour vous. Je veux vous apprendre, non seule-ment mes malheurs et mes peines, mais encore mes
195 désordres et mes plus honteuses faiblesses. Je suis sûr qu'en me condamnant, vous ne pourrez pas vous empê-cher de me plaindre.

Je dois avertir ici le lecteur que j'écrivis son histoire presque aussitôt après l'avoir entendue, et qu'on peut
200 s'assurer, par conséquent, que rien n'est plus exact et plus fidèle que cette narration. Je dis fidèle jusque dans la relation des réflexions et des sentiments, que le jeune aventurier exprimait de la meilleure grâce du monde. Voici donc son récit, auquel je ne mêlerai, jusqu'à la fin,
205 rien qui ne soit de lui.

---

1. *portemanteau* : ici, sorte de sac ou de valise.

Un prologue en deux temps.

Compréhension

1. *À qui est confié ce prologue en deux temps et que relate ce récit ?*

● **Première rencontre**

2. *Qui parle sous le pronom de la première personne et comment se caractérise le narrateur ? Quand se situe le récit qui commence ?*

3. *Comment justifiez-vous, dans les quinze premières lignes, l'abondance des noms de lieux et la précision des indications temporelles ?*
Où se déroule la scène décrite par le narrateur ? Quels en sont les personnages ? Quelle en est l'atmosphère et comment celle-ci est-elle décrite ?

4. *Pourquoi le narrateur retarde-t-il aussi longtemps l'explication du spectacle insolite auquel il assiste ? Qui donne les explications attendues ?*
Pourquoi le narrateur «découpe»-t-il la transmission de ses informations et quel effet recherche-t-il par ce procédé ?

5. *Comment le narrateur introduit-il la description qui suit ?*

6. *À quel moment de la description, et par qui, le personnage est-il présenté ? Quelles en sont ses caractérisations* ?*
Quels sont les éléments de son portrait ? Pouvez-vous justifier du point de vue de la narration* le choix des différents traits du jeune homme ?

7. *Quelle est l'utilité pour l'action, du dialogue de Renoncour et de la jeune fille ?*

8. *Comment Prévost, dès les premières pages du récit de Renoncour, présente-t-il le héros et l'héroïne et quels sentiments à leur égard veut-il faire naître chez le lecteur ?*
Rapprochez votre réponse du jugement porté par Renoncour sur les deux personnages dans l'Avis.

● **Deuxième rencontre**

9. *Où et quand se situe la rencontre ?*
Comment le jeune homme rencontré est-il amené à s'entrete-

nir avec Renoncour et en quoi cette introduction est-elle utile au récit qui suit ?

10. Quelle est sa première révélation ? Appréciez l'art du rac-courci dans la présentation de la situation du moment. Sur quels éléments le narrateur s'attarde-t-il et pourquoi ? Montrez avec quel art il adapte son discours à l'auditeur qu'il vient de rencontrer et quel en est l'effet sur le lecteur ?

11. Comment Renoncour réagit-il à ces données ? Pourquoi le narrateur insiste-t-il tellement sur le problème de l'argent ?

12. Qui va désormais prendre la parole et parler à la première personne ? Quel sera l'auditeur de ce discours ?
En quoi cette scène concourt-elle à la vraisemblance de la confession ?

13. Si l'on considère ces pages comme un incipit* du roman, quelles sont les qualités de cette ouverture ? Quelles questions posent-elles ?

Écriture

14. Pourquoi le narrateur abandonne-t-il la narration, pour donner la parole successivement à deux personnages ?
Qu'apporte l'irruption du style direct dans le récit ?

15. Quel adjectif qualificatif caractérise l'ensemble du spectacle décrit ?

16. Relevez les deux champs lexicaux qui qualifient le personnage de Manon. Dans quelle mesure suscitent-ils la curiosité du lecteur et introduisent-ils, par la construction du personnage, l'un des thèmes du roman ?
Quels sont les éléments du champ lexical qui présente le person-nage masculin et pourquoi un seul champ lexical suffit-il à l'évo-quer ?

17. Par quels procédés stylistiques le jeune homme fait-il preuve d'habileté dans la conduite de son récit ?

18. Pourquoi le dialogue de la jeune fille et de Renoncour est-il rapporté au style indirect ?

19. En quels termes Renoncour qualifie-t-il la narration qui va suivre et quel est l'intérêt de ce choix pour le projet narratif ? Quel rôle se donne-t-il ?

20. Comment comprenez-vous l'expression « de la meilleure grâce du monde » et qui qualifie-t-elle ?

L'action

• Ce que nous savons

À deux ans d'intervalle, deux rencontres de l'auteur, l'homme de qualité, à Pacy et à Calais, avec deux inconnus, un jeune homme apparemment «bien né» et une jeune fille emmenée en déportation, créent aussitôt une attente impatiente chez le lecteur. Cette durée représente le temps de l'aventure vécue par les deux personnages; le personnage féminin est absent de la rencontre à Calais et le jeune homme arrive dans la ville au comble du dénuement. La situation est encore plus dramatique qu'à Pacy deux ans auparavant. Le jeune homme se prépare à raconter son histoire.

• À quoi nous attendre ?

Immédiatement captivée par le sort de ces héros mystérieux, présentés comme des victimes, l'attention du lecteur se tourne vers le récit annoncé comme une relation fidèle d'un passé récent.
Le récit qui va commencer concerne des événements déjà vécus dont l'issue malheureuse est partiellement connue du lecteur.

Les personnages

• Ce que nous savons

Déjà présenté dans l'Avis de l'auteur, le jeune homme, interrogé par l'homme de qualité, refuse de dévoiler son identité pour assurer la sûreté de son couple.
La jeune fille, dans la situation infamante où elle se trouve, se distingue de ses compagnes par «la douceur et la modestie» de son attitude.
À Pacy, les personnages se caractérisent par la passion visible qui les unit; à Calais, la solitude du personnage masculin, son dénuement, son désespoir témoignent de l'échec de son aventure amoureuse. Par la brève évocation d'un passé dramatique l'auteur a suscité la sympathie du narrateur et du lecteur : à travers la description qu'en fait l'homme de qualité, Prévost présente le personnage masculin, doté «de tout ce qu'il faut pour se faire aimer et estimer de ceux qu'il rencontre » – et du lecteur. Manon est également décrite par l'homme de qualité, «un esprit non prévenu», comme une victime innocente.

*Le discours de l'homme de qualité souligne sa compassion et sa
générosité.*

• À quoi nous attendre ?

*Une question : comment deux êtres exceptionnels par leur beauté
et leur noblesse ont-ils été amenés à tomber dans une misère physique et morale aussi grande ?*
*Qui est cette jeune femme apparemment déplacée dans le groupe
des déportées ?*
*Quant au jeune homme, noble, distingué, qui inspire pitié, respect,
charité et curiosité, en butte à l'inhumanité des archers et de ses
associés, et qui se dit malheureux – et on le croit –, quel fut son
sort pour être acculé à une situation aussi désespérée ?*

Écriture

• Les niveaux de la narration*

*Par souci de vraisemblance, un auteur (instance littéraire), l'abbé
Prévost, délègue sa parole à un auteur de Mémoires, l'homme de
qualité (instance narrative) ; celui-ci est le narrateur (n° 1) de l'Avis
au public en général et des premières pages d'une histoire que va
raconter un narrateur (n° 2) qui en est le personnage, le chevalier.
Ce dernier sera le narrateur/personnage qui parlera à un destinataire, le narrateur précédent, l'homme de qualité. Son discours
s'adresse en même temps au lecteur.*
Nous sommes donc en présence d'une chaîne de narrateurs.
*Notons que s'efface totalement la voix du narrateur Renoncour qui
nous prévient : « auquel je ne mêlerai, jusqu'à la fin, rien qui ne
soit de lui ».*

J'avais dix-sept ans, et j'achevais mes études de philosophie à Amiens[1], où mes parents, qui sont d'une des meilleures maisons de P...[2], m'avaient envoyé. Je menais une vie si sage et si réglée, que mes maîtres me proposaient pour l'exemple du collège. Non que je fisse des efforts extraordinaires pour mériter cet éloge ; mais j'ai l'humeur naturellement douce et tranquille : je m'appliquais à l'étude par inclination, et l'on me comptait pour des vertus quelques marques d'aversion naturelle pour le vice. Ma naissance, le succès de mes études et quelques agréments extérieurs m'avaient fait connaître et estimer de tous les honnêtes gens de la ville. J'achevai mes exercices publics[3] avec une approbation si générale, que Monsieur l'Évêque, qui y assistait, me proposa d'entrer dans l'état ecclésiastique, où je ne manquerais pas, disait-il, de m'attirer plus de distinction que dans l'ordre de Malte[4], auquel mes parents me destinaient. Ils me faisaient déjà porter la croix, avec le nom de Chevalier Des Grieux. Les vacances arrivant, je me préparais à retourner chez mon père, qui m'avait promis de m'envoyer bientôt à l'Académie[5]. Mon seul regret, en quittant Amiens, était d'y laisser un ami, avec lequel j'avais toujours été tendrement uni. Il était de quelques années plus âgé que moi. Nous avions été élevés ensemble, mais le bien de sa maison étant des plus médiocres, il était obligé de prendre l'état ecclésiastique, et de demeurer à Amiens après moi, pour y faire les études qui conviennent à cette profession. Il avait mille bonnes qualités. Vous le connaîtrez par les meilleures dans la suite de mon histoire, et surtout par un zèle et une générosité en amitié, qui surpassent les plus célèbres exemples de l'antiquité. Si j'eusse alors suivi ses conseils, j'aurais toujours été sage et heureux. Si j'avais

---

1. *Amiens* : le collège des Jésuites à Amiens était renommé.
2. *P...* : aucune certitude ici. Le chevalier garde le secret de ses origines.
3. *exercices publics* : soutenances de thèses.
4. *ordre de Malte* : ordre de Chevaliers Hospitaliers, fondé vers 1099 en Terre Sainte, établi plus tard à Malte.
5. *l'Académie* : ici, l'Académie militaire.

du moins profité de ses reproches dans le précipice où
240 mes passions m'ont entraîné, j'aurais sauvé quelque
chose du naufrage de ma fortune et de ma réputation.
Mais il n'a point recueilli d'autre fruit de ses soins, que
le chagrin de les voir inutiles, et quelquefois durement
récompensés, par un ingrat qui s'en offensait et qui les
245 traitait d'importunités.

J'avais marqué le temps de mon départ d'Amiens.
Hélas ! que ne le marquais-je un jour plus tôt ! j'aurais
porté chez mon père toute mon innocence. La veille
même de celui que je devais quitter cette ville, étant à
250 me promener avec mon ami, qui s'appelait Tiberge,
nous vîmes arriver le coche d'Arras, et nous le suivîmes
jusqu'à l'hôtellerie où ces voitures descendent. Nous
n'avions pas d'autre motif que la curiosité. Il en sortit
quelques femmes, qui se retirèrent aussitôt. Mais il en
255 resta une, fort jeune, qui s'arrêta seule dans la cour,
pendant qu'un homme d'un âge avancé, qui paraissait
lui servir de conducteur, s'empressait pour faire tirer son
équipage des paniers[1]. Elle me parut si charmante, que
moi, qui n'avais jamais pensé à la différence des sexes,
260 ni regardé une fille avec un peu d'attention, moi, dis-je,
dont tout le monde admirait la sagesse et la retenue, je
me trouvai enflammé tout d'un coup jusqu'au transport.
J'avais le défaut d'être excessivement timide et facile à
déconcerter ; mais loin d'être arrêté alors par cette fai-
265 blesse, je m'avançai vers la maîtresse de mon cœur.
Quoiqu'elle fût encore moins âgée que moi, elle reçut
mes politesses sans paraître embarrassée. Je lui demandai ce qui l'amenait à Amiens, et si elle y avait quelques
personnes de connaissance. Elle me répondit ingénu-
270 ment, qu'elle y était envoyée par ses parents, pour être
religieuse. L'amour me rendait déjà si éclairé, depuis un
moment qu'il était dans mon cœur, que je regardai ce
dessein comme un coup mortel pour mes désirs. Je lui
parlai d'une manière qui lui fit comprendre mes senti-
275 ments, car elle était bien plus expérimentée que moi :

---

1. *paniers* : grands réceptacles d'osier qui contenaient les bagages.

27

c'était malgré elle qu'on l'envoyait au couvent, pour
arrêter sans doute son penchant au plaisir, qui s'était
déjà déclaré, et qui a causé dans la suite tous ses malheurs et les miens. Je combattis la cruelle intention de
280 ses parents, par toutes les raisons que mon amour nais-
sant et mon éloquence scolastique[1] purent me suggérer.
Elle n'affecta ni rigueur ni dédain. Elle me dit, après un
moment de silence, qu'elle ne prévoyait que trop qu'elle
allait être malheureuse, mais que c'était apparemment la
285 volonté du Ciel, puisqu'il ne lui laissait nul moyen de
l'éviter. La douceur de ses regards, un air charmant de
tristesse en prononçant ces paroles, ou plutôt l'ascendant[2] de ma destinée, qui m'entraînait à ma perte, ne
me permirent pas de balancer[3] un moment sur ma
290 réponse. Je l'assurai que si elle voulait faire quelque fond
sur mon honneur, et sur la tendresse infinie qu'elle
m'inspirait déjà, j'emploierais ma vie pour la délivrer de
la tyrannie de ses parents et pour la rendre heureuse. Je
me suis étonné mille fois, en y réfléchissant, d'où me
295 venait alors tant de hardiesse et de facilité à m'exprimer ; mais on ne ferait pas une divinité de l'Amour, s'il
n'opérait souvent des prodiges. J'ajoutai mille choses
pressantes. Ma belle inconnue savait bien qu'on n'est
point trompeur à mon âge ; elle me confessa que si je
300 voyais quelque jour à la pouvoir mettre en liberté, elle
croirait m'être redevable de quelque chose de plus cher
que la vie. Je lui répétai que j'étais prêt à tout entreprendre ; mais n'ayant point assez d'expérience pour
imaginer tout d'un coup les moyens de la servir, je m'en
305 tenais à cette assurance générale, qui ne pouvait être
d'un grand secours pour elle et pour moi. Son vieil Argus[4]
étant venu nous rejoindre, mes espérances allaient
échouer, si elle n'eût eu assez d'esprit pour suppléer à la
stérilité du mien. Je fus surpris, à l'arrivée de son

---

1. *scolastique* : son éloquence suivait les règles apprises au collège, celles de la
rhétorique (art de construire un discours).
2. *ascendant* : influence astrale déterminante.
3. *de balancer* : d'hésiter.
4. *Argus* : géant aux cent yeux de la mythologie antique, d'où l'idée de surveillant
vigilant.

310 conducteur, qu'elle m'appelât son cousin, et que sans
paraître déconcertée le moins du monde, elle me dît que
puisqu'elle était assez heureuse pour me rencontrer à
Amiens, elle remettait au lendemain son entrée dans le
couvent, afin de se procurer le plaisir de souper avec moi.

315 J'entrai fort bien dans le sens de cette ruse : je lui proposai
de se loger dans une hôtellerie dont le maître, qui s'était
établi à Amiens, après avoir été longtemps cocher de mon
père, était dévoué entièrement à mes ordres. Je l'y conduisis moi-même, tandis que le vieux conducteur paraissait

320 un peu murmurer, et que mon ami Tiberge, qui ne
comprenait rien à cette scène, me suivait sans prononcer
une parole. Il n'avait point entendu notre entretien. Il était
demeuré à se promener dans la cour, pendant que je
parlais d'amour à ma belle maîtresse. Comme je redoutais

325 sa sagesse, je me défis de lui par une commission dont je le
priai de se charger. Ainsi j'eus le plaisir, en arrivant à
l'auberge, d'entretenir seul la souveraine de mon cœur. Je
reconnus bientôt que j'étais moins enfant que je ne le
croyais. Mon cœur s'ouvrit à mille sentiments de plaisir,

330 dont je n'avais jamais eu l'idée. Une douce chaleur se
répandit dans toutes mes veines. J'étais dans une espèce
de transport, qui m'ôta pour quelque temps la liberté de la
voix, et qui ne s'exprimait que par mes yeux. Mademoiselle Manon Lescaut, c'est ainsi qu'elle me dit qu'on la

335 nommait, parut fort satisfaite de cet effet de ses charmes.
Je crus apercevoir qu'elle n'était pas moins émue que moi.
Elle me confessa qu'elle me trouvait aimable, et qu'elle
serait ravie de m'avoir obligation de sa liberté. Elle voulut
savoir qui j'étais, et cette connaissance augmenta son

340 affection, parce qu'étant d'une naissance commune, elle
se trouva flattée d'avoir fait la conquête d'un amant tel que
moi. Nous nous entretînmes des moyens d'être l'un à
l'autre. Après quantité de réflexions, nous ne trouvâmes
point d'autre voie que celle de la fuite. Il fallait tromper la

345 vigilance du conducteur, qui était un homme à ménager,
quoiqu'il ne fût qu'un domestique. Nous réglâmes que je
ferais préparer pendant la nuit une chaise de poste[1], et que

---

1. *une chaise de poste* : une voiture légère et rapide.

je reviendrais de grand matin à l'auberge, avant qu'il fût
éveillé ; que nous nous déroberions secrètement, et que
350 nous irions droit à Paris, où nous nous ferions marier en
arrivant. J'avais environ cinquante écus[1], qui étaient le
fruit de mes petites épargnes ; elle en avait à peu près le
double. Nous nous imaginâmes, comme des enfants sans
expérience, que cette somme ne finirait jamais, et nous
355 ne comptâmes pas moins sur le succès de nos autres
mesures.

Après avoir soupé avec plus de satisfaction que je n'en
avais jamais ressenti, je me retirai pour exécuter notre
projet. Mes arrangements furent d'autant plus faciles,
360 qu'ayant eu dessein de retourner le lendemain chez mon
père, mon petit équipage était déjà préparé. Je n'eus
donc nulle peine à faire transporter ma malle, et à faire
tenir une chaise prête pour cinq heures du matin, qui
étaient le temps où les portes de la ville devaient être
365 ouvertes ; mais je trouvai un obstacle dont je ne me
défiais point, et qui faillit de rompre entièrement mon
dessein.

Tiberge, quoique âgé seulement de trois ans plus que
moi, était un garçon d'un sens mûr et d'une conduite
370 fort réglée. Il m'aimait avec une tendresse extraordinaire. La vue d'une aussi jolie fille que Mademoiselle
Manon, mon empressement à la conduire, et le soin que
j'avais eu de me défaire de lui en l'éloignant, lui firent
naître quelques soupçons de mon amour. Il n'avait osé
375 revenir à l'auberge où il m'avait laissé, de peur de m'offenser par son retour ; mais il était allé m'attendre à mon
logis, où je le trouvai en arrivant quoiqu'il fût dix heures
du soir. Sa présence me chagrina. Il s'aperçut facilement
de la contrainte qu'elle me causait. Je suis sûr, me dit-il
380 sans déguisement, que vous méditez quelque dessein
que vous me voulez cacher ; je le vois à votre air. Je lui
répondis assez brusquement que je n'étais pas obligé de
lui rendre compte de tous mes desseins. Non, reprit-il,
mais vous m'avez toujours traité en ami, et cette qualité

---

1. *cinquante écus* : environ 6 000 F (*cf.* lexique : ARGENT).

suppose un peu de confiance et d'ouverture[1]. Il me
385 pressa si fort et si longtemps de lui découvrir mon
secret, que n'ayant jamais eu de réserve avec lui, je lui fis
l'entière confidence de ma passion. Il la reçut avec une
apparence de mécontentement qui me fit frémir. Je me
repentis surtout de l'indiscrétion[2] avec laquelle je lui
390 avais découvert le dessein de ma fuite. Il me dit qu'il
était trop parfaitement mon ami pour ne pas s'y opposer
de tout son pouvoir ; qu'il voulait me représenter
d'abord tout ce qu'il croyait capable de m'en détourner,
mais que si je ne renonçais pas ensuite à cette misérable
395 résolution, il avertirait des personnes qui pourraient l'arrêter à coup sûr. Il me tint là-dessus un discours sérieux,
qui dura plus d'un quart d'heure, et qui finit encore par
la menace de me dénoncer, si je ne lui donnais ma
parole de me conduire avec plus de sagesse et de raison.
400 J'étais au désespoir de m'être trahi si mal à propos.
Cependant, l'amour m'ayant ouvert extrêmement l'esprit depuis deux ou trois heures, je fis attention que je ne
lui avais pas découvert que mon dessein devait s'exécuter le lendemain, et je résolus de le tromper à la faveur
405 d'une équivoque : Tiberge, lui dis-je, j'ai cru jusqu'à
présent que vous étiez mon ami, et j'ai voulu vous
éprouver par cette confidence. Il est vrai que j'aime, je
ne vous ai pas trompé ; mais pour ce qui regarde ma
fuite, ce n'est point une entreprise à former au hasard.
410 Venez me prendre demain à neuf heures ; je vous ferai
voir, s'il se peut, ma maîtresse[3], et vous jugerez si elle
mérite que je fasse cette démarche pour elle. Il me laissa
seul, après mille protestations d'amitié. J'employai la
nuit à mettre ordre à mes affaires, et m'étant rendu à
415 l'hôtellerie de Mademoiselle Manon vers la pointe du
jour, je la trouvai qui m'attendait. Elle était à sa fenêtre,
qui donnait sur la rue, de sorte que, m'ayant aperçu, elle
vint m'ouvrir elle-même. Nous sortîmes sans bruit. Elle

---

1. *ouverture* : franchise.
2. *indiscrétion* : au sens latin, manque de discernement.
3. *maîtresse* : *cf.* note 3 p. 18.

n'avait point d'autre équipage que son linge, dont je me
420 chargeai moi-même. La chaise était en état de partir ;
nous nous éloignâmes aussitôt de la ville. Je rapporterai
dans la suite quelle fut la conduite de Tiberge, lorsqu'il
s'aperçut que je l'avais trompé. Son zèle n'en devint pas
moins ardent. Vous verrez à quel excès il le porta, et
425 combien je devrais verser de larmes, en songeant quelle
en a toujours été la récompense.

Nous nous hâtâmes tellement d'avancer, que nous
arrivâmes à Saint-Denis avant la nuit. J'avais couru à
cheval, à côté de la chaise, ce qui ne nous avait guère
430 permis de nous entretenir qu'en changeant de chevaux ;
mais lorsque nous nous vîmes si proches de Paris, c'est-
à-dire presque en sûreté, nous prîmes le temps de nous
rafraîchir, n'ayant rien mangé depuis notre départ
d'Amiens. Quelque passionné que je fusse pour Manon,
435 elle sut me persuader qu'elle ne l'était pas moins pour
moi. Nous étions si peu réservés dans nos caresses, que
nous n'avions pas la patience d'attendre que nous fus-
sions seuls. Nos postillons et nos hôtes nous regardaient
avec admiration ; et je remarquais qu'ils étaient surpris
440 de voir deux enfants de notre âge, qui paraissaient s'aimer jusqu'à la fureur. Nos projets de mariage furent
oubliés à Saint-Denis ; nous fraudâmes les droits de
l'Église, et nous nous trouvâmes époux sans y avoir fait
réflexion. Il est sûr que du naturel tendre et constant
445 dont je suis, j'étais heureux pour toute ma vie, si Manon
m'eût été fidèle. Plus je la connaissais, plus je découvrais
en elle de nouvelles qualités aimables. Son esprit, son
cœur, sa douceur et sa beauté formaient une chaîne si
forte et si charmante, que j'aurais mis tout mon bonheur
450 à n'en sortir jamais. Terrible changement ! Ce qui fait
mon désespoir a pu faire ma félicité. Je me trouve le plus
malheureux de tous les hommes, par cette même
constance dont je devais attendre le plus doux de tous
les sorts, et les plus parfaites récompenses de l'amour.

Premier épisode : de la première rencontre, à la fuite à Saint-Denis.

Compréhension

• **La naissance de l'amour :** *depuis* « J'avais 17 ans », *jusqu'à* « récompenses de l'amour » *(pp. 26 à 32).*

1. *Dans quelle mesure ce texte est-il l'incipit* du récit inséré par le chevalier dans l'œuvre de Renoncour et dès lors, conforme à la poétique* des incipit ?*

2. *Relevez les étapes du récit de la rencontre amoureuse.*

• **Le portrait de Des Grieux : *un autoportrait***

3. *Quels sont les éléments de l'autoportrait du narrateur et quelle intention du narrateur ce choix révèle-t-il ? Quelles indications ce choix donne-t-il sur le caractère de Des Grieux lui-même ?*

4. *Quels effets produisent-ils, à la fois sur Renoncour et sur le lecteur ?*

5. *Dans quelle mesure certains éléments sont-ils utiles à la compréhension de l'intrigue ?*

6. *Quels sont les éléments du portrait de Tiberge ? Cette présentation annonce-t-elle le rôle de cet ami dans le roman ? Dans quelle mesure le commentaire qui accompagne ce portrait introduit-il un climat tragique dans le récit ?*

• **Le coup de foudre :** *depuis* « J'avais marqué le temps de mon départ », *jusqu'à* « quelle en a toujours été la récompense » *(pp. 27 à 32).*

7. *Comment l'auteur présente-t-il l'entrée en scène du personnage féminin ? Quelle est la fonction des détails qui précèdent la présentation de Manon ?*

8. *En quoi consiste le portrait de la jeune fille ? Comment justifiez-vous une telle discrétion ? Donnez un numéro aux différents portraits de Manon que vous rencontrerez. Quels sont les effets ressentis par le chevalier à « l'apparition » de Manon ?*

Écriture

9. *Relevez dans l'écriture les éléments textuels de l'histoire racontée, les paroles rapportées et les réflexions-commentaires faites a posteriori sur l'événement ?*
Comment ces trois éléments s'enchaînent-ils et quel effet produit cette présentation ?

10. *En quels termes est décrite l'arrivée de Manon ? quel est le double sens de « charmante » ?*

11. *Qu'apporte le choix du passé simple « je me trouvai » ?*

12. *Pouvez-vous repérer les effets produits par l'emploi important du style indirect dans le dialogue des deux jeunes gens rapporté par le chevalier ?*

Mise en perspective

Le thème de la rencontre entre un jeune homme encore innocent et une jeune fille plus avertie est fréquent en littérature :

13. *Cherchez dans les textes littéraires quelques exemples du traitement et de la signification de ce thème.*

14. *Dans quelle mesure le chevalier se montre-t-il le maître de son récit et le juge de son personnage, dans l'ensemble de ces pages ?*

455 Nous prîmes un appartement meublé à Paris. Ce fut dans la rue V...[1], et pour mon malheur, auprès de la maison de M. de B..., célèbre fermier général[2]. Trois semaines se passèrent, pendant lesquelles j'avais été si rempli de ma passion, que j'avais peu songé à ma
460 famille, et au chagrin que mon père avait dû ressentir de mon absence. Cependant, comme la débauche n'avait nulle part à ma conduite, et que Manon se comportait aussi avec beaucoup de retenue, la tranquillité où nous vivions servit à me faire rappeler peu à peu l'idée de
465 mon devoir. Je résolus de me réconcilier, s'il était possible, avec mon père. Ma maîtresse était si aimable, que je ne doutai point qu'elle ne pût lui plaire, si je trouvais moyen de lui faire connaître sa sagesse et son mérite : en un mot, je me flattai d'obtenir de lui la liberté de
470 l'épouser, ayant été désabusé de l'espérance de le pouvoir sans son consentement. Je communiquai ce projet à Manon ; et je lui fis entendre qu'outre les motifs de l'amour et du devoir, celui de la nécessité pouvait y entrer aussi pour quelque chose, car nos fonds étaient
475 extrêmement altérés, et je commençais à revenir de l'opinion qu'ils étaient inépuisables. Manon reçut froidement cette proposition. Cependant, les difficultés qu'elle y opposa n'étant prises que de sa tendresse même, et de la crainte de me perdre si mon père n'en-
480 trait point dans notre dessein, après avoir connu le lieu de notre retraite, je n'eus pas le moindre soupçon du coup cruel qu'on se préparait à me porter. À l'objection de la nécessité, elle répondit qu'il nous restait encore de quoi vivre quelques semaines, et qu'elle trouverait après
485 cela des ressources dans l'affection de quelques parents, à qui elle écrirait en province. Elle adoucit son refus par des caresses si tendres et si passionnées, que moi qui ne vivais que dans elle, et qui n'avais pas la moindre défiance de son cœur, j'applaudis à toutes ses réponses

---

1. *la rue V...* : la rue Vivienne (quartier de la Bourse actuelle) était déjà un lieu où s'installaient les financiers.
2. *fermier général* : l'un de ceux qui avançaient souvent au roi le revenu des impôts, qu'ils percevaient ensuite. Donc un financier très riche.

490 et à toutes ses résolutions. Je lui avais laissé la disposition de notre bourse et le soin de payer notre dépense
ordinaire. Je m'aperçus, peu après, que notre table était
mieux servie, et qu'elle s'était donné quelques ajuste-
ments d'un prix considérable. Comme je n'ignorais pas
495 qu'il devait nous rester à peine douze ou quinze pistoles[1], je lui marquai mon étonnement de cette augmentation apparente de notre opulence. Elle me pria, en
riant, d'être sans embarras. Ne vous ai-je pas promis,
me dit-elle, que je trouverais des ressources ? Je l'aimais
500 avec trop de simplicité[2] pour m'alarmer facilement.

Un jour que j'étais sorti l'après-midi, et que je l'avais
avertie que je serais dehors plus longtemps qu'à l'ordinaire, je fus étonné qu'à mon retour on me fît attendre
deux ou trois minutes à la porte. Nous n'étions servis
505 que par une petite fille, qui était à peu près de notre âge.
Étant venue m'ouvrir, je[3] lui demandai pourquoi elle
avait tardé si longtemps. Elle me répondit, d'un air
embarrassé, qu'elle ne m'avait point entendu frapper. Je
n'avais frappé qu'une fois ; je lui dis : mais si vous ne
510 m'avez pas entendu, pourquoi êtes-vous donc venue
m'ouvrir ? Cette question la déconcerta si fort que,
n'ayant point assez de présence d'esprit pour y
répondre, elle se mit à pleurer, en m'assurant que ce
n'était point sa faute, et que Madame lui avait défendu
515 d'ouvrir la porte jusqu'à ce que M. de B... fût sorti par
l'autre escalier, qui répondait[4] au cabinet. Je demeurai si
confus, que je n'eus point la force d'entrer dans l'appartement. Je pris le parti de descendre sous prétexte
d'une affaire, et j'ordonnai à cet enfant de dire à sa maî-
520 tresse que je retournerais dans le moment, mais de ne
pas faire connaître qu'elle m'eût parlé de M. de B...

Ma consternation fut si grande, que je versais des
larmes en descendant l'escalier, sans savoir encore de

---

1. *douze ou quinze pistoles* : entre 2 400 et 3 000 F (*cf.* lexique : ARGENT).
2. *simplicité* : naïveté.
3. *Étant venue m'ouvrir, je...* : construction que la grammaire actuelle ne tolère
plus, puisque *« je »* ne se rapporte pas à *« étant venue »*.
4. *répondait* : correspondait.

quel sentiment elles partaient. J'entrai dans le premier
café[1] ; et m'y étant assis près d'une table, j'appuyai la
tête sur mes deux mains, pour y développer[2] ce qui se
passait dans mon cœur. Je n'osais rappeler ce que je
venais d'entendre. Je voulais le considérer comme une
illusion, et je fus prêt deux ou trois fois de retourner au
logis, sans marquer que j'y eusse fait attention. Il me
paraissait si impossible que Manon m'eût trahi, que je
craignais de lui faire injure en la soupçonnant. Je l'adorais, cela était sûr ; je ne lui avais pas donné plus de
preuves d'amour que je n'en avais reçu d'elle ; pourquoi
l'aurais-je accusée d'être moins sincère et moins
constante que moi ? Quelle raison aurait-elle eue de me
tromper ? Il n'y avait que trois heures qu'elle m'avait
accablé de ses plus tendres caresses, et qu'elle avait reçu
les miennes avec transport ; je ne connaissais pas mieux
mon cœur que le sien. Non, non, repris-je, il n'est pas
possible que Manon me trahisse. Elle n'ignore pas que je
ne vis que pour elle. Elle sait trop bien que je l'adore. Ce
n'est pas là un sujet de me haïr.

Cependant la visite et la sortie furtive de M. de B... me
causaient de l'embarras. Je rappelais aussi les petites
acquisitions de Manon, qui me semblaient surpasser nos
richesses présentes. Cela paraissait sentir les libéralités
d'un nouvel amant. Et cette confiance qu'elle m'avait
marquée pour des ressources qui m'étaient inconnues ;
j'avais peine à donner à tant d'énigmes un sens aussi
favorable que mon cœur le souhaitait. D'un autre côté, je
ne l'avais presque pas perdue de vue depuis que nous
étions à Paris. Occupations, promenades, divertissements, nous avions toujours été l'un à côté de l'autre :
mon Dieu ! un instant de séparation nous aurait trop
affligés. Il fallait nous dire sans cesse que nous nous
aimions ; nous serions morts d'inquiétude sans cela. Je
ne pouvais donc m'imaginer presque un seul moment où

---

1. *café* : établissements qui se multipliaient alors à Paris (les premiers remontant au XVIIe siècle, par exemple, le Procope).
2. *développer* : ici, analyser.

Manon pût s'être occupée d'un autre que moi. À la fin, je
560 crus avoir trouvé le dénouement de ce mystère.
M. de B..., dis-je en moi-même, est un homme qui fait
de grosses affaires, et qui a de grandes relations ; les
parents de Manon se seront servis de cet homme pour
lui faire tenir quelque argent. Elle en a peut-être déjà
565 reçu de lui ; il est venu aujourd'hui lui en apporter
encore. Elle s'est fait sans doute un jeu de me le cacher,
pour me surprendre agréablement. Peut-être m'en
aurait-elle parlé si j'étais rentré à l'ordinaire, au lieu de
venir ici m'affliger ; elle ne me le cachera pas du moins,
570 lorsque je lui en parlerai moi-même.
    Je me remplis si fortement de cette opinion, qu'elle
eut la force de diminuer beaucoup ma tristesse. Je
retournai sur-le-champ au logis. J'embrassai Manon avec
ma tendresse ordinaire. Elle me reçut fort bien. J'étais
575 tenté d'abord de lui découvrir mes conjectures, que je
regardais plus que jamais comme certaines ; je me retins,
dans l'espérance qu'il lui arriverait peut-être de me prévenir[1], en m'apprenant tout ce qui s'était passé. On nous
servit à souper. Je me mis à table d'un air fort gai ; mais
580 à la lumière de la chandelle qui était entre elle et moi, je
crus apercevoir de la tristesse sur le visage et dans les
yeux de ma chère maîtresse. Cette pensée m'en inspira
aussi. Je remarquai que ses regards s'attachaient sur moi,
d'une autre façon qu'ils n'avaient accoutumé. Je ne pou-
585 vais démêler si c'était de l'amour ou de la compassion,
quoiqu'il me parût que c'était un sentiment doux et languissant. Je la regardai avec la même attention ; et peut-
être n'avait-elle pas moins de peine à juger de la situation de mon cœur par mes regards. Nous ne pensions ni
590 à parler, ni à manger. Enfin, je vis tomber des larmes de
ses beaux yeux : perfides larmes ! Ah Dieux ! m'écriai-je,
vous pleurez, ma chère Manon ; vous êtes affligée jusqu'à
pleurer, et vous ne me dites pas un seul mot de vos
peines. Elle ne me répondit que par quelques soupirs,
595 qui augmentèrent mon inquiétude. Je me levai en trem-

---

1. *prévenir* : devancer.

blant ; je la conjurai, avec tous les empressements de l'amour, de me découvrir le sujet de ses pleurs ; j'en versai moi-même en essuyant les siens ; j'étais plus mort que vif. Un barbare aurait été attendri des témoignages
600 de ma douleur et de ma crainte. Dans le temps que j'étais ainsi tout occupé d'elle, j'entendis le bruit de plusieurs personnes qui montaient l'escalier. On frappa doucement à la porte. Manon me donna un baiser ; et s'échappant de mes bras, elle entra rapidement dans le
605 cabinet, qu'elle ferma aussitôt sur elle. Je me figurai qu'étant un peu en désordre, elle voulait se cacher aux yeux des étrangers qui avaient frappé. J'allai leur ouvrir moi-même. À peine avais-je ouvert, que je me vis saisir par trois hommes, que je reconnus pour les laquais de
610 mon père. Ils ne me firent point de violence ; mais deux d'entre eux m'ayant pris par les bras, le troisième visita mes poches, dont il tira un petit couteau, qui était le seul fer que j'eusse sur moi. Ils me demandèrent pardon de la nécessité où ils étaient de me manquer de respect ; ils
615 me dirent naturellement qu'ils agissaient par l'ordre de mon père, et que mon frère aîné m'attendait en bas dans un carrosse. J'étais si troublé, que je me laissai conduire sans résister et sans répondre. Mon frère était effectivement à m'attendre. On me mit dans le carrosse, auprès
620 de lui, et le cocher, qui avait ses ordres, nous conduisit à grand train jusqu'à Saint-Denis. Mon frère m'embrassa tendrement, mais il ne me parla point, de sorte que j'eus tout le loisir dont j'avais besoin, pour rêver à mon infortune.
625 J'y trouvai d'abord tant d'obscurité, que je ne voyais pas de jour à la moindre conjecture. J'étais trahi cruellement ; mais par qui ? Tiberge fut le premier qui me vint à l'esprit. Traître ! disais-je, c'est fait de ta vie si mes soupçons se trouvent justes. Cependant je fis réflexion qu'il
630 ignorait le lieu de ma demeure, et qu'on ne pouvait par conséquent l'avoir appris de lui. Accuser Manon, c'est de quoi mon cœur n'osait se rendre coupable. Cette tristesse extraordinaire dont je l'avais vue comme accablée, ses larmes, le tendre baiser qu'elle m'avait donné en se
635 retirant, me paraissaient bien une énigme ; mais je me sentais porté à l'expliquer comme un pressentiment de

notre malheur commun ; et dans le temps que je me désespérais de l'accident qui m'arrachait à elle, j'avais la crédulité de m'imaginer qu'elle était encore plus à

640 plaindre que moi. Le résultat de ma méditation fut de me persuader que j'avais été aperçu dans les rues de Paris par quelques personnes de connaissance, qui en avaient donné avis à mon père. Cette pensée me consola. Je comptais d'en être quitte pour des

645 reproches, ou pour quelques mauvais traitements qu'il me faudrait essuyer de l'autorité paternelle. Je résolus de les souffrir avec patience, et de promettre tout ce qu'on exigerait de moi, pour me faciliter l'occasion de retourner plus promptement à Paris, et d'aller rendre la vie et

650 la joie à ma chère Manon.

La scène de l'enlèvement de Des Grieux pour le compte de son père (l. 619).
Dessin de Maurice Leloir, 1885.

Deuxième épisode : première trahison de Manon.

Compréhension

• **Le récit d'événements**

1. *Analysez la structure du récit et donnez un titre aux différentes parties.*

2. *Pourquoi le chevalier décide-t-il de se réconcilier avec son père ?*

3. *Quels arguments Manon utilise-t-elle pour détourner son amant de cette décision ? En quoi le projet du chevalier, le refus de Manon et le plaidoyer qui le fonde permettent-ils de caractériser les sentiments des deux amants ?*

4. *Quelles sont les raisons du comportement du chevalier lors de ses deux arrivées chez lui ? En quoi son attitude aide-t-elle le lecteur à construire son caractère ?*

5. *Quels indices l'amènent à douter de la loyauté de Manon et comment les récuse-t-il ?*

6. *En quoi la scène du souper est-elle une scène qu'on peut rattacher au genre littéraire dramatique* (dramaturgie, gestualité, dialogue) ?*

• **La narration***

7. *Par le choix des détails, l'organisation du récit, que recherche le personnage/narrateur par rapport à son auditeur, et l'auteur (Prévost) par rapport au lecteur ?*

8. *Quels indices destinés à expliquer le comportement des amants ont été donnés précédemment par le narrateur ?*

Écriture

9. *Comment interprétez-vous la qualification donnée par Des Grieux à la servante ? Quelle signification particulière par rapport au personnage l'auteur veut-il lui donner ?*

10. *Relevez les éléments du champ lexical du regard ; quelle en est la signification et l'effet littéraire ?*

11. *Quels termes évoquent le désir de fuite de Manon, quelle signification l'auteur leur accorde-t-il ?*

Des Grieux en compagnie de son père, dans sa chambre, à P... . *Dessin de P. E. Bécat.*

Nous arrivâmes, en peu de temps, à Saint-Denis. Mon frère, surpris de mon silence, s'imagina que c'était un effet de ma crainte. Il entreprit de me consoler, en m'assurant que je n'avais rien à redouter de la sévérité de
655 mon père, pourvu que je fusse disposé à rentrer doucement dans le devoir, et à mériter l'affection qu'il avait pour moi. Il me fit passer la nuit à Saint-Denis, avec la précaution de faire coucher les trois laquais dans ma chambre. Ce qui me causa une peine sensible, fut de me
660 voir dans la même hôtellerie où je m'étais arrêté avec Manon, en venant d'Amiens à Paris. L'hôte et les domestiques me reconnurent, et devinèrent en même temps la vérité de mon histoire. J'entendis dire à l'hôte : Ah ! c'est ce joli monsieur qui passait, il y a six semaines,
665 avec une petite demoiselle qu'il aimait si fort. Qu'elle était charmante ! Les pauvres enfants, comme ils se caressaient ! Pardi, c'est dommage qu'on les ait séparés. Je feignais de ne rien entendre, et je me laissais voir le moins qu'il m'était possible. Mon frère avait, à Saint-
670 Denis, une chaise à deux[1], dans laquelle nous partîmes de grand matin, et nous arrivâmes chez nous le lendemain au soir. Il vit mon père avant moi, pour le prévenir en ma faveur en lui apprenant avec quelle douceur je m'étais laissé conduire, de sorte que j'en fus reçu moins
675 durement que je ne m'y étais attendu. Il se contenta de me faire quelques reproches généraux sur la faute que j'avais commise en m'absentant sans sa permission. Pour ce qui regardait ma maîtresse, il me dit que j'avais bien mérité ce qui venait de m'arriver, en me livrant à
680 une inconnue ; qu'il avait eu meilleure opinion de ma prudence ; mais qu'il espérait que cette petite aventure me rendrait plus sage. Je ne pris ce discours que dans le sens qui s'accordait avec mes idées. Je remerciai mon père de la bonté qu'il avait de me pardonner, et je lui
685 promis de prendre une conduite plus soumise et plus réglée. Je triomphais au fond du cœur, car de la manière dont les choses s'arrangeaient, je ne doutais point que je

---

1. *une chaise à deux* : à deux places, donc rapide.

n'eusse la liberté de me dérober de la maison, même avant la fin de la nuit.

690 On se mit à table pour souper; on me railla sur ma conquête d'Amiens, et sur ma fuite avec cette fidèle maîtresse. Je reçus les coups de bonne grâce. J'étais même charmé qu'il me fût permis de m'entretenir de ce qui m'occupait continuellement l'esprit. Mais quelques mots

695 lâchés par mon père me firent prêter l'oreille avec la dernière attention : il parla de perfidie, et de service intéressé, rendu par Monsieur B... Je demeurai interdit en lui entendant prononcer ce nom, et je le priai humblement de s'expliquer davantage. Il se tourna vers mon

700 frère, pour lui demander s'il ne m'avait pas raconté toute l'histoire. Mon frère lui répondit que je lui avais paru si tranquille sur la route, qu'il n'avait pas cru que j'eusse besoin de ce remède pour me guérir de ma folie. Je remarquai que mon père balançait[1] s'il achèverait de

705 s'expliquer. Je l'en suppliai si instamment, qu'il me satisfit, ou plutôt, qu'il m'assassina cruellement par le plus horrible de tous les récits.

Il me demanda d'abord si j'avais toujours eu la simplicité de croire que je fusse aimé de ma maîtresse. Je lui

710 dis hardiment que j'en étais si sûr, que rien ne pouvait m'en donner la moindre défiance. Ha, ha, ha, s'écria-t-il en riant de toute sa force, cela est excellent! Tu es une jolie dupe, et j'aime à te voir dans ces sentiments-là. C'est grand dommage, mon pauvre Chevalier, de te faire

715 entrer dans l'ordre de Malte, puisque tu as tant de disposition à faire un mari patient et commode. Il ajouta mille railleries de cette force, sur ce qu'il appelait ma sottise et ma crédulité. Enfin, comme je demeurais dans le silence, il continua de me dire que suivant le calcul qu'il

720 pouvait faire du temps, depuis mon départ d'Amiens, Manon m'avait aimé environ douze jours : car, ajouta-t-il, je sais que tu partis d'Amiens le 28 de l'autre mois; nous sommes au 29 du présent; il y en a onze que Monsieur B... m'a écrit; je suppose qu'il lui en ait fallu huit

---

1. *balançait* : pesait le pour et le contre.

725 pour lier une parfaite connaissance avec ta maîtresse ;
ainsi, qui ôte onze et huit de trente et un jours qu'il y a
depuis le 28 d'un mois jusqu'au 29 de l'autre, reste
douze, un peu plus ou moins. Là-dessus, les éclats de
rire recommencèrent. J'écoutais tout avec un saisisse-
730 ment de cœur auquel j'appréhendais de ne pouvoir
résister jusqu'à la fin de cette triste comédie. Tu sauras
donc, reprit mon père, puisque tu l'ignores, que Monsieur B... a gagné le cœur de ta princesse ; car il se
moque de moi, de prétendre me persuader que c'est par
735 un zèle désintéressé pour mon service, qu'il a voulu te
l'enlever. C'est bien d'un homme tel que lui, de qui
d'ailleurs je ne suis pas connu, qu'il faut attendre des
sentiments si nobles. Il a su d'elle que tu es mon fils ; et
pour se délivrer de tes importunités, il m'a écrit le lieu
740 de ta demeure et le désordre où tu vivais, en me faisant
entendre qu'il fallait main-forte pour s'assurer de toi. Il
s'est offert de me faciliter les moyens de te saisir au
collet, et c'est par sa direction et celle de ta maîtresse
même, que ton frère a trouvé le moment de te prendre
745 sans vert[1]. Félicite-toi maintenant de la durée de ton
triomphe. Tu sais vaincre assez rapidement, Chevalier,
mais tu ne sais pas conserver tes conquêtes.
     Je n'eus pas la force de soutenir plus longtemps un
discours dont chaque mot m'avait percé le cœur. Je me
750 levai de table, et je n'avais pas fait quatre pas pour sortir
de la salle, que je tombai sur le plancher, sans sentiment
et sans connaissance. On me les rappela par de prompts
secours. J'ouvris les yeux pour verser un torrent de
pleurs, et la bouche pour proférer les plaintes les plus
755 tristes et les plus touchantes. Mon père, qui m'a toujours
aimé tendrement, s'employa avec toute son affection
pour me consoler. Je l'écoutais, mais sans l'entendre. Je
me jetais à ses genoux ; je le conjurai, en joignant les
mains, de me laisser retourner à Paris pour aller poi-
760 gnarder B... Non, disais-je, il n'a pas gagné le cœur de

---

1. *sans vert* : au dépourvu ; locution qui, se rapportant à un jeu de l'époque,
a disparu de la langue.

46

Manon ; il lui a fait violence ; il l'a séduite par un charme[1] ou par un poison ; il l'a peut-être forcée brutalement. Manon m'aime. Ne le sais-je pas bien ? Il l'aura menacée, le poignard à la main, pour la contraindre de
765 m'abandonner. Que n'aura-t-il pas fait pour me ravir une si charmante maîtresse ? Ô Dieux ! Dieux ! serait-il possible que Manon m'eût trahi et qu'elle eût cessé de m'aimer !

Comme je parlais toujours de retourner promptement
770 à Paris, et que je me levais même à tous moments pour cela, mon père vit bien que dans le transport où j'étais, rien ne serait capable de m'arrêter. Il me conduisit dans une chambre haute, où il laissa deux domestiques avec moi pour me garder à vue. Je ne me possédais point.
775 J'aurais donné mille vies, pour être seulement un quart d'heure à Paris. Je compris que m'étant déclaré si ouvertement, on ne me permettrait pas aisément de sortir de ma chambre. Je mesurai des yeux la hauteur des fenêtres ; ne voyant nulle possibilité de m'échapper par
780 cette voie, je m'adressai doucement à mes deux domestiques. Je m'engageai, par mille serments, à faire un jour leur fortune, s'ils voulaient consentir à mon évasion. Je les pressai, je les caressai, je les menaçai ; mais cette tentative fut encore inutile.
785 Je perdis alors toute espérance. Je résolus de mourir, et je me jetai sur un lit, avec le dessein de ne le quitter qu'avec la vie. Je passai la nuit et le jour suivant dans cette situation. Je refusai la nourriture qu'on m'apporta le lendemain. Mon père vint me voir l'après-midi. Il eut
790 la bonté de flatter mes peines par les plus douces consolations. Il m'ordonna si absolument de manger quelque chose, que je le fis par respect pour ses ordres. Quelques jours se passèrent, pendant lesquels je ne pris rien qu'en sa présence et pour lui obéir. Il continuait toujours de
795 m'apporter les raisons qui pouvaient me ramener au bon sens et m'inspirer du mépris pour l'infidèle Manon. Il est certain que je ne l'estimais plus : comment aurais-je

---

1. *charme* : au sens latin, incantation, sortilège.

estimé la plus volage et la plus perfide de toutes les créatures ? Mais son image, les traits charmants que je portais au fond du cœur, y subsistaient toujours. Je le sentais bien. Je puis mourir, disais-je ; je le devrais même, après tant de honte et de douleur ; mais je souffrirais mille morts sans pouvoir oublier l'ingrate Manon.

Mon père était surpris de me voir toujours si fortement touché. Il me connaissait des principes d'honneur ; et ne pouvant douter que sa trahison ne me la fît mépriser, il s'imagina que ma constance venait moins de cette passion en particulier, que d'un penchant général pour les femmes. Il s'attacha tellement à cette pensée, que ne consultant que sa tendre affection, il vint un jour m'en faire l'ouverture. Chevalier, me dit-il, j'ai eu dessein, jusqu'à présent, de te faire porter la croix de Malte[1] ; mais je vois que tes inclinations ne sont point tournées de ce côté-là. Tu aimes les jolies femmes. Je suis d'avis de t'en chercher une qui te plaise. Explique-moi naturellement ce que tu penses là-dessus. Je lui répondis que je ne mettais plus de distinction entre les femmes, et qu'après le malheur qui venait de m'arriver, je les détestais toutes également. Je t'en chercherai une, reprit mon père en souriant, qui ressemblera à Manon, et qui sera plus fidèle. Ah ! si vous avez quelque bonté pour moi, lui dis-je, c'est elle qu'il faut me rendre. Soyez sûr, mon cher père, qu'elle ne m'a point trahi ; elle n'est pas capable d'une si noire et si cruelle lâcheté. C'est le perfide B... qui nous trompe, vous, elle et moi. Si vous saviez combien elle est tendre et sincère, si vous la connaissiez, vous l'aimeriez vous-même. Vous êtes un enfant, repartit mon père. Comment pouvez-vous vous aveugler jusqu'à ce point, après ce que je vous ai raconté d'elle ? C'est elle-même qui vous a livré à votre frère. Vous devriez oublier jusqu'à son nom, et profiter, si vous êtes sage, de l'indulgence que j'ai pour vous. Je reconnaissais trop clairement qu'il avait raison. C'était un mouvement involontaire qui me faisait prendre ainsi

---

1. *Malte* : *cf.* note 4, p. 26.

835 le parti de mon infidèle. Hélas ! repris-je, après un moment de silence, il n'est que trop vrai que je suis le malheureux objet de la plus lâche de toutes les perfidies. Oui, continuai-je, en versant des larmes de dépit, je vois bien que je ne suis qu'un enfant. Ma crédulité ne leur 840 coûtait guère à tromper. Mais je sais bien ce que j'ai à faire pour me venger. Mon père voulut savoir quel était mon dessein. J'irai à Paris, lui dis-je, je mettrai le feu à la maison de B..., et je le brûlerai tout vif avec la perfide Manon. Cet emportement fit rire mon père, et ne servit 845 qu'à me faire garder plus étroitement dans ma prison.

J'y passai six mois entiers, pendant le premier desquels il y eut peu de changement dans mes dispositions. Tous mes sentiments n'étaient qu'une alternative perpétuelle de haine et d'amour, d'espérance ou de désespoir, 850 selon l'idée sous laquelle Manon s'offrait à mon esprit. Tantôt je ne considérais en elle que la plus aimable de toutes les filles, et je languissais du désir de la revoir ; tantôt je n'y apercevais qu'une lâche et perfide maîtresse, et je faisais mille serments de ne la chercher que 855 pour la punir. On me donna des livres, qui servirent à rendre un peu de tranquillité à mon âme. Je relus tous mes auteurs. J'acquis de nouvelles connaissances. Je repris un goût infini pour l'étude. Vous verrez de quelle utilité il me fut dans la suite. Les lumières que je devais à 860 l'amour me firent trouver de la clarté dans quantité d'endroits d'Horace et de Virgile[1], qui m'avaient paru obscurs auparavant. Je fis un commentaire amoureux sur le quatrième Livre de l'*Énéide*[2], je le destine à voir le jour, et je me flatte que le public en sera satisfait. Hélas ! 865 disais-je en le faisant, c'était un cœur tel que le mien qu'il fallait à la fidèle Didon[3].

Tiberge vint me voir un jour dans ma prison. Je fus surpris du transport avec lequel il m'embrassa. Je

---

1. *d'Horace et de Virgile* : Horace (né vers 65 av. J.-C. ?), ami de Virgile (né vers 70, mort en 19 av. J.-C.), célèbres poètes latins.
2. *l'Énéide* : épopée de Virgile, retraçant la vie d'Énée, fondateur légendaire de Rome.
3. *Didon* : elle fut abandonnée par Énée, et se donna la mort.

n'avais point encore eu de preuves de son affection, qui
870 pussent me la faire regarder autrement que comme une
simple amitié de collège, telle qu'elle se forme entre de
jeunes gens qui sont à peu près du même âge. Je le
trouvai si changé et si formé, depuis cinq ou six mois
que j'avais passés sans le voir, que sa figure et le ton de
875 son discours m'inspirèrent du respect. Il me parla en
conseiller sage, plutôt qu'en ami d'école. Il plaignit
l'égarement où j'étais tombé. Il me félicita de ma guérison, qu'il croyait avancée ; enfin il m'exhorta à profiter
de cette erreur de jeunesse, pour ouvrir les yeux sur la
880 vanité des plaisirs. Je le regardai avec étonnement. Il
s'en aperçut. Mon cher Chevalier, me dit-il, je ne vous
dis rien qui ne soit solidement vrai, et dont je ne me sois
convaincu par un sérieux examen. J'avais autant de penchant que vous vers la volupté ; mais le Ciel m'avait
885 donné, en même temps, du goût pour la vertu. Je me
suis servi de ma raison pour comparer les fruits de l'une
et de l'autre et je n'ai pas tardé longtemps à découvrir
leurs différences. Le secours du Ciel s'est joint à mes
réflexions. J'ai conçu pour le monde un mépris auquel il
890 n'y a rien d'égal. Devineriez-vous ce qui m'y retient,
ajouta-t-il, et ce qui m'empêche de courir à la solitude ?
C'est uniquement la tendre amitié que j'ai pour vous. Je
connais l'excellence de votre cœur et de votre esprit ; il
n'y a rien de bon dont vous ne puissiez vous rendre
895 capable. Le poison du plaisir vous a fait écarter du chemin. Quelle perte pour la vertu ! Votre fuite d'Amiens
m'a causé tant de douleur, que je n'ai pas goûté, depuis,
un seul moment de satisfaction. Jugez-en par les
démarches qu'elle m'a fait faire. Il me raconta qu'après
900 s'être aperçu que je l'avais trompé, et que j'étais parti
avec ma maîtresse, il était monté à cheval pour me
suivre ; mais qu'ayant sur lui quatre ou cinq heures
d'avance, il lui avait été impossible de me joindre ; qu'il
était arrivé néanmoins à Saint-Denis une demi-heure
905 après mon départ ; qu'étant bien certain que je me serais
arrêté à Paris, il y avait passé six semaines à me chercher
inutilement ; qu'il allait dans tous les lieux où il se flattait
de pouvoir me trouver, et qu'un jour enfin il avait
reconnu ma maîtresse à la Comédie ; qu'elle y était dans

910 une parure si éclatante qu'il s'était imaginé qu'elle devait cette fortune à un nouvel amant ; qu'il avait suivi son carrosse jusqu'à sa maison, et qu'il avait appris d'un domestique qu'elle était entretenue par les libéralités de Monsieur B... Je ne m'arrêtai point là, continua-t-il. J'y
915 retournai le lendemain, pour apprendre d'elle-même ce que vous étiez devenu ; elle me quitta brusquement, lorsqu'elle m'entendit parler de vous, et je fus obligé de revenir en province sans aucun autre éclaircissement. J'y appris votre aventure et la consternation extrême
920 qu'elle vous a causée ; mais je n'ai pas voulu vous voir, sans être assuré de vous trouver plus tranquille.

Vous avez donc vu Manon, lui répondis-je en soupirant. Hélas ! vous êtes plus heureux que moi, qui suis condamné à ne la revoir jamais. Il me fit des reproches
925 de ce soupir, qui marquait encore de la faiblesse pour elle. Il me flatta si adroitement sur la bonté de mon caractère et sur mes inclinations, qu'il me fit naître dès cette première visite, une forte envie de renoncer comme lui à tous les plaisirs du siècle pour entrer dans
930 l'état ecclésiastique.

Je goûtai tellement cette idée, que lorsque je me trouvai seul, je ne m'occupai plus d'autre chose. Je me rappelai les discours de M. l'Évêque d'Amiens, qui m'avait donné le même conseil, et les présages heureux qu'il
935 avait formés en ma faveur, s'il m'arrivait d'embrasser ce parti. La piété se mêla aussi dans mes considérations. Je mènerai une vie sage et chrétienne, disais-je ; je m'occuperai de l'étude et de la religion, qui ne me permettront point de penser aux dangereux plaisirs de l'amour.
940 Je mépriserai ce que le commun des hommes admire ; et comme je sens assez que mon cœur ne désirera que ce qu'il estime, j'aurai aussi peu d'inquiétudes que de désirs. Je formai là-dessus, d'avance, un système de vie paisible et solitaire. J'y faisais entrer une maison écartée,
945 avec un petit bois et un ruisseau d'eau douce au bout du jardin, une bibliothèque composée de livres choisis, un petit nombre d'amis vertueux et de bon sens, une table propre, mais frugale et modérée. J'y joignais un commerce de lettres avec un ami qui ferait son séjour à
950 Paris, et qui m'informerait des nouvelles publiques,

moins pour satisfaire ma curiosité que pour me faire un divertissement des folles agitations des hommes. Ne serai-je pas heureux ? ajoutais-je ; toutes mes prétentions ne seront-elles point remplies ? Il est certain que ce pro-
955 jet flattait extrêmement mes inclinations. Mais, à la fin d'un si sage arrangement, je sentais que mon cœur attendait encore quelque chose ; et que pour n'avoir rien à désirer dans la plus charmante solitude, il y fallait être avec Manon.

960 Cependant, Tiberge continuant de me rendre de fré-quentes visites, dans le dessein qu'il m'avait inspiré, je pris l'occasion d'en faire l'ouverture à mon père. Il me déclara que son intention était de laisser ses enfants libres dans le choix de leur condition et que, de quelque
965 manière que je voulusse disposer de moi, il ne se réser-verait que le droit de m'aider de ses conseils. Il m'en donna de fort sages, qui tendaient moins à me dégoûter de mon projet, qu'à me le faire embrasser avec connais-sance. Le renouvellement de l'année scolastique appro-
970 chait. Je convins avec Tiberge de nous mettre ensemble au séminaire de Saint-Sulpice, lui pour achever ses études de théologie, et moi pour commencer les miennes. Son mérite, qui était connu de l'évêque du diocèse, lui fit obtenir de ce prélat un bénéfice considé-
975 rable avant notre départ.

Mon père, me croyant tout à fait revenu de ma pas-sion, ne fit aucune difficulté de me laisser partir. Nous arrivâmes à Paris. L'habit ecclésiastique prit la place de la croix de Malte[1], et le nom d'Abbé Des Grieux celle de
980 Chevalier. Je m'attachai à l'étude avec tant d'applica-tion, que je fis des progrès extraordinaires en peu de mois. J'y employais une partie de la nuit, et je ne perdais pas un moment du jour. Ma réputation eut tant d'éclat, qu'on me félicitait déjà sur les dignités que je ne pouvais
985 manquer d'obtenir ; et sans l'avoir sollicité, mon nom fut couché sur la feuille des bénéfices. La piété n'était pas plus négligée ; j'avais de la ferveur pour tous les exer-

---

1. *Malte* : cf. note 4, p. 26.

cices. Tiberge était charmé de ce qu'il regardait comme
son ouvrage, et je l'ai vu plusieurs fois répandre des
990 larmes, en s'applaudissant de ce qu'il nommait ma
conversion. Que les résolutions humaines soient sujettes
à changer, c'est ce qui ne m'a jamais causé d'étonnement ; une passion les fait naître, une autre passion peut
les détruire ; mais quand je pense à la sainteté de celles
995 qui m'avaient conduit à Saint-Sulpice, et à la joie intérieure que le Ciel m'y faisait goûter en les exécutant, je
suis effrayé de la facilité avec laquelle j'ai pu les rompre.
S'il est vrai que les secours célestes sont à tous moments
d'une force égale à celle des passions, qu'on m'explique
1000 donc par quel funeste ascendant on se trouve emporté
tout d'un coup loin de son devoir, sans se trouver
capable de la moindre résistance et sans ressentir le
moindre remords. Je me croyais absolument délivré des
faiblesses de l'amour. Il me semblait que j'aurais préféré
1005 la lecture d'une page de saint Augustin[1], ou un quart
d'heure de méditation chrétienne à tous les plaisirs des
sens ; sans excepter ceux qui m'auraient été offerts par
Manon. Cependant un instant malheureux me fit retomber dans le précipice ; et ma chute fut d'autant plus irré-
1010 parable, que me trouvant tout d'un coup au même degré
de profondeur d'où j'étais sorti, les nouveaux désordres
où je tombai me portèrent bien plus loin vers le fond de
l'abîme.
J'avais passé près d'un an à Paris, sans m'informer des
1015 affaires de Manon. Il m'en avait d'abord coûté beaucoup
pour me faire cette violence ; mais les conseils toujours
présents de Tiberge, et mes propres réflexions, m'avaient
fait obtenir la victoire. Les derniers mois s'étaient écoulés si tranquillement que je me croyais sur le point d'ou-
1020 blier éternellement cette charmante et perfide créature.
Le temps arriva auquel je devais soutenir un exercice
public[2] dans l'École de Théologie ; je fis prier plusieurs

---

1. *saint Augustin* : docteur de l'Église (354-430) ; évêque d'Hippone, il exerça par
ses écrits une influence capitale sur la théologie.
2. *exercice public* : *cf.* note 3, p. 26.

personnes de considération de m'honorer de leur présence. Mon nom fut ainsi répandu dans tous les quartiers de Paris ; il alla jusqu'aux oreilles de mon infidèle. Elle ne le reconnut pas avec certitude, sous le titre d'abbé ; mais un reste de curiosité, ou peut-être quelque repentir de m'avoir trahi (je n'ai jamais pu démêler lequel de ces deux sentiments), lui fit prendre intérêt à un nom si semblable au mien ; elle vint en Sorbonne avec quelques autres dames. Elle fut présente à mon exercice, et sans doute qu'elle eut peu de peine à me remettre.

Je n'eus pas la moindre connaissance de cette visite. On sait qu'il y a, dans ces lieux, des cabinets particuliers pour les dames, où elles sont cachées derrière une jalousie. Je retournai à Saint-Sulpice, couvert de gloire et chargé de compliments. Il était six heures du soir. On vint m'avertir, un moment après mon retour, qu'une dame demandait à me voir. J'allai au parloir sur-le-champ. Dieux ! quelle apparition surprenante ! j'y trouvai Manon. C'était elle, mais plus aimable et plus brillante que je ne l'avais jamais vue. Elle était dans sa dix-huitième année. Ses charmes surpassaient tout ce qu'on peut décrire. C'était un air si fin, si doux, si engageant ! l'air de l'Amour même. Toute sa figure me parut un enchantement.

Je demeurai interdit à sa vue ; et ne pouvant conjecturer quel était le dessein de cette visite, j'attendais, les yeux baissés et avec tremblement, qu'elle s'expliquât. Son embarras fut pendant quelque temps égal au mien ; mais voyant que mon silence continuait, elle mit la main devant ses yeux, pour cacher quelques larmes. Elle me dit, d'un ton timide, qu'elle confessait que son infidélité méritait ma haine ; mais que s'il était vrai que j'eusse jamais eu quelque tendresse pour elle, il y avait eu, aussi, bien de la dureté à laisser passer deux ans sans prendre soin de m'informer de son sort, et qu'il y en avait beaucoup encore à la voir dans l'état où elle était en ma présence, sans lui dire une parole. Le désordre de mon âme, en l'écoutant, ne saurait être exprimé.

Elle s'assit. Je demeurai debout, le corps à demi tourné, n'osant l'envisager directement. Je commençai

plusieurs fois une réponse, que je n'eus pas la force
d'achever. Enfin, je fis un effort pour m'écrier doulou-
reusement : Perfide Manon ! Ah ! perfide ! perfide ! Elle
me répéta, en pleurant à chaudes larmes, qu'elle ne prétendait point justifier sa perfidie. Que prétendez-vous
donc ? m'écriai-je encore. Je prétends mourir, répondit-
elle, si vous ne me rendez votre cœur, sans lequel il est
impossible que je vive. Demande donc ma vie, infidèle !
repris-je en versant moi-même des pleurs, que je m'efforçai en vain de retenir ; demande ma vie, qui est
l'unique chose qui me reste à te sacrifier ; car mon cœur
n'a jamais cessé d'être à toi. À peine eus-je achevé ces
derniers mots, qu'elle se leva avec transport, pour venir
m'embrasser. Elle m'accabla de mille caresses passionnées. Elle m'appela par tous les noms que l'amour
invente pour exprimer ses plus vives tendresses. Je n'y
répondais encore qu'avec langueur. Quel passage, en
effet, de la situation tranquille où j'avais été, aux mouvements tumultueux que je sentais renaître ! J'en étais
épouvanté. Je frémissais, comme il arrive lorsqu'on se
trouve la nuit dans une campagne écartée : on se croit
transporté dans un nouvel ordre de choses ; on y est saisi
d'une horreur secrète, dont on ne se remet qu'après
avoir considéré longtemps tous les environs.

Nous nous assîmes, l'un près de l'autre. Je pris ses
mains dans les miennes. Ah ! Manon, lui dis-je en la
regardant d'un œil triste, je ne m'étais pas attendu à la
noire trahison dont vous avez payé mon amour. Il vous
était bien facile de tromper un cœur dont vous étiez la
souveraine absolue, et qui mettait toute sa félicité à vous
plaire et à vous obéir. Dites-moi maintenant si vous en
avez trouvé d'aussi tendres et d'aussi soumis. Non, non,
la Nature n'en fait guère de la même trempe que le
mien. Dites-moi du moins si vous l'avez quelquefois
regretté. Quel fond dois-je faire sur ce retour de bonté
qui vous ramène aujourd'hui pour le consoler ? Je ne
vois que trop que vous êtes plus charmante que jamais ;
mais au nom de toutes les peines que j'ai souffertes pour
vous, belle Manon, dites-moi si vous serez plus fidèle.

Elle me répondit des choses si touchantes sur son
repentir, et elle s'engagea à la fidélité par tant de protes-

1105 tations et de serments, qu'elle m'attendrit à un degré
inexprimable. Chère Manon ! lui dis-je, avec un mélange
profane d'expressions amoureuses et théologiques, tu es
trop adorable pour une créature. Je me sens le cœur
emporté par une délectation victorieuse. Tout ce qu'on
1110 dit de la liberté, à Saint-Sulpice, est une chimère. Je vais
perdre ma fortune et ma réputation pour toi, je le prévois bien ; je lis ma destinée dans tes beaux yeux ; mais
de quelles pertes ne serai-je pas consolé par ton amour !
Les faveurs de la fortune ne me touchent point ; la gloire
1115 me paraît une fumée ; tous mes projets de vie ecclésiastique étaient de folles imaginations ; enfin tous les biens
différents de ceux que j'espère avec toi sont des biens
méprisables, puisqu'ils ne sauraient tenir un moment,
dans mon cœur, contre un seul de tes regards.
1120   En lui promettant néanmoins un oubli général de ses
fautes, je voulus être informé de quelle manière elle
s'était laissé séduire par B... Elle m'apprit que, l'ayant
vue à sa fenêtre, il était devenu passionné pour elle ;
qu'il avait fait sa déclaration en fermier général, c'est-à-
1125 dire en lui marquant dans une lettre que le paiement
serait proportionné aux faveurs ; qu'elle avait capitulé
d'abord, mais sans autre dessein que de tirer de lui quelque somme considérable, qui pût servir à nous faire
vivre commodément ; qu'il l'avait éblouie par de si
1130 magnifiques promesses, qu'elle s'était laissé ébranler par
degrés ; que je devais juger pourtant de ses remords par
la douleur dont elle m'avait laissé voir des témoignages,
la veille de notre séparation ; que malgré l'opulence
dans laquelle il l'avait entretenue, elle n'avait jamais
1135 goûté de bonheur avec lui, non seulement parce qu'elle
n'y trouvait point, me dit-elle, la délicatesse de mes sentiments et l'agrément de mes manières ; mais parce
qu'au milieu même des plaisirs qu'il lui procurait sans
cesse, elle portait au fond du cœur le souvenir de mon
1140 amour et le remords de son infidélité. Elle me parla de
Tiberge et de la confusion extrême que sa visite lui avait
causée. Un coup d'épée dans le cœur, ajouta-t-elle,
m'aurait moins ému le sang. Je lui tournai le dos, sans
pouvoir soutenir un moment sa présence. Elle continua
1145 de me raconter par quels moyens elle avait été instruite

de mon séjour à Paris, du changement de ma condition, et de mes exercices de Sorbonne. Elle m'assura qu'elle avait été si agitée pendant la dispute[1], qu'elle avait eu beaucoup de peine, non seulement à retenir ses larmes, 1150 mais ses gémissements mêmes et ses cris, qui avaient été plus d'une fois sur le point d'éclater. Enfin, elle me dit qu'elle était sortie de ce lieu la dernière, pour cacher son désordre, et que ne suivant que le mouvement de son cœur et l'impétuosité de ses désirs, elle était venue droit 1155 au séminaire, avec la résolution d'y mourir, si elle ne me trouvait pas disposé à lui pardonner.

Où trouver un barbare qu'un repentir si vif et si tendre n'eût pas touché ? Pour moi, je sentis dans ce moment que j'aurais sacrifié pour Manon tous les évêchés du 1160 monde chrétien. Je lui demandai quel nouvel ordre elle jugeait à propos de mettre dans nos affaires. Elle me dit qu'il fallait sur-le-champ sortir du séminaire, et remettre à[2] nous arranger dans un lieu plus sûr. Je consentis à toutes ses volontés sans réplique. Elle entra dans son 1165 carrosse, pour aller m'attendre au coin de la rue. Je m'échappai un moment après, sans être aperçu du portier. Je montai avec elle. Nous passâmes à la friperie[3]. Je repris les galons et l'épée. Manon fournit aux frais, car j'étais sans un sou ; et dans la crainte que je ne trouvasse 1170 de l'obstacle à ma sortie de Saint-Sulpice, elle n'avait pas voulu que je retournasse un moment à ma chambre pour y prendre mon argent. Mon trésor d'ailleurs était médiocre, et elle assez riche des libéralités de B... pour mépriser ce qu'elle me faisait abandonner. Nous confé-1175 râmes, chez le fripier même, sur le parti que nous allions prendre. Pour me faire valoir davantage le sacrifice qu'elle me faisait de B..., elle résolut de ne pas garder avec lui le moindre ménagement. Je veux lui laisser ses meubles, dit-elle, ils sont à lui ; mais j'emporterai, 1180 comme de justice, les bijoux et près de soixante mille

---

1. *la dispute* : le temps de la discussion sur la thèse proposée.
2. *remettre à* : renvoyer à plus tard.
3. *la friperie* : on y vendait aussi bien du neuf que du vieux.

francs que j'ai tirés de lui depuis deux ans. Je ne lui ai donné nul pouvoir sur moi, ajouta-t-elle ; ainsi nous pouvons demeurer sans crainte à Paris, en prenant une maison commode, où nous vivrons heureusement. Je lui
1185 représentai que, s'il n'y avait point de péril pour elle, il y en avait beaucoup pour moi, qui ne manquerais point tôt ou tard d'être reconnu, et qui serais continuellement exposé au malheur que j'avais déjà essuyé. Elle me fit entendre[1] qu'elle aurait du regret à quitter Paris. Je crai-
1190 gnais tant de la chagriner, qu'il n'y avait point de hasards[2] que je ne méprisasse pour lui plaire ; cependant nous trouvâmes un tempérament[3] raisonnable, qui fut de louer une maison dans quelque village voisin de Paris, d'où il nous serait aisé d'aller à la ville, lorsque le plaisir
1195 ou le besoin nous y appellerait. Nous choisîmes Chaillot[4], qui n'en est pas éloigné. Manon retourna sur-le-champ chez elle. J'allai l'attendre à la petite porte du jardin des Tuileries. Elle revint une heure après, dans un carrosse de louage, avec une fille qui la servait, et quel-
1200 ques malles où ses habits et tout ce qu'elle avait de précieux était renfermé.

---

1. *entendre* : comprendre.
2. *hasards* : dangers.
3. *un tempérament* : une entente, un accommodement.
4. *Chaillot* : l'un des petits villages hors de Paris.

Troisième épisode : le reclus de St-Sulpice.

Compréhension

• Le récit d'événements

1. *Après les six mois de réclusion chez son père, quels sont désormais pour le chevalier les critères d'une vie heureuse ?*
Quels aspects de sa personnalité souligne cette perspective ?

2. *Analysez les étapes du déroulement de la rencontre des deux amants jusqu'à leur arrivée à Chaillot ; que tend à démontrer l'enchaînement des événements ?*

3. *Comment se présente le deuxième portrait de Manon ? Quelle image Renoncour et le lecteur ont-ils de Manon par le portrait qu'en fait Des Grieux ; quelle impression ressort de cette présentation «affective» de la jeune femme ?*

• Les personnages

4. *Qui est le maître de la parole dans le dialogue et quels sont les effets de ce choix sur l'action et sur la connaissance des personnages ?*

5. *Quelles sont les étapes de la «reddition» du chevalier ?*

6. *Comment Manon se justifie-t-elle de son infidélité, et en quoi ses arguments variés contribuent-ils à la construction de son caractère ?*

7. *Qui organise la fuite et quelle est la qualité essentielle des décisions de Manon ? Pourquoi insiste-t-on à ce point sur les détails matériels ?*

• Le commentaire

8. *Quand le narrateur marque-t-il une pause dans le récit des événements et quels sentiments analyse-t-il alors ?*

• La narration*

9. *Quels sont les indices destinés à annoncer à Renoncour et au lecteur les suites désastreuses de la situation et pourquoi le chevalier les donne-t-il ?*

10. *Comment expliquez-vous l'absence de références descriptives dans le portrait de Manon? Comparez cette « apparition » avec celle qui eut lieu à Amiens.*

11. *Pouvez-vous discerner les interventions alternées du « je narrant* » et du « je narré* » ?*

Écriture

12. *Quels sont les éléments textuels qui soulignent les moments successifs de « la scène » ?*

13. *Comment interprétez-vous le « enfin » (l. 1065) ?*

14. *Quelle est la seule notation psychologique de ce premier paragraphe et quel en est l'effet sémantique et esthétique (l. 1065) ? Relevez et appréciez l'emploi et le nombre des verbes d'action.*

15. *Justifiez la place et les effets de l'irruption du style direct.*

16. *À quels champs lexicaux se rapportent les termes passionnels des deux tirades du chevalier et quels effets produit cette confrontation ?*

17. *À partir de la décision du départ du séminaire, quelle est la signification de la succession des pronoms personnels sujets ?*

18. *Quelle est la fonction de l'alternance des différents modes de discours* et quel en est l'effet esthétique ?*

Mise en perspective

19. *Comment situez-vous Manon et le chevalier dans le réseau des personnages déjà constitué ? Peut-on déjà dégager un aspect symbolique de leur caractère ?*

20. *Comment cette scène de roman devient-elle une scène de théâtre (dramaturgie, gestualité, dialogue) ? Que révèlent les postures prises par les deux personnages ?*

21. *Pourquoi cette scène du parloir (cf. gravures p. 8 et p. 58) est-elle une des plus représentées dans les éditions illustrées de Manon Lescaut ?*

L'action

• Ce que nous savons

L'incipit du récit du narrateur/personnage apporte les données nécessaires au lancement de l'action : indications de lieu, de temps, personnages, première scène ; nous entrons dans un roman d'amour qui débute par un coup de foudre, déjà traversé par les éléments d'un roman d'aventure avec un enlèvement.

Le premier épisode du roman d'amour se déroule selon un schéma qui se reproduira : le penchant de Manon pour le plaisir exige beaucoup d'argent, ce que le chevalier ne peut apporter ; aussi Manon trahit-elle son amant avec un riche séducteur. Les amants sont séparés. Le chevalier semble avoir accepté de retrouver une vie conforme à ses origines et embrasse l'état ecclésiastique ; la simple apparition de Manon l'arrache à la vie qu'il avait choisi de reprendre ; le couple est réuni et s'enfuit comme il l'avait fait à Amiens.

Le récit d'événements, accompagné par le discours de la narration, donne des indices sur les tragiques conséquences de ce que le père du chevalier appelle une « petite aventure ».

• À quoi nous attendre ?

Le couple saura-t-il tirer les leçons de ses précédentes aventures ? Le chevalier ne risque-t-il pas, comme il le craint, d'être reconnu par les prêtres du séminaire de Saint-Sulpice ?

Les personnages

• Ce que nous savons

Dès les premières lignes, les différences entre les deux personnages s'affichent : faiblesse et naïveté chez Des Grieux, finesse et sang-froid chez Manon. Ces caractérisations persistent au cours de cet épisode. La conception de l'amour est fondamentalement différente chez les deux personnages : Manon choisit délibérément de trahir son amant pour mener la vie à laquelle elle aspire, mais à sa manière, ne cesse d'aimer son chevalier.

Toujours désireux d'innocenter la jeune femme, le chevalier ne veut pas voir la vérité : il accepte sans difficulté le refus de Manon de l'épouser, ne peut croire à la trahison de sa maîtresse au

moment du souper interrompu, et accepte sans hésiter de profiter de l'argent volé par Manon au vieux M. de B....
À la fin de l'épisode, le chevalier a abandonné ses engagements, son honneur ; il est désormais entièrement soumis à la volonté de Manon. Certes, Manon « a enlevé » son chevalier par amour, mais elle a emporté en même temps une grosse somme d'argent qui lui permettra de poursuivre une vie de luxe.

• À quoi nous attendre ?

On connaît désormais le rapport de forces entre les deux héros ; comment Manon se comportera-t-elle dans cette nouvelle étape de vie commune avec son chevalier ?
Combien de temps les amants vivront-ils avec les soixante mille francs emportés par Manon ?

Paris : vue de Chaillot, prise au-dessus du Champ-de-Mars, au XVIIIe siècle.
Gravure de J. J. Le Veau. B. N.

Nous ne tardâmes point à gagner Chaillot. Nous logeâmes la première nuit à l'auberge, pour nous donner le temps de chercher une maison, ou du moins un 1205 appartement commode. Nous en trouvâmes, dès le lendemain, un de notre goût.

Mon bonheur me parut d'abord établi d'une manière inébranlable. Manon était la douceur et la complaisance même. Elle avait pour moi des attentions si délicates, 1210 que je me crus trop parfaitement dédommagé de toutes mes peines. Comme nous avions acquis tous deux un peu d'expérience, nous raisonnâmes sur la solidité de notre fortune.

Soixante mille francs[1], qui faisaient le fond de nos 1215 richesses, n'étaient pas une somme qui pût s'étendre autant que le cours d'une longue vie. Nous n'étions pas disposés d'ailleurs à resserrer trop notre dépense. La première vertu de Manon, non plus que la mienne, n'était pas l'économie. Voici le plan que je me propo-1220 sai : Soixante mille francs, lui dis-je, peuvent nous soutenir pendant dix ans. Deux mille écus nous suffiront chaque année, si nous continuons de vivre à Chaillot. Nous y mènerons une vie honnête[2], mais simple. Notre unique dépense sera pour l'entretien d'un carrosse, et 1225 pour les spectacles. Nous nous réglerons. Vous aimez l'opéra[3] : nous irons deux fois la semaine. Pour le jeu, nous nous bornerons tellement que nos pertes ne passeront jamais deux pistoles[4]. Il est impossible que dans l'espace de dix ans, il n'arrive point de changement 1230 dans ma famille ; mon père est âgé, il peut mourir. Je me trouverai du bien, et nous serons alors au-dessus de toutes nos autres craintes.

Cet arrangement n'eût pas été la plus folle action de

---

1. *Soixante mille francs* (or) : soit 6 000 des mêmes francs (ou 2 000 écus) par an sur dix ans. C'était un beau revenu à l'époque (240 000 F soit 20 000 F par mois) mais ne permettant pas carrosse, opéra et jeu, sans penser au reste ! (*Cf.* lexique : ARGENT)

2. *honnête* : aisée.

3. *opéra* : l'Opéra se trouvait alors dans le théâtre devenu La Comédie-Française.

4. *deux pistoles* : environ 400 F, en 1996.

ma vie, si nous eussions été assez sages pour nous y
1235 assujettir constamment. Mais nos résolutions ne
durèrent guère plus d'un mois. Manon était passionnée
pour le plaisir. Je l'étais pour elle. Il nous naissait, à tous
moments, de nouvelles occasions de dépense ; et loin de
regretter les sommes qu'elle employait quelquefois avec
1240 profusion, je fus le premier à lui procurer tout ce que je
croyais propre à lui plaire. Notre demeure de Chaillot
commença même à lui devenir à charge. L'hiver approchait ; tout le monde retournait à la ville, et la campagne
devenait déserte. Elle me proposa de reprendre une
1245 maison à Paris. Je n'y consentis point ; mais pour la
satisfaire en quelque chose, je lui dis que nous pouvions
y louer un appartement meublé, et que nous y passe-
rions la nuit lorsqu'il nous arriverait de quitter trop tard
l'assemblée[1] où nous allions plusieurs fois la semaine ;
1250 car l'incommodité de revenir si tard à Chaillot était le
prétexte qu'elle apportait pour le vouloir quitter. Nous
nous donnâmes ainsi deux logements, l'un à la ville, et
l'autre à la campagne. Ce changement mit bientôt le
dernier désordre dans nos affaires, en faisant naître deux
1255 aventures qui causèrent notre ruine.

Manon avait un frère, qui était garde du corps[2]. Il se
trouva malheureusement logé, à Paris, dans la même rue
que nous. Il reconnut sa sœur, en la voyant le matin à sa
fenêtre. Il accourut aussitôt chez nous. C'était un
1260 homme brutal, et sans principes d'honneur. Il entra
dans notre chambre en jurant horriblement ; et comme
il savait une partie des aventures de sa sœur, il l'accabla
d'injures et de reproches. J'étais sorti un moment auparavant, ce qui fut sans doute un bonheur pour lui ou
1265 pour moi, qui n'étais rien moins que disposé à souffrir
une insulte. Je ne retournai au logis qu'après son départ.
La tristesse de Manon me fit juger qu'il s'était passé
quelque chose d'extraordinaire. Elle me raconta la scène

---

1. *l'assemblée* : nom donné aux réunions, dans un hôtel particulier, consacrées à la
danse et au jeu après le théâtre.
2. *garde du corps* : sorte de gendarme.

fâcheuse qu'elle venait d'essuyer, et les menaces bru-
1270 tales de son frère. J'en eus tant de ressentiment, que
j'eusse couru sur-le-champ à la vengeance si elle ne
m'eût arrêté par ses larmes. Pendant que je m'entrete-
nais avec elle de cette aventure, le garde du corps rentra
dans la chambre où nous étions, sans s'être fait annon-
1275 cer. Je ne l'aurais pas reçu aussi civilement que je fis, si
je l'eusse connu ; mais nous ayant salués d'un air riant, il
eut le temps de dire à Manon qu'il venait lui faire des
excuses de son emportement ; qu'il l'avait crue dans le
désordre, et que cette opinion avait allumé sa colère ;
1280 mais que s'étant informé qui j'étais, d'un de nos domestiques, il avait appris de moi des choses si avantageuses,
qu'elles lui faisaient désirer de bien vivre avec nous.
Quoique cette information, qui lui venait d'un de mes
laquais, eût quelque chose de bizarre et de choquant, je
1285 reçus son compliment avec honnêteté[1]. Je crus faire
plaisir à Manon. Elle paraissait charmée de le voir porté
à se réconcilier. Nous le retînmes à dîner. Il se rendit en
peu de moments si familier, que nous ayant entendus
parler de notre retour à Chaillot, il voulut absolument
1290 nous tenir compagnie. Il fallut lui donner une place dans
notre carrosse. Ce fut une prise de possession, car il
s'accoutuma bientôt à nous voir avec tant de plaisir,
qu'il fit sa maison de la nôtre et qu'il se rendit le maître,
en quelque sorte, de tout ce qui nous appartenait. Il
1295 m'appelait son frère ; et sous prétexte de la liberté frater-
nelle, il se mit sur le pied d'amener tous ses amis dans
notre maison de Chaillot, et de les y traiter à nos
dépens. Il se fit habiller magnifiquement à nos frais. Il
nous engagea même à payer toutes ses dettes. Je fermais
1300 les yeux sur cette tyrannie, pour ne pas déplaire à
Manon ; jusqu'à feindre de ne pas m'apercevoir qu'il
tirait d'elle, de temps en temps, des sommes considérables. Il est vrai qu'étant grand joueur, il avait la fidélité[2] de lui en remettre une partie lorsque la fortune le

---

1. *honnêteté* : politesse.
2. *la fidélité* : la loyauté.

1305 favorisait ; mais la nôtre était trop médiocre[1] pour fournir longtemps à des dépenses si peu modérées. J'étais
sur le point de m'expliquer fortement avec lui, pour
nous délivrer de ses importunités, lorsqu'un funeste
accident m'épargna cette peine, en nous en causant une
1310 autre qui nous abîma[2] sans ressource.

Nous étions demeurés un jour à Paris, pour y coucher,
comme il nous arrivait fort souvent. La servante, qui
restait seule à Chaillot dans ces occasions, vint m'avertir
le matin que le feu avait pris pendant la nuit dans ma
1315 maison, et qu'on avait eu beaucoup de difficulté à
l'éteindre. Je lui demandai si nos meubles avaient souffert quelque dommage ; elle me répondit qu'il y avait eu
une si grande confusion, causée par la multitude d'étrangers qui étaient venus au secours, qu'elle ne pouvait être
1320 assurée de rien. Je tremblai pour notre argent, qui était
renfermé dans une petite caisse. Je me rendis promptement à Chaillot. Diligence inutile, la caisse avait disparu.
J'éprouvai alors qu'on peut aimer l'argent sans être
avare. Cette perte me pénétra d'une si vive douleur, que
1325 j'en pensai perdre la raison. Je compris tout d'un coup à
quels nouveaux malheurs j'allais me trouver exposé ;
l'indigence était le moindre. Je connaissais Manon ; je
n'avais déjà que trop éprouvé que quelque fidèle et quelque attachée qu'elle me fût dans la bonne fortune, il ne
1330 fallait pas compter sur elle dans la misère. Elle aimait
trop l'abondance et les plaisirs pour me les sacrifier. Je
la perdrai, m'écriai-je. Malheureux Chevalier ! tu vas
donc perdre encore tout ce que tu aimes ! Cette pensée
me jeta dans un trouble si affreux, que je balançai, pen-
1335 dant quelques moments, si je ne ferais pas mieux de
finir tous mes maux par la mort. Cependant je conservai
assez de présence d'esprit pour vouloir examiner auparavant s'il ne me restait nulle ressource. Le Ciel me fit
naître une idée, qui arrêta mon désespoir. Je crus qu'il
1340 ne me serait pas impossible de cacher notre perte à

---

1. *médiocre* : moyenne.
2. *nous abîma* : nous précipita dans l'abîme.

Manon, et que par industrie, ou par quelque faveur du hasard, je pourrais fournir assez honnêtement à son entretien, pour l'empêcher de sentir la nécessité. J'ai compté, disais-je pour me consoler, que vingt mille
1345 écus[1] nous suffiraient pendant dix ans : supposons que les dix ans soient écoulés, et que nul des changements que j'espérais ne soit arrivé dans ma famille. Quel parti prendrais-je ? Je ne le sais pas trop bien, mais ce que je ferais alors, qui m'empêche de le faire aujourd'hui ?
1350 Combien de personnes vivent à Paris, qui n'ont ni mon esprit, ni mes qualités naturelles, et qui doivent néanmoins leur entretien à leurs talents, tels qu'ils les ont ! La Providence, ajoutais-je, en réfléchissant sur les différents états de la vie, n'a-t-elle pas arrangé les choses fort sage-
1355 ment ? La plupart des grands et des riches sont des sots : cela est clair à qui connaît un peu le monde. Or il y a là-dedans une justice admirable. S'ils joignaient l'esprit aux richesses, ils seraient trop heureux, et le reste des hommes trop misérable. Les qualités du corps et de
1360 l'âme sont accordées à ceux-ci, comme des moyens pour se tirer de la misère et de la pauvreté. Les uns prennent part aux richesses des grands, en servant à leurs plaisirs ; ils en font des dupes ; d'autres servent à leur instruction, ils tâchent d'en faire d'honnêtes gens ;
1365 il est rare, à la vérité, qu'ils y réussissent, mais ce n'est pas là le but de la divine Sagesse : ils tirent toujours un fruit de leurs soins, qui est de vivre aux dépens de ceux qu'ils instruisent ; et de quelque façon qu'on le prenne, c'est un fond excellent de revenu pour les petits, que la
1370 sottise des riches et des grands.

Ces pensées me remirent un peu le cœur et la tête. Je résolus d'abord d'aller consulter M. Lescaut, frère de Manon. Il connaissait parfaitement Paris ; et je n'avais eu que trop d'occasions de reconnaître que ce n'était ni de
1375 son bien, ni de la paye du roi qu'il tirait son plus clair revenu. Il me restait à peine vingt pistoles, qui s'étaient trouvées heureusement dans ma poche. Je lui montrai

1. *vingt mille écus : cf.* note 1, p. 64.

ma bourse, en lui expliquant mon malheur et mes
craintes ; et je lui demandai s'il y avait pour moi un parti
1380 à choisir, entre celui de mourir de faim, ou de me casser
la tête de désespoir. Il me répondit que se casser la tête
était la ressource des sots ; pour mourir de faim, qu'il y
avait quantité de gens d'esprit qui s'y voyaient réduits,
quand ils ne voulaient pas faire usage de leurs talents ;
1385 que c'était à moi d'examiner de quoi j'étais capable ;
qu'il m'assurait de son secours et de ses conseils, dans
toutes mes entreprises.

Cela est bien vague, M. Lescaut, lui dis-je ; mes
besoins demanderaient un remède plus présent ; car que
1390 voulez-vous que je dise à Manon ? À propos de Manon,
reprit-il, qu'est-ce qui vous embarrasse ? N'avez-vous
pas toujours avec elle, de quoi finir vos inquiétudes
quand vous le voudrez ? Une fille comme elle devrait
nous entretenir, vous, elle et moi. Il me coupa la
1395 réponse que cette impertinence méritait, pour continuer
de me dire qu'il me garantissait avant le soir mille écus[1]
à partager entre nous, si je voulais suivre son conseil ;
qu'il connaissait un seigneur, si libéral sur le chapitre
des plaisirs, qu'il était sûr que mille écus ne lui coûte-
1400 raient rien pour obtenir les faveurs d'une fille telle que
Manon. Je l'arrêtai. J'avais meilleure opinion de vous, lui
répondis-je ; je m'étais figuré que le motif que vous aviez
eu pour m'accorder votre amitié, était un sentiment tout
opposé à celui où vous êtes maintenant. Il me confessa
1405 impudemment qu'il avait toujours pensé de même, et
que sa sœur ayant une fois violé les lois de son sexe,
quoique en faveur de l'homme qu'il aimait le plus, il ne
s'était réconcilié avec elle que dans l'espérance de tirer
parti de sa mauvaise conduite. Il me fut aisé de juger que
1410 jusqu'alors, nous avions été ses dupes. Quelque émotion
néanmoins que ce discours m'eût causée, le besoin que
j'avais de lui m'obligea de répondre en riant, que son
conseil était une dernière ressource, qu'il fallait remettre
à l'extrémité. Je le priai de m'ouvrir quelque autre voie.

---

1. *mille écus* : environ 120 000 F.

1415 Il me proposa de profiter de ma jeunesse et de la figure avantageuse que j'avais reçue de la nature, pour me mettre en liaison avec quelque dame vieille et libérale. Je ne goûtai pas non plus ce parti, qui m'aurait rendu infidèle à Manon ; je lui parlai du jeu, comme du moyen
1420 le plus facile, et le plus convenable à ma situation. Il me dit que le jeu, à la vérité, était une ressource ; mais que cela demandait d'être expliqué ; qu'entreprendre de jouer simplement, avec les espérances communes, c'était le vrai moyen d'achever ma perte ; que de pré-
1425 tendre exercer seul, et sans être soutenu, les petits moyens qu'un habile homme emploie pour corriger la fortune, était un métier trop dangereux ; qu'il y avait une troisième voie, qui était celle de l'Association[1], mais que ma jeunesse lui faisait craindre que Messieurs les Confé-
1430 dérés[2] ne me jugeassent point encore les qualités propres à la Ligue. Il me promit néanmoins ses bons offices auprès d'eux ; et ce que je n'aurais pas attendu de lui, il m'offrit quelque argent, lorsque je me trouverais pressé du besoin. L'unique grâce que je lui demandai,
1435 dans les circonstances, fut de ne rien apprendre à Manon de la perte que j'avais faite, et du sujet de notre conversation.

Je sortis de chez lui, moins satisfait encore que je n'y étais entré. Je me repentis même de lui avoir confié mon
1440 secret. Il n'avait rien fait, pour moi, que je n'eusse pu obtenir de même sans cette ouverture, et je craignais mortellement qu'il ne manquât à la promesse qu'il m'avait faite de ne rien découvrir à Manon. J'avais lieu d'appréhender aussi, par la déclaration de ses senti-
1445 ments, qu'il ne formât le dessein de tirer parti d'elle, suivant ses propres termes, en l'enlevant de mes mains ; ou du moins, en lui conseillant de me quitter, pour s'attacher à quelque amant plus riche et plus heureux. Je fis là-dessus mille réflexions, qui n'aboutirent qu'à me tour-

---

1. *Association* : référence à « La Ligue » (cf. note suivante).
2. *les Confédérés* : association de tricheurs professionnels, aussi appelée la Ligue de l'Industrie.

1450 menter et à renouveler le désespoir où j'avais été le matin. Il me vint plusieurs fois à l'esprit d'écrire à mon père, et de feindre une nouvelle conversion, pour obtenir de lui quelque secours d'argent ; mais je me rappelai aussitôt que malgré toute sa bonté, il m'avait resserré six

1455 mois dans une étroite prison, pour ma première faute ; j'étais bien sûr qu'après un éclat tel que l'avait dû causer ma fuite de Saint-Sulpice, il me traiterait beaucoup plus rigoureusement. Enfin, cette confusion de pensées en produisit une qui remit le calme tout d'un coup dans

1460 mon esprit, et que je m'étonnai de n'avoir pas eue plus tôt. Ce fut de recourir à mon ami Tiberge, dans lequel j'étais bien certain de retrouver toujours le même fond de zèle et d'amitié. Rien n'est plus admirable et ne fait plus d'honneur à la vertu, que la confiance avec laquelle

1465 on s'adresse aux personnes dont on connaît parfaitement la probité. On sent qu'il n'y a point de risque à courir. Si elles ne sont pas toujours en état d'offrir du secours, on est sûr qu'on en obtiendra du moins de la bonté et de la compassion. Le cœur, qui se ferme avec

1470 tant de soin au reste des hommes, s'ouvre naturellement en leur présence, comme une fleur s'épanouit à la lumière du soleil, dont elle n'attend qu'une douce influence.

Je regardai comme un effet de la protection du Ciel de

1475 m'être souvenu si à propos de Tiberge, et je résolus de chercher les moyens de le voir avant la fin du jour. Je retournai sur-le-champ au logis, pour lui écrire un mot, et lui marquer un lieu propre à notre entretien. Je lui recommandais le silence et la discrétion, comme un des

1480 plus importants services qu'il pût me rendre, dans la situation de mes affaires. La joie que l'espérance de le voir m'inspirait, effaça les traces du chagrin que Manon n'aurait pas manqué d'apercevoir sur mon visage. Je lui parlai de notre malheur de Chaillot comme d'une baga-

1485 telle qui ne devait pas l'alarmer ; et Paris étant le lieu du monde où elle se voyait avec le plus de plaisir, elle ne fut pas fâchée de m'entendre dire qu'il était à propos d'y demeurer, jusqu'à ce qu'on eût réparé, à Chaillot, quelques légers effets de l'incendie. Une heure après, je

1490 reçus la réponse de Tiberge, qui me promettait de se

rendre au lieu de l'assignation. J'y courus avec impatience. Je sentais néanmoins quelque honte d'aller paraître aux yeux d'un ami, dont la seule présence devait être un reproche de mes désordres ; mais l'opinion que j'avais de la bonté de son cœur, et l'intérêt de Manon, soutinrent ma hardiesse.

Je l'avais prié de se trouver au jardin du Palais-Royal. Il y était avant moi. Il vint m'embrasser, aussitôt qu'il m'eut aperçu. Il me tint serré longtemps entre ses bras, et je sentis mon visage mouillé de ses larmes. Je lui dis que je ne me présentais à lui qu'avec confusion, et que je portais dans le cœur un vif sentiment de mon ingratitude ; que la première chose dont je le conjurais était de m'apprendre s'il m'était encore permis de le regarder comme mon ami, après avoir mérité si justement de perdre son estime et son affection. Il me répondit, du ton le plus tendre, que rien n'était capable de le faire renoncer à cette qualité ; que mes malheurs mêmes, et si je lui permettais de le dire, mes fautes et mes désordres, avaient redoublé sa tendresse pour moi ; mais que c'était une tendresse mêlée de la plus vive douleur, telle qu'on la sent pour une personne chère, qu'on voit toucher à sa perte sans pouvoir la secourir.

Nous nous assîmes sur un banc. Hélas ! lui dis-je, avec un soupir parti du fond du cœur, votre compassion doit être excessive, mon cher Tiberge, si vous m'assurez qu'elle est égale à mes peines. J'ai honte de vous les laisser voir, car je confesse que la cause n'en est pas glorieuse, mais l'effet en est si triste, qu'il n'est pas besoin de m'aimer autant que vous faites pour en être attendri. Il me demanda, comme une marque d'amitié, de lui raconter sans déguisement ce qui m'était arrivé depuis mon départ de Saint-Sulpice. Je le satisfis ; et loin d'altérer quelque chose à la vérité, ou de diminuer mes fautes pour les faire trouver plus excusables, je lui parlai de ma passion avec toute la force qu'elle m'inspirait. Je la lui représentai comme un de ces coups particuliers du destin, qui s'attache à la ruine d'un misérable, et dont il est aussi impossible à la vertu de se défendre, qu'il l'a été à la sagesse de les prévoir. Je lui fis une vive peinture de mes agitations, de mes craintes, du désespoir où

j'étais deux heures avant que de le voir, et de celui dans
lequel j'allais retomber, si j'étais abandonné par mes
amis aussi impitoyablement que par la fortune[1] ; enfin,
1535 j'attendris tellement le bon Tiberge, que je le vis aussi
affligé par la compassion, que je l'étais par le sentiment
de mes peines. Il ne se lassait point de m'embrasser, et
de m'exhorter à prendre du courage et de la consolation ; mais comme il supposait toujours qu'il fallait me
1540 séparer de Manon, je lui fis entendre nettement que
c'était cette séparation même que je regardais comme la
plus grande de mes infortunes ; et que j'étais disposé à
souffrir, non seulement le dernier excès de la misère,
mais la mort la plus cruelle, avant que de recevoir un
1545 remède plus insupportable que tous mes maux
ensemble.

Expliquez-vous donc, me dit-il : quelle espèce de
secours suis-je capable de vous donner, si vous vous
révoltez contre toutes mes propositions ? Je n'osais lui
1550 déclarer que c'était de sa bourse que j'avais besoin. Il le
comprit pourtant à la fin ; et m'ayant confessé qu'il
croyait m'entendre, il demeura quelque temps suspendu, avec l'air d'une personne qui balance. Ne croyez
pas, reprit-il bientôt, que ma rêverie vienne d'un refroi-
1555 dissement de zèle et d'amitié. Mais à quelle alternative
me réduisez-vous, s'il faut que je vous refuse le seul
secours que vous voulez accepter, ou que je blesse mon
devoir en vous l'accordant ? car n'est-ce pas prendre
part à votre désordre, que de vous y faire persévérer ?
1560 Cependant, continua-t-il après avoir réfléchi un
moment, je m'imagine que c'est peut-être l'état violent
où l'indigence vous jette, qui ne vous laisse pas assez de
liberté pour choisir le meilleur parti ; il faut un esprit
tranquille pour goûter la sagesse et la vérité. Je trouverai
1565 le moyen de vous faire avoir quelque argent. Permettez-
moi, mon cher Chevalier, ajouta-t-il en m'embrassant,
d'y mettre seulement une condition : c'est que vous
m'apprendrez le lieu de votre demeure, et que vous

---

1. la fortune : ici, le sort, le destin.

souffrirez que je fasse du moins mes efforts pour vous
1570 ramener à la vertu, que je sais que vous aimez, et dont il
n'y a que la violence de vos passions qui vous écarte. Je
lui accordai sincèrement tout ce qu'il souhaitait, et je le
priai de plaindre la malignité[1] de mon sort, qui me faisait profiter si mal des conseils d'un ami si vertueux. Il
1575 me mena aussitôt chez un banquier de sa connaissance,
qui m'avança cent pistoles[2] sur son billet[3], car il n'était
rien moins qu'en argent comptant. J'ai déjà dit qu'il
n'était pas riche. Son bénéfice[4] valait mille écus[5], mais
comme c'était la première année qu'il le possédait, il
1580 n'avait encore rien touché du revenu : c'était sur les
fruits futurs qu'il me faisait cette avance.

Je sentis tout le prix de sa générosité. J'en fus touché,
jusqu'au point de déplorer l'aveuglement d'un amour
fatal, qui me faisait violer tous les devoirs. La vertu eut
1585 assez de force, pendant quelques moments, pour s'élever dans mon cœur contre ma passion, et j'aperçus du
moins, dans cet instant de lumière, la honte et l'indignité de mes chaînes. Mais ce combat fut léger et dura
peu. La vue de Manon m'aurait fait précipiter du ciel, et
1590 je m'étonnai, en me retrouvant près d'elle, que j'eusse
pu traiter un moment de honteuse, une tendresse si juste
pour un objet si charmant.

Manon était une créature d'un caractère extraordinaire. Jamais fille n'eut moins d'attachement qu'elle
1595 pour l'argent, mais elle ne pouvait être tranquille un
moment avec la crainte d'en manquer. C'était du plaisir
et des passe-temps qu'il lui fallait. Elle n'eût jamais
voulu toucher un sou, si l'on pouvait se divertir sans
qu'il en coûte. Elle ne s'informait pas même quel était le
1600 fonds de nos richesses, pourvu qu'elle pût passer agréablement la journée ; de sorte que, n'étant ni excessive-

---

1. *la malignité* : la méchanceté.
2. *cent pistoles* : environ 20 000 F.
3. *son billet* : sa reconnaissance de dette.
4. *bénéfice* : revenu d'un établissement ecclésiastique (prieuré, abbaye, etc.), attri-
bué à un laïc.
5. *mille écus* : environ 120 000 F.

ment livrée au jeu, ni capable d'être éblouie par le faste des grandes dépenses, rien n'était plus facile que de la satisfaire, en lui faisant naître tous les jours des amuse-
1605 ments de son goût. Mais c'était une chose si nécessaire pour elle d'être ainsi occupée par le plaisir, qu'il n'y avait pas le moindre fond à faire, sans cela, sur son humeur et sur ses inclinations. Quoiqu'elle m'aimât tendrement, et que je fusse le seul, comme elle en conve-
1610 nait volontiers, qui pût lui faire goûter parfaitement les douceurs de l'amour, j'étais presque certain que sa tendresse ne tiendrait point contre de certaines craintes. Elle m'aurait préféré à toute la terre avec une fortune médiocre[1] ; mais je ne doutais nullement qu'elle ne
1615 m'abandonnât pour quelque nouveau B... lorsqu'il ne me resterait que de la constance et de la fidélité à lui offrir. Je résolus donc de régler si bien ma dépense particulière, que je fusse toujours en état de fournir aux siennes, et de me priver plutôt de mille choses néces-
1620 saires que de la borner même pour le superflu. Le carrosse m'effrayait plus que tout le reste, car il n'y avait point d'apparence de pouvoir entretenir des chevaux et un cocher. Je découvris ma peine à M. Lescaut. Je ne lui avais point caché que j'eusse reçu cent pistoles d'un
1625 ami. Il me répéta que si je voulais tenter le hasard du jeu, il ne désespérait point qu'en sacrifiant de bonne grâce une centaine de francs pour traiter ses associés, je ne pusse être admis, à sa recommandation, dans la Ligue de l'Industrie[2]. Quelque répugnance que j'eusse à trom-
1630 per, je me laissai entraîner par une cruelle nécessité.

M. Lescaut me présenta le soir même comme un de ses parents. Il ajouta que j'étais d'autant mieux disposé à réussir, que j'avais besoin des plus grandes faveurs de la fortune. Cependant, pour faire connaître que ma misère
1635 n'était pas celle d'un homme de néant, il leur dit que j'étais dans le dessein de leur donner à souper. L'offre fut acceptée. Je les traitai magnifiquement. On s'entre-

1. *médiocre* : moyenne.
2. *Ligue de l'Industrie* : cf. note 2, p. 70.

tint longtemps de la gentillesse de ma figure et de mes heureuses dispositions. On prétendit qu'il y avait beaucoup à espérer de moi, parce qu'ayant quelque chose dans la physionomie qui sentait l'honnête homme, personne ne se défierait de mes artifices. Enfin, on rendit grâces à M. Lescaut d'avoir procuré à l'Ordre[1] un novice de mon mérite, et l'on chargea un des chevaliers de me donner, pendant quelques jours, les instructions nécessaires. Le principal théâtre de mes exploits devait être l'hôtel de Transylvanie[2], où il y avait une table de pharaon[3] dans une salle et divers autres jeux de cartes et de dés dans la galerie. Cette académie[4] se tenait au profit de M. le prince de R..., qui demeurait alors à Clagny[5], et la plupart de ses officiers étaient de notre société. Le dirai-je à ma honte ? Je profitai en peu de temps des leçons de mon maître. J'acquis surtout beaucoup d'habileté à faire une volte-face, à filer la carte[6] ; et m'aidant fort bien d'une longue paire de manchettes, j'escamotais assez légèrement pour tromper les yeux des plus habiles, et ruiner sans affectation quantité d'honnêtes joueurs. Cette adresse extraordinaire hâta si fort les progrès de ma fortune, que je me trouvai en peu de semaines des sommes considérables, outre celles que je partageais de bonne foi avec mes associés. Je ne craignis plus, alors, de découvrir à Manon notre perte de Chaillot ; et pour la consoler en lui apprenant cette fâcheuse nouvelle, je louai une maison garnie, où nous nous établîmes avec un air d'opulence et de sécurité.

Tiberge n'avait pas manqué, pendant ce temps-là, de me rendre de fréquentes visites. Sa morale ne finissait point. Il recommençait sans cesse à me représenter le tort que je faisais à ma conscience, à mon honneur et à

---

1. *l'Ordre* : ici, la Ligue des tricheurs est comparée à un ordre de chevalerie.
2. *l'hôtel de Transylvanie* : la résidence du prince François Rákóczi, quai Malaquais.
3. *pharaon* : ancêtre du baccara.
4. *académie* : on désignait couramment ainsi une maison de jeu.
5. *Clagny* : domaine à l'est de Versailles.
6. *à faire une volte-face, à filer la carte* : c'est « faire toutes les mains » d'une part et, d'autre part, c'est « tirer chaque carte avec assez d'attention pour la reconnaître par l'envers » (*Manuel lexique* de Prévost).

ma fortune. Je recevais ses avis avec amitié ; et quoique je n'eusse pas la moindre disposition à les suivre, je lui savais bon gré de son zèle, parce que j'en connaissais la source. Quelquefois je le raillais agréablement, dans la présence même de Manon, et je l'exhortais à n'être pas plus scrupuleux qu'un grand nombre d'évêques et d'autres prêtres, qui savent accorder fort bien une maîtresse avec un bénéfice. Voyez, lui disais-je, en lui montrant les yeux de la mienne ; et dites-moi s'il y a des fautes qui ne soient pas justifiées par une si belle cause. Il prenait patience. Il la poussa même assez loin ; mais lorsqu'il vit que mes richesses augmentaient, et que non seulement je lui avais restitué ses cent pistoles, mais qu'ayant loué une nouvelle maison et doublé ma dépense, j'allais me replonger plus que jamais dans les plaisirs, il changea entièrement de ton et de manières. Il se plaignit de mon endurcissement ; il me menaça des châtiments du Ciel, et il me prédit une partie des malheurs qui ne tardèrent guère à m'arriver. Il est impossible, me dit-il, que les richesses qui servent à l'entretien de vos désordres, vous soient venues par des voies légitimes. Vous les avez acquises injustement ; elles vous seront ravies de même. La plus terrible punition de Dieu serait de vous en laisser jouir tranquillement. Tous mes conseils, ajouta-t-il, vous ont été inutiles ; je ne prévois que trop qu'ils vous seraient bientôt importuns. Adieu, ingrat et faible ami. Puissent vos criminels plaisirs s'évanouir comme une ombre ! Puissent votre fortune et votre argent périr sans ressource, et vous rester seul et nu, pour sentir la vanité des biens qui vous ont follement enivré ! C'est alors que vous me trouverez disposé à vous aimer et à vous servir, mais je romps aujourd'hui tout commerce avec vous, et je déteste la vie que vous menez. Ce fut dans ma chambre, aux yeux de Manon, qu'il me fit cette harangue apostolique. Il se leva pour se retirer. Je voulus le retenir ; mais je fus arrêté par Manon, qui me dit que c'était un fou qu'il fallait laisser sortir.

Son discours ne laissa pas de faire quelque impression sur moi. Je remarque ainsi les diverses occasions où mon cœur sentit un retour vers le bien, parce que c'est à

ce souvenir que j'ai dû ensuite une partie de ma force, dans les plus malheureuses circonstances de ma vie. Les caresses de Manon dissipèrent en un moment le chagrin que cette scène m'avait causé. Nous continuâmes de
1715 mener une vie toute composée de plaisir et d'amour. L'augmentation de nos richesses redoubla notre affection ; Vénus et la Fortune n'avaient point d'esclaves plus heureux et plus tendres. Dieux ! pourquoi nommer le monde un lieu de misères, puisqu'on y peut goûter de si
1720 charmantes délices ! Mais, hélas ! leur faible est de passer trop vite. Quelle autre félicité voudrait-on se proposer, si elles étaient de nature à durer toujours ? Les nôtres eurent le sort commun, c'est-à-dire de durer peu, et d'être suivies par des regrets amers. J'avais fait au jeu
1725 des gains si considérables, que je pensais à placer une partie de mon argent. Mes domestiques n'ignoraient pas mes succès, surtout mon valet de chambre et la suivante de Manon, devant lesquels nous nous entretenions souvent sans défiance. Cette fille était jolie. Mon valet
1730 en était amoureux. Ils avaient à faire à des maîtres jeunes et faciles, qu'ils s'imaginèrent pouvoir tromper aisément. Ils en conçurent le dessein, et ils l'exécutèrent si malheureusement pour nous, qu'ils nous mirent dans un état dont il ne nous a jamais été possible de nous
1735 relever.

M. Lescaut nous ayant un jour donné à souper, il était environ minuit, lorsque nous retournâmes au logis. J'appelai mon valet, et Manon sa femme de chambre ; ni l'un ni l'autre ne parurent. On nous dit qu'ils n'avaient
1740 point été vus dans la maison depuis huit heures, et qu'ils étaient sortis après avoir fait transporter quelques caisses, suivant les ordres qu'ils disaient avoir reçus de moi. Je pressentis une partie de la vérité ; mais je ne formai point de soupçons qui ne fussent surpassés par ce
1745 que j'aperçus en entrant dans ma chambre. La serrure de mon cabinet avait été forcée, et mon argent enlevé, avec tous mes habits. Dans le temps que je réfléchissais seul sur cet accident, Manon vint, toute effrayée, m'apprendre qu'on avait fait le même ravage dans son appar-
1750 tement. Le coup me parut si cruel, qu'il n'y eut qu'un effort extraordinaire de raison qui m'empêcha de me

livrer aux cris et aux pleurs. La crainte de communiquer mon désespoir à Manon me fit affecter de prendre un visage tranquille. Je lui dis, en badinant, que je me ven-
1755 gerais sur quelque dupe, à l'hôtel de Transylvanie. Cependant elle me sembla si sensible à notre malheur, que sa tristesse eut bien plus de force pour m'affliger, que ma joie feinte n'en avait eu pour l'empêcher d'être trop abattue. Nous sommes perdus ! me dit-elle, les
1760 larmes aux yeux. Je m'efforçai en vain de la consoler par mes caresses ; mes propres pleurs trahissaient mon désespoir et ma consternation. En effet nous étions ruinés si absolument, qu'il ne nous restait pas une chemise.

Des Grieux et Tiberge sur un banc au Palais-Royal *(l. 1497)*.
Dessin de Maurice Leloir, 1885.

79

Quatrième épisode : le premier séjour à Chaillot.

Compréhension

1. *Quelles sont les étapes successives de la vie du couple entre la fuite de St-Sulpice et la ruine ? Quel titre pouvez-vous leur attribuer ?*

2. *Quel enseignement le chevalier tire-t-il de la première trahison de Manon ?*

3. *Dans quelle mesure Des Grieux peut-il espérer un avenir heureux et quelles décisions prend-il dans cette intention ?*

4. *Pourquoi ce sage projet est-il mis en péril et comment expliquez-vous ce phénomène, par rapport à l'époque et au caractère des personnages ? Repérez les indices qui annoncent l'avenir.*

5. *Quel drame surgit en plein bonheur ? Comment le chevalier en évalue-t-il les effets et quel raisonnement l'amène à la solution retenue ?*

6. *Quels effets suscite ce hasard malheureux et quelle en est la fonction dans le cours de la vie du chevalier ?*

• **Les personnages**

7. *Quel nouveau personnage se présente dans le récit ? Quels en sont la fiche d'identité, le caractère et la place qu'il occupe dans le réseau des personnages connus ?*

8. *À qui le chevalier fait-il appel et quels conseils chacun des deux personnages consultés lui donne-t-il ? comment réagit le chevalier après chaque consultation ?*

9. *Que représentent ces deux actants* du récit par rapport au chevalier et au projet narratif ?*

10. *Analysez les étapes du dialogue de Tiberge et du chevalier ; quelle en est la conclusion et qui en est responsable ?*

11. *Dans quelle mesure ces entretiens du chevalier avec Lescaut et Tiberge complètent-ils et nuancent-ils les portraits des trois protagonistes ?*

• **La narration***

12. *Pourquoi le narrateur/personnage insiste-t-il, à ce point, sur la*

présentation et la caractérisation de Lescaut ? Quels sentiments veut-il susciter sur son destinataire à ce moment précis de l'action ?

13. *Comment justifiez-vous la pause dans le récit, que suscite un nouveau portrait de Manon (l. 1593) ? Celui-ci apporte-t-il des éléments nouveaux ? Dans quelle mesure le chevalier justifie-t-il son propre comportement ?*

14. *Comment expliquez-vous que Manon, présentée sans ambiguïté par son amant, retienne la sympathie du lecteur ?*

15. *Quels éléments de la réalité sociale la représentation du monde du jeu apporte-t-elle et quelle en est la fonction dans le projet narratif ?*

16. *Qui prononce le commentaire après la rupture avec Tiberge et son départ ? Quelle en est la signification, au moment où il est exprimé, et par rapport à la suite du récit ?*

Écriture

17. *Quels sont les traits textuels – vocabulaire, syntaxe – qui caractérisent le personnage nouveau ? Quelle formule dépeint sa fonction ?*

18. *Relevez dans la première partie du récit de la vie à Chaillot les mots qui infirment les déclarations de bonheur durable.*

19. *En quels termes divers et opposés le chevalier présente-t-il son insertion dans ce nouveau milieu ? Quelle signification prennent-ils par rapport au projet narratif ?*

20. *Dans quel langage Tiberge présente-t-il les arguments successifs qu'il oppose à cette conduite et la leçon qu'il veut donner à son ami ? En quels termes le chevalier décrit-il la façon dont il la reçoit et la justifie-t-il ?*

21. *Comment justifiez-vous l'emploi du présent de l'indicatif, dans «je remarque», l. 1709 ?*

L'action

• Ce que nous savons

À travers le récit mémorial du chevalier, qui suit une ligne conti-nue, nous apprenons, dans cet épisode, des faits nouveaux, nom-breux, inattendus et qui bouleversent le cours de la vie du couple et le font passer par des alternatives de bonheur et de malheur : à la suite de la pratique malhonnête du jeu succède un nouveau malheur, la ruine, à cause d'un vol qui plonge les amants dans le dénuement et la consternation.

Le hasard malheureux intervient et poursuit le couple d'amants. Il semble cependant que le recours au hasard soit un moyen commode pour l'auteur : l'invraisemblance de l'incident existe, mais il faut que Manon manque d'argent ou craigne d'en manquer pour qu'une nouvelle trahison se produise.

• À quoi nous attendre ?

Le récit du chevalier a laissé clairement entendre que d'une part, Manon ne supporterait absolument pas le manque d'argent, et d'autre part, que Des Grieux était « voué » au culte de son amante. Comment les amants vont-ils vivre cette opposition entre leur deux visions du monde ?

Les personnages

• Ce que nous savons

Le lecteur a beaucoup appris sur Manon, à la fois par les portraits qu'en fait son amant, par les commentaires qu'il rapporte de la jeune femme, et par l'influence de Lescaut sur sa sœur.

À travers l'épisode s'est manifestée une évolution chez Des Grieux : malgré quelques réserves langagières, le chevalier s'habi-tue à la malhonnêteté, jusqu'à tomber sans aucune gêne dans la déchéance.

• À quoi nous attendre ?

Reverrons-nous Tiberge ?
Jusqu'où iront Manon et son amant, pour survivre à la ruine ?

Nous savons par l'épisode de B. que Manon a déjà succombé, et rapidement, à la crainte de la «pauvreté».

Les thèmes

S'entrelacent avec habileté les thèmes essentiels de l'argent et de l'amour, l'un faisant écho à l'autre, indissociables mais constamment présentés par le narrateur, à l'intention de Renoncour, comme suscités radicalement par le «penchant» pour le plaisir de Manon, la personnalité de Lescaut, la maladresse de Tiberge, et l'environnement social et historique corrompu et malfaisant.

Manon et M. de G... M... *Dessin de Maurice Leloir. 1885.*

Je pris le parti d'envoyer chercher sur-le-champ
M. Lescaut. Il me conseilla d'aller à l'heure même chez
M. le Lieutenant de Police[1] et M. le Grand Prévôt[2] de
Paris. J'y allai ; mais ce fut pour mon plus grand malheur ;
car outre que cette démarche et celles que je fis faire à ces
deux officiers de justice ne produisirent rien, je donnai le
temps à Lescaut d'entretenir sa sœur, et de lui inspirer
pendant mon absence une horrible résolution. Il lui parla
de M. de G... M..., vieux voluptueux, qui payait prodigue-
ment les plaisirs, et il lui fit envisager tant d'avantages à
se mettre à sa solde, que troublée comme elle était par
notre disgrâce, elle entra dans tout ce qu'il entreprit de
lui persuader. Cet honorable marché fut conclu avant
mon retour, et l'exécution remise au lendemain, après
que Lescaut aurait prévenu M. de G... M... Je le trouvai
qui m'attendait au logis ; mais Manon était couchée dans
son appartement, et elle avait donné ordre à son laquais
de me dire qu'ayant besoin d'un peu de repos, elle me
priait de la laisser seule pendant cette nuit. Lescaut me
quitta, après m'avoir offert quelques pistoles que j'acceptai. Il était près de quatre heures, lorsque je me mis au lit ;
et m'y étant encore occupé longtemps des moyens de
rétablir ma fortune, je m'endormis si tard, que je ne pus
me réveiller que vers onze heures ou midi. Je me levai
promptement pour aller m'informer de la santé de
Manon ; on me dit qu'elle était sortie une heure auparavant avec son frère, qui l'était venu prendre dans un
carrosse de louage. Quoiqu'une telle partie, faite avec
Lescaut, me parût mystérieuse, je me fis violence pour
suspendre mes soupçons. Je laissai couler quelques
heures, que je passai à lire. Enfin, n'étant plus le maître
de mon inquiétude, je me promenai à grands pas dans
nos appartements. J'aperçus, dans celui de Manon, une
lettre cachetée qui était sur sa table. L'adresse était à moi,
et l'écriture de sa main. Je l'ouvris avec un frisson mortel ;
elle était dans ces termes :

1765 1770 1775 1780 1785 1790 1795

---

1. *M. le Lieutenant de Police* : préfet de police actuel.
2. *M. le Grand Prévôt* : titre ancien conservé pour une charge plutôt honorifique.

1800 Je te jure, mon cher Chevalier, que tu es l'idole de mon cœur, et qu'il n'y a que toi au monde que je puisse aimer de la façon dont je t'aime ; mais ne vois-tu pas, ma pauvre chère âme, que dans l'état où nous sommes réduits, c'est une sotte vertu que la fidélité ? Crois-tu
1805 qu'on puisse être bien tendre lorsqu'on manque de pain ? La faim me causerait quelque méprise fatale ; je rendrais quelque jour le dernier soupir, en croyant en pousser un d'amour. Je t'adore, compte là-dessus ; mais laisse-moi, pour quelque temps, le ménagement de
1810 notre fortune. Malheur à qui va tomber dans mes filets ! Je travaille pour rendre mon Chevalier riche et heureux. Mon frère t'apprendra des nouvelles de ta Manon, et qu'elle a pleuré de la nécessité de te quitter.

Je demeurai, après cette lecture, dans un état qui me
1815 serait difficile à décrire ; car j'ignore encore aujourd'hui par quelle espèce de sentiments je fus alors agité. Ce fut une de ces situations uniques auxquelles on n'a rien éprouvé qui soit semblable. On ne saurait les expliquer aux autres, parce qu'ils n'en ont pas l'idée ; et l'on a
1820 peine à se les bien démêler à soi-même ; parce qu'étant seules de leur espèce, cela ne se lie à rien dans la mémoire, et ne peut même être rapproché d'aucun sentiment connu. Cependant de quelque nature que fussent les miens, il est certain qu'il devait y entrer de la dou-
1825 leur, du dépit, de la jalousie et de la honte. Heureux s'il n'y fût pas entré encore plus d'amour ! Elle m'aime, je le veux croire ; mais ne faudrait-il pas, m'écriai-je, qu'elle fût un monstre pour me haïr ? Quels droits eut-on jamais sur un cœur que je n'aie pas sur le sien ? Que me reste-
1830 t-il à faire pour elle, après tout ce que je lui ai sacrifié ? Cependant elle m'abandonne ! et l'ingrate se croit à cou-vert de mes reproches, en me disant qu'elle ne cesse pas de m'aimer ! Elle appréhende la faim. Dieu d'amour ! quelle grossièreté de sentiments ! et que c'est répondre
1835 mal à ma délicatesse ! Je ne l'ai pas appréhendée, moi qui m'y expose si volontiers pour elle, en renonçant à ma fortune et aux douceurs de la maison de mon père ; moi qui me suis retranché jusqu'au nécessaire, pour satisfaire ses petites humeurs et ses caprices. Elle
1840 m'adore, dit-elle. Si tu m'adorais, ingrate, je sais bien de

qui tu aurais pris des conseils ; tu ne m'aurais pas quitté, du moins sans me dire adieu. C'est à moi qu'il faut demander quelles peines cruelles on sent à se séparer de ce qu'on adore. Il faudrait avoir perdu l'esprit pour s'y
1845 exposer volontairement.

Mes plaintes furent interrompues par une visite à laquelle je ne m'attendais pas. Ce fut celle de Lescaut. Bourreau ! lui dis-je en mettant l'épée à la main, où est Manon ? qu'en as-tu fait ? Ce mouvement l'effraya ; il me
1850 répondit que si c'était ainsi que je le recevais, lorsqu'il venait me rendre compte du service le plus considérable qu'il eût pu me rendre, il allait se retirer, et ne remettrait jamais le pied chez moi. Je courus à la porte de la chambre, que je fermai soigneusement. Ne t'imagine
1855 pas, lui dis-je en me tournant vers lui, que tu puisses me prendre encore une fois pour dupe et me tromper par des fables. Il faut défendre ta vie, ou me faire retrouver Manon. Là ! que vous êtes vif ! repartit-il ; c'est l'unique sujet qui m'amène. Je viens vous annoncer un bonheur
1860 auquel vous ne pensez pas, et pour lequel vous reconnaî-trez peut-être que vous m'avez quelque obligation. Je voulus être éclairci sur-le-champ.

Il me raconta que Manon, ne pouvant soutenir la crainte de la misère, et surtout l'idée d'être obligée tout d'un coup
1865 à la réforme de notre équipage, l'avait prié de lui procurer la connaissance de M. de G... M..., qui passait pour un homme généreux. Il n'eut garde de me dire que le conseil était venu de lui, ni qu'il eût préparé les voies, avant que de l'y conduire. Je l'y ai menée ce matin, continua-t-il, et cet
1870 honnête homme a été si charmé de son mérite, qu'il l'a invitée d'abord à lui tenir compagnie à sa maison de campagne, où il est allé passer quelques jours. Moi, ajouta Lescaut, qui ai pénétré tout d'un coup de quel avantage cela pouvait être pour vous, je lui ai fait entendre adroite-
1875 ment que Manon avait essuyé des pertes considérables, et j'ai tellement piqué sa générosité, qu'il a commencé par lui faire un présent de deux cents pistoles[1]. Je lui ai dit que

---

1. *deux cents pistoles* : environ 40 000 F.

cela était honnête[1] pour le présent, mais que l'avenir amènerait à ma sœur de grands besoins ; qu'elle s'était chargée d'ailleurs du soin d'un jeune frère, qui nous était resté sur les bras après la mort de nos père et mère, et que s'il la croyait digne de son estime, il ne la laisserait pas souffrir dans ce pauvre enfant, qu'elle regardait comme la moitié d'elle-même. Ce récit n'a pas manqué de l'attendrir. Il s'est engagé à louer une maison commode, pour vous et pour Manon ; car c'est vous-même qui êtes ce pauvre petit frère orphelin. Il a promis de vous meubler proprement, et de vous fournir tous les mois quatre cents bonnes livres[2] qui en feront, si je compte bien, quatre mille huit cents[3] à la fin de chaque année. Il a laissé l'ordre à son intendant, avant que de partir pour sa campagne, de chercher une maison, et de la tenir prête pour son retour. Vous reverrez alors Manon, qui m'a chargé de vous embrasser mille fois pour elle, et de vous assurer qu'elle vous aime plus que jamais.

Je m'assis, en rêvant à cette bizarre disposition de mon sort. Je me trouvai dans un partage de sentiments, et par conséquent dans une incertitude si difficile à terminer, que je demeurai longtemps sans répondre à quantité de questions que Lescaut me faisait l'une sur l'autre. Ce fut dans ce moment que l'honneur et la vertu me firent sentir encore les pointes du remords, et que je jetai les yeux en soupirant vers Amiens, vers la maison de mon père, vers Saint-Sulpice et vers tous les lieux où j'avais vécu dans l'innocence. Par quel immense espace n'étais-je pas séparé de cet heureux état ! Je ne le voyais plus que de loin, comme une ombre qui s'attirait encore mes regrets et mes désirs, mais trop faible pour exciter mes efforts. Par quelle fatalité, disais-je, suis-je devenu si criminel ? L'amour est une passion innocente ; comment s'est-il changé, pour moi, en une source de misères et de désordres ? Qui m'empêchait de vivre tranquille et ver-

---

1. *cela était honnête* : cela convenait.
2. *quatre cents bonnes livres* (ou francs-or) : environ 8 000 F.
3. *quatre mille huit cents* : environ 96 000 F.

tueux avec Manon ? Pourquoi ne l'épousais-je point avant
que d'obtenir rien de son amour ? Mon père, qui m'aimait
si tendrement, n'y aurait-il pas consenti, si je l'en eusse
pressé avec des instances légitimes ? Ah ! mon père l'aurait chérie lui-même, comme une fille charmante, trop
digne d'être la femme de son fils ; je serais heureux avec
l'amour de Manon, avec l'affection de mon père, avec
l'estime des honnêtes gens, avec les biens de la fortune et
la tranquillité de la vertu. Revers funeste ! Quel est l'infâme personnage qu'on vient ici me proposer ? Quoi !
j'irai partager... Mais y a-t-il à balancer, si c'est Manon
qui l'a réglé, et si je la perds sans cette complaisance ?
Monsieur Lescaut, m'écriai-je en fermant les yeux,
comme pour écarter de si chagrinantes réflexions, si vous
avez eu dessein de me servir, je vous rends grâces. Vous
auriez pu prendre une voie plus honnête ; mais c'est une
chose finie, n'est-ce pas ? Ne pensons donc plus qu'à
profiter de vos soins et à remplir votre projet. Lescaut, à
qui ma colère, suivie d'un fort silence, avait causé de
l'embarras, fut ravi de me voir prendre un parti tout
différent de celui qu'il avait appréhendé sans doute ; il
n'était rien moins que brave, et j'en eus de meilleures
preuves dans la suite. Oui, oui, se hâta-t-il de me
répondre, c'est un fort bon service que je vous ai rendu, et
vous verrez que nous en tirerons plus d'avantage que vous
ne vous y attendez. Nous concertâmes de quelle manière
nous pourrions prévenir les défiances que M. de G... M...
pouvait concevoir de notre fraternité, en me voyant plus
grand et un peu plus âgé peut-être qu'il ne se l'imaginait.
Nous ne trouvâmes point d'autre moyen, que de prendre
devant lui un air simple et provincial, et de lui faire croire
que j'étais dans le dessein d'entrer dans l'état ecclésiastique, et que j'allais pour cela tous les jours au collège.
Nous résolûmes aussi que je me mettrais fort mal, la
première fois que je serais admis à l'honneur de le saluer.
Il revint à la ville trois ou quatre jours après ; il conduisit
lui-même Manon dans la maison que son intendant avait
eu soin de préparer. Elle fit avertir aussitôt Lescaut de son
retour ; et celui-ci m'en ayant donné avis, nous nous
rendîmes tous deux chez elle. Le vieil amant en était déjà
sorti. Malgré la résignation avec laquelle je m'étais sou-

mis à ses volontés, je ne pus réprimer le murmure de mon
1955 cœur en la revoyant. Je lui parus triste et languissant. La
joie de la retrouver ne l'emportait pas tout à fait sur le
chagrin de son infidélité. Elle, au contraire, paraissait
transportée du plaisir de me revoir. Elle me fit des
reproches de ma froideur. Je ne pus m'empêcher de lais-
1960 ser échapper les noms de perfide et d'infidèle, que j'ac-
compagnai d'autant de soupirs. Elle me railla d'abord de
ma simplicité ; mais, lorsqu'elle vit mes regards s'attacher
toujours tristement sur elle, et la peine que j'avais à digé-
rer un changement si contraire à mon humeur et à mes
1965 désirs, elle passa seule dans son cabinet. Je la suivis un
moment après. Je l'y trouvai toute en pleurs. Je lui
demandai ce qui les causait. Il t'est bien aisé de le voir,
me dit-elle ; comment veux-tu que je vive, si ma vue n'est
plus propre qu'à te causer un air sombre et chagrin ? Tu
1970 ne m'as pas fait une seule caresse, depuis une heure que
tu es ici, et tu as reçu les miennes avec la majesté du
Grand Turc au Sérail[1].

Écoutez, Manon, lui répondis-je en l'embrassant, je ne
puis vous cacher que j'ai le cœur mortellement affligé. Je
1975 ne parle point à présent des alarmes où votre fuite impré-
vue m'a jeté, ni de la cruauté que vous avez eue de
m'abandonner sans un mot de consolation, après avoir
passé la nuit dans un autre lit que moi. Le charme de
votre présence m'en ferait bien oublier davantage. Mais
1980 croyez-vous que je puisse penser sans soupirs, et même
sans larmes, continuai-je en en versant quelques-unes, à
la triste et malheureuse vie que vous voulez que je mène
dans cette maison ? Laissons ma naissance et mon honneur à part : ce ne sont plus des raisons si faibles qui
1985 doivent entrer en concurrence avec un amour tel que le
mien ; mais cet amour même, ne vous imaginez-vous pas
qu'il gémit de se voir si mal récompensé, ou plutôt traité
si cruellement par une ingrate et dure maîtresse... Elle
m'interrompit : Tenez, dit-elle, mon Chevalier, il est inu-
1990 tile de me tourmenter par des reproches qui me percent

---

1. *Grand Turc au Sérail* : Sultan de l'Empire ottoman dans son palais.

le cœur, lorsqu'ils viennent de vous. Je vois ce qui vous blesse. J'avais espéré que vous consentiriez au projet que j'avais fait pour rétablir un peu notre fortune, et c'était pour ménager votre délicatesse que j'avais commencé à
1995 l'exécuter sans votre participation ; mais j'y renonce, puisque vous ne l'approuvez pas. Elle ajouta qu'elle ne me demandait qu'un peu de complaisance, pour le reste du jour ; qu'elle avait déjà reçu deux cents pistoles de son vieil amant, et qu'il lui avait promis de lui apporter le soir
2000 un beau collier de perles avec d'autres bijoux, et par-dessus cela la moitié de la pension annuelle qu'il lui avait promise. Laissez-moi seulement le temps, me dit-elle, de recevoir ses présents ; je vous jure qu'il ne pourra se vanter des avantages que je lui ai donnés sur moi, car je
2005 l'ai remis jusqu'à présent à la ville. Il est vrai qu'il m'a baisé plus d'un million de fois les mains ; il est juste qu'il paie ce plaisir, et ce ne sera point trop que cinq ou six mille francs[1], en proportionnant le prix à ses richesses et à son âge.
2010 Sa résolution me fut beaucoup plus agréable que l'espé-rance des cinq mille livres[2]. J'eus lieu de reconnaître que mon cœur n'avait point encore perdu tout sentiment d'honneur, puisqu'il était satisfait d'échapper à l'infamie. Mais j'étais né pour les courtes joies et les longues dou-
2015 leurs. La Fortune ne me délivra d'un précipice que pour me faire tomber dans un autre. Lorsque j'eus marqué à Manon, par mille caresses, combien je me croyais heu-reux de son changement, je lui dis qu'il fallait en instruire M. Lescaut, afin que nos mesures se prissent de concert.
2020 Il en murmura d'abord ; mais les quatre ou cinq mille livres d'argent comptant le firent entrer gaiement dans nos vues. Il fut donc réglé que nous nous trouverions tous à souper avec M. de G... M..., et cela pour deux raisons : l'une, pour nous donner le plaisir d'une scène agréable,
2025 en me faisant passer pour un écolier, frère de Manon ; l'autre, pour empêcher ce vieux libertin de s'émanciper

---

1. *cinq ou six mille francs* (or) : entre 100 000 et 120 000 F.
2. *cinq mille livres* : cinq mille francs.

trop avec ma maîtresse, par le droit qu'il croirait s'être acquis en payant si libéralement d'avance. Nous devions nous retirer, Lescaut et moi, lorsqu'il monterait à la
2030 chambre où il comptait de passer la nuit ; et Manon, au lieu de le suivre, nous promit de sortir, et de la venir passer avec moi. Lescaut se chargea du soin d'avoir exactement un carrosse à la porte.

L'heure du souper étant venue, M. de G... M... ne se fit
2035 pas attendre longtemps. Lescaut était avec sa sœur dans la salle. Le premier compliment du vieillard fut d'offrir à sa belle un collier, des bracelets et des pendants de perles, qui valaient au moins mille écus[1]. Il lui compta ensuite, en beaux louis d'or[2], la somme de deux mille
2040 quatre cents livres[3], qui faisaient la moitié de la pension. Il assaisonna son présent de quantité de douceurs, dans le goût de la vieille cour. Manon ne put lui refuser quelques baisers ; c'était autant de droits qu'elle acquérait sur l'argent qu'il lui mettait entre les mains. J'étais à la porte,
2045 où je prêtais l'oreille, en attendant que Lescaut m'avertît d'entrer.

Il vint me prendre par la main, lorsque Manon eut serré l'argent et les bijoux, et me conduisant vers M. de G... M..., il m'ordonna de lui faire la révérence. J'en fis
2050 deux ou trois des plus profondes. Excusez Monsieur, lui dit Lescaut, c'est un enfant fort neuf. Il est bien éloigné, comme vous voyez, d'avoir les airs de Paris ; mais nous espérons qu'un peu d'usage le façonnera. Vous aurez l'honneur de voir ici souvent Monsieur, ajouta-t-il en se
2055 tournant vers moi ; faites bien votre profit d'un si bon modèle. Le vieil amant parut prendre plaisir à me voir. Il me donna deux ou trois petits coups sur la joue, en me disant que j'étais un joli garçon, mais qu'il fallait être sur mes gardes à Paris, où les jeunes gens se laissent aller
2060 facilement à la débauche. Lescaut l'assura que j'étais naturellement si sage, que je ne parlais que de me faire

---

1. *mille écus* : environ 120 000 F.
2. *louis d'or* : pièce de 20 francs-or.
3. *deux mille quatre cents livres* : environ 48 000 F.

prêtre, et que tout mon plaisir était à faire de petites chapelles[1]. Je lui trouve l'air de Manon, reprit le vieillard en me haussant le menton avec la main. Je répondis d'un
2065 air niais : Monsieur, c'est que nos deux chairs se touchent de bien proche ; aussi j'aime ma sœur Manon comme un autre moi-même. L'entendez-vous ? dit-il à Lescaut. Il a de l'esprit. C'est dommage que cet enfant-là n'ait pas un peu plus de monde[2]. Ho, Monsieur, repris-je, j'en ai vu
2070 beaucoup chez nous dans les églises, et je crois bien que j'en trouverai à Paris de plus sots que moi. Voyez, ajouta-t-il, cela est admirable pour un enfant de province. Toute notre conversation fut à peu près du même goût pendant le souper. Manon, qui était badine, fut sur le point, plu-
2075 sieurs fois, de gâter tout par ses éclats de rire. Je trouvai l'occasion, en soupant, de lui raconter sa propre histoire, et le mauvais sort qui le menaçait. Lescaut et Manon tremblaient pendant mon récit, surtout lorsque je faisais son portrait au naturel ; mais l'amour-propre l'empêcha
2080 de s'y reconnaître, et je l'achevai si adroitement qu'il fut le premier à le trouver fort risible. Vous verrez que ce n'est pas sans raison que je me suis étendu sur cette ridicule scène. Enfin l'heure du sommeil étant arrivée, il parla d'amour et d'impatience. Nous nous retirâmes, Les-
2085 caut et moi ; on le conduisit à sa chambre ; et Manon, étant sortie sous prétexte d'un besoin, nous vint joindre à la porte. Le carrosse, qui nous attendait trois ou quatre maisons plus bas, s'avança pour nous recevoir. Nous nous éloignâmes en un instant du quartier.
2090 Quoiqu'à mes propres yeux, cette action fût une véritable friponnerie, ce n'était pas la plus injuste que je crusse avoir à me reprocher. J'avais plus de scrupule sur l'argent que j'avais acquis au jeu. Cependant nous profitâmes aussi peu de l'un que de l'autre, et le Ciel permit
2095 que la plus légère de ces deux injustices fût la plus rigoureusement punie.

M. de G... M... ne tarda pas longtemps à s'apercevoir

---

1. *chapelles* : petits reposoirs ornés de fleurs.
2. *n'ait pas un peu plus de monde* : ne connaisse pas mieux les manières du monde.

qu'il était dupé. Je ne sais s'il fit, dès le soir même, quelques démarches pour nous découvrir, mais il eut assez de crédit pour n'en pas faire longtemps d'inutiles, et nous assez d'imprudence pour compter trop sur la grandeur de Paris, et sur l'éloignement qu'il y avait de notre quartier au sien. Non seulement il fut informé de notre demeure et de nos affaires présentes, mais il apprit aussi qui j'étais, la vie que j'avais menée à Paris, l'ancienne liaison de Manon avec B..., la tromperie qu'elle lui avait faite ; en un mot, toutes les parties scandaleuses de notre histoire. Il prit là-dessus la résolution de nous faire arrêter, et de nous traiter moins comme des criminels que comme de fieffés libertins. Nous étions encore au lit, lorsqu'un exempt de police[1] entra dans notre chambre avec une demi-douzaine de gardes. Ils se saisirent d'abord de notre argent, ou plutôt de celui de M. de G... M..., et nous ayant fait lever brusquement, ils nous conduisirent à la porte, où nous trouvâmes deux carrosses, dans l'un desquels la pauvre Manon fut enlevée sans explication, et moi traîné dans l'autre à Saint-Lazare[2]. Il faut avoir éprouvé de tels revers, pour juger du désespoir qu'ils peuvent causer. Nos gardes eurent la dureté de ne me pas permettre d'embrasser Manon, ni de lui dire une parole. J'ignorai longtemps ce qu'elle était devenue. Ce fut sans doute un bonheur pour moi de ne l'avoir pas su d'abord, car une catastrophe si terrible m'aurait fait perdre le sens, et peut-être la vie.

Ma malheureuse maîtresse fut donc enlevée, à mes yeux, et menée dans une retraite que j'ai horreur de nommer. Quel sort pour une créature toute charmante, qui eût occupé le premier trône du monde, si tous les hommes eussent eu mes yeux et mon cœur ! On ne l'y traita pas barbarement ; mais elle fut resserrée dans une étroite prison, seule, et condamnée à remplir tous les jours une certaine tâche de travail, comme une condition

---

1. *un exempt de police* : un officier de police qui commandait, en l'absence du lieutenant.
2. *Saint-Lazare* : ancienne léproserie ; ensuite confiée à Saint-Vincent de Paul pour son œuvre ; puis aux Lazaristes, qui recevaient les jeunes délinquants.

nécessaire pour obtenir quelque dégoûtante nourriture.
Je n'appris ce triste détail que longtemps après, lorsque
2135 j'eus essuyé moi-même plusieurs mois d'une rude et
ennuyeuse pénitence. Mes gardes ne m'ayant point averti
non plus du lieu où ils avaient ordre de me conduire, je ne
connus mon destin qu'à la porte de Saint-Lazare. J'aurais
préféré la mort, dans ce moment, à l'état où je me crus
2140 prêt de tomber. J'avais de terribles idées de cette maison.
Ma frayeur augmenta, lorsqu'en entrant, les gardes visi-
tèrent une seconde fois mes poches, pour s'assurer qu'il
ne me restait ni armes, ni moyen de défense. Le Supérieur parut à l'instant ; il était prévenu sur mon arrivée. Il
2145 me salua avec beaucoup de douceur. Mon Père, lui dis-je,
point d'indignités. Je perdrai mille vies, avant que d'en
souffrir une. Non, non, Monsieur, me répondit-il ; vous
prendrez une conduite sage, et nous serons contents l'un
de l'autre. Il me pria de monter dans une chambre haute.
2150 Je le suivis sans résistance. Les archers nous accompa-
gnèrent jusqu'à la porte ; et le Supérieur, y étant entré
avec moi, leur fit signe de se retirer.

Manon Lescaut, Des Grieux et M. de G... M... (l. 2051).
Dessin de Maurice Leloir, 1885.

Cinquième épisode : deuxième trahison de Manon.

Compréhension

1. *Délimitez les étapes qui séparent le moment où Manon accepte de céder à M. de G... M... jusqu'à l'arrestation du couple.*

2. *Comment Manon présente-t-elle dans sa lettre au chevalier le choix de sa nouvelle vie, et dans quelle mesure associe-t-elle son amant à cette étonnante entreprise ?*
En quoi cette lettre complète-t-elle la connaissance que nous avons de l'héroïne ?

3. *Quelles nouvelles données apporte la présentation que fait Lescaut de cette nouvelle situation et pourquoi le chevalier les donne-t-il à Renoncour à travers le récit de Lescaut ?*

- **L'entrevue des amants**

4. *En quoi la scène de l'entrevue des amants présente-t-elle un caractère dramatique* ?*

5. *Étudiez la progression de la scène de l'entrevue des amants.*

6. *Quel est l'argument le plus fort du chevalier pour dissuader Manon d'exécuter jusqu'au bout le projet prévu ? mais qu'est-il obligé d'abandonner face à cette situation ?*

7. *Montrez à quel point la signification de cette scène est radicalement différente pour les deux héros.*

Les personnages

8. *Quels sentiments éprouve Des Grieux à cette lecture ?*

9. *Les thèmes de son analyse intérieure et l'ordre de leur succession éclairent-ils la nature de son amour pour Manon ?*

10. *En quoi le parcours intérieur de Des Grieux le conduit-il à une déchéance plus forte ?*

11. *Quelle «comédie» Lescaut et le chevalier mettent-ils en scène ? Quels en sont le thème, les scènes à jouer, le «rôle» du personnage principal ?*

12. *Dans quelle mesure le chevalier trouve-t-il des avantages dans la solution retenue ?*

- **Le souper**

13. *À quel genre littéraire peut-on rattacher cette scène ?*

14. *Quelle est la situation réelle et quelle est la situation de fiction mise en scène par les trois protagonistes ? Quel rôle joue le spectateur de cette comédie ? Comment celui-ci interprète-t-il la scène qui se déroule en sa présence et avec sa participation ?*

15. *Comment les rôles sont-ils distribués et en quoi consiste le plaisir de ceux qui la jouent ?*

- **Les personnages**

16. *En constituant l'alliance, « Lescaut et moi », comment se présente désormais le chevalier ? À quel projet narratif répond cette formule ?*

17. *Quel est l'intérêt de la scène pour l'action du roman et qu'apporte-t-elle à la caractérisation* évolutive du héros ?*

18. *Dans quelle mesure l'image de Manon offerte par le narrateur personnage est-elle pathétique ?*

19. *Quelle fonction et quel intérêt présentent les personnages secondaires ?*

- **La narration***

20. *Comment la punition qui s'abat sur les deux héros est-elle présentée par le narrateur ?*

21. *Comment le narrateur arrive-t-il à limiter sa culpabilité et celle de Manon ?*

Écriture

22. *Quels champs lexicaux parcourent la lettre de Manon et que révèle leur entrelacement ?*

23. *En quel terme le chevalier décrit-il le personnage qu'on lui demande de jouer ?*

24. *Relevez les éléments des champs lexicaux qui parcourent le monologue délibératif ; quels effets sémantiques* et stylistiques produisent-ils ?*

25. *Dans le dialogue de Des Grieux avec Lescaut, que traduit le passage des marques de la première personne du singulier au « nous » ?*

26. *Relevez les mots qui qualifient, pour chacun des deux personnages, la situation du moment et le projet envisagé.*

27. *Quels sont les modes de discours* du récit ? Appréciez l'effet esthétique et sémantique* de cette variété.*

28. *Relevez les expressions qui révèlent la vérité à M. de G... M...,* *mais qu'il ne peut comprendre.*

29. *Par quels procédés stylistiques le chevalier présente-t-il cette vérité cachée sous une forme qui conduit le vieillard à comprendre autre chose ?*

30. *Relevez les commentaires rédigés par le «je narrant*». Quelle en est la fonction narrative ?*

Mise en perspective

31. *Comparez cet épisode avec celui de M. de B... Quelle est la signification des différences qui apparaissent ?*

Je suis donc votre prisonnier! lui dis-je. Eh bien, mon
Père, que prétendez-vous faire de moi? Il me dit qu'il
2155 était charmé de me voir prendre un ton raisonnable;
que son devoir serait de travailler à m'inspirer le goût de
la vertu et de la religion, et le mien, de profiter de ses
exhortations et de ses conseils; que pour peu que je
voulusse répondre aux attentions qu'il aurait pour moi,
2160 je ne trouverais que du plaisir dans ma solitude. Ah! du
plaisir, repris-je; vous ne savez pas, mon Père, l'unique
chose qui est capable de m'en faire goûter! Je le sais,
reprit-il; mais j'espère que votre inclination changera.
Sa réponse me fit comprendre qu'il était instruit de mes
2165 aventures, et peut-être de mon nom. Je le priai de
m'éclaircir. Il me dit naturellement qu'on l'avait informé
de tout.

Cette connaissance fut le plus rude de tous mes châtiments. Je me mis à verser un ruisseau de larmes, avec
2170 toutes les marques d'un affreux désespoir. Je ne pouvais
me consoler d'une humiliation qui allait me rendre la
fable de toutes les personnes de ma connaissance, et la
honte de ma famille. Je passai ainsi huit jours dans le
plus profond abattement, sans être capable de rien
2175 entendre, ni de m'occuper d'autre chose que de mon
opprobre. Le souvenir même de Manon n'ajoutait rien à
ma douleur. Il n'y entrait, du moins, que comme un
sentiment qui avait précédé cette nouvelle peine, et la
passion dominante de mon âme était la honte et la
2180 confusion. Il y a peu de personnes qui connaissent la
force de ces mouvements particuliers du cœur. Le
commun des hommes n'est sensible qu'à cinq ou six
passions, dans le cercle desquelles leur vie se passe, et
où toutes leurs agitations se réduisent. Ôtez-leur l'amour
2185 et la haine, le plaisir et la douleur, l'espérance et la
crainte, ils ne sentent plus rien. Mais les personnes d'un
caractère plus noble peuvent être remuées de mille
façons différentes; il semble qu'elles aient plus de cinq
sens, et qu'elles puissent recevoir des idées et des sensa-
2190 tions qui passent les bornes ordinaires de la nature. Et
comme elles ont un sentiment de cette grandeur qui les
élève au-dessus du vulgaire, il n'y a rien dont elles soient
plus jalouses. De là vient qu'elles souffrent si impatiem-

ment le mépris et la risée, et que la honte est une de
2195 leurs plus violentes passions.]

J'avais ce triste avantage à Saint-Lazare. Ma tristesse
parut si excessive au Supérieur, qu'en appréhendant les
suites, il crut devoir me traiter avec beaucoup de douceur et d'indulgence. Il me visitait deux ou trois fois le
2200 jour. Il me prenait souvent avec lui, pour faire un tour de
jardin, et son zèle s'épuisait en exhortations et en avis
salutaires. Je les recevais avec douceur. Je lui marquais
même de la reconnaissance. Il en tirait l'espoir de ma
conversion. Vous êtes d'un naturel si doux et si aimable,
2205 me dit-il un jour, que je ne puis comprendre les
désordres   dont   on   vous   accuse.   Deux   choses
m'étonnent : l'une, comment, avec de si bonnes qualités, vous avez pu vous livrer à l'excès du libertinage ; et
l'autre, que j'admire encore plus, comment vous recevez
2210 si volontiers mes conseils et mes instructions, après
avoir vécu plusieurs années dans l'habitude du désordre.
Si c'est repentir, vous êtes un exemple signalé des misé-
ricordes du Ciel ; si c'est bonté naturelle, vous avez du
moins un excellent fond de caractère, qui me fait espé-
2215 rer que nous n'aurons pas besoin de vous retenir ici
longtemps, pour vous ramener à une vie honnête et
réglée. Je fus ravi de lui voir cette opinion de moi. Je
résolus de l'augmenter par une conduite qui pût le satisfaire entièrement, persuadé que c'était le plus sûr moyen
2220 d'abréger ma prison. Je lui demandai des livres. Il fut
surpris que m'ayant laissé le choix de ceux que je voulais
lire, je me déterminai pour quelques auteurs sérieux. Je
feignis de m'appliquer à l'étude avec le dernier attachement, et je lui donnai ainsi, dans toutes les occasions,
2225 des preuves du changement qu'il désirait.

Cependant il n'était qu'extérieur. Je dois le confesser
à ma honte, je jouai, à Saint-Lazare, un personnage
d'hypocrite. Au lieu d'étudier, quand j'étais seul, je ne
m'occupais qu'à gémir de ma destinée. Je maudissais ma
2230 prison et la tyrannie qui m'y retenait. Je n'eus pas plus
tôt quelque relâche du côté de cet accablement où
m'avait jeté la confusion, que je retombai dans les tourments de l'amour. L'absence de Manon, l'incertitude de
son sort, la crainte de ne la revoir jamais étaient l'unique

2235 objet de mes tristes méditations. Je me la figurais dans
les bras de G... M... ; car c'était la pensée que j'avais eue
d'abord ; et loin de m'imaginer qu'il lui eût fait le même
traitement qu'à moi, j'étais persuadé qu'il ne m'avait fait
éloigner que pour la posséder tranquillement. Je passais
2240 ainsi des jours et des nuits, dont la longueur me paraissait éternelle. Je n'avais d'espérance que dans le succès
de mon hypocrisie. J'observais soigneusement le visage
et les discours du Supérieur, pour m'assurer de ce qu'il
pensait de moi ; et je me faisais une étude de lui plaire,
2245 comme à l'arbitre de ma destinée. Il me fut aisé de
reconnaître que j'étais parfaitement dans ses bonnes
grâces. Je ne doutai plus qu'il ne fût disposé à me rendre
service. Je pris un jour la hardiesse de lui demander si
c'était de lui que mon élargissement dépendait. Il me dit
2250 qu'il n'en était pas absolument le maître, mais que sur
son témoignage, il espérait que M. de G... M..., à la
sollicitation duquel M. le Lieutenant général de Police[1]
m'avait fait renfermer, consentirait à me rendre la
liberté. Puis-je me flatter, repris-je doucement, que deux
2255 mois de prison, que j'ai déjà essuyés, lui paraîtront une
expiation suffisante ? Il me promit de lui en parler, si je
le souhaitais. Je le priai instamment de me rendre ce
bon office. Il m'apprit, deux jours après, que G... M...
avait été si touché du bien qu'il avait entendu de moi,
2260 que non seulement il paraissait être dans le dessein de
me laisser voir le jour, mais qu'il avait même marqué
beaucoup d'envie de me connaître plus particulièrement, et qu'il se proposait de me rendre une visite dans
ma prison. Quoique sa présence ne pût m'être agréable,
2265 je la regardai comme un acheminement prochain à ma
liberté.

Il vint effectivement à Saint-Lazare. Je lui trouvai l'air
plus grave et moins sot qu'il ne l'avait eu dans la maison
de Manon. Il me tint quelques discours de bon sens sur
2270 ma mauvaise conduite. Il ajouta, pour justifier apparemment ses propres désordres, qu'il était permis à la fai-

---

1. *M. le Lieutenant général de Police* : préfet de police actuel.

blesse des hommes de se procurer certains plaisirs que la nature exige, mais que la friponnerie et les artifices honteux méritaient d'être punis. Je l'écoutai avec un air de soumission dont il parut satisfait. Je ne m'offensai pas même de lui entendre lâcher quelques railleries sur ma fraternité avec Lescaut et Manon, et sur les petites chapelles[1] dont il supposait, me dit-il, que j'avais dû faire un grand nombre à Saint-Lazare, puisque je trouvais tant de plaisir à cette pieuse occupation. Mais il lui échappa, malheureusement pour lui et pour moi-même, de me dire que Manon en aurait fait aussi, sans doute, de fort jolies à l'Hôpital[2]. Malgré le frémissement que le nom d'Hôpital me causa, j'eus encore le pouvoir de le prier, avec douceur, de s'expliquer. Hé oui ! reprit-il, il y a deux mois qu'elle apprend la sagesse à l'Hôpital général, et je souhaite qu'elle en ait tiré autant de profit que vous à Saint-Lazare.

Quand j'aurais eu une prison éternelle, ou la mort même présente à mes yeux, je n'aurais pas été le maître de mon transport, à cette affreuse nouvelle. Je me jetai sur lui avec une si furieuse rage, que j'en perdis la moitié de mes forces. J'en eus assez néanmoins pour le renverser par terre, et pour le prendre à la gorge. Je l'étranglais, lorsque le bruit de sa chute, et quelques cris aigus, que je lui laissais à peine la liberté de pousser, attirèrent le Supérieur et plusieurs religieux dans ma chambre. On le délivra de mes mains. J'avais presque perdu moi-même la force et la respiration. Ô Dieu ? m'écriai-je, en poussant mille soupirs ; justice du Ciel ! faut-il que je vive un moment, après une telle infamie ? Je voulus me jeter encore sur le barbare qui venait de m'assassiner. On m'arrêta. Mon désespoir, mes cris et mes larmes passaient toute imagination. Je fis des choses si étonnantes que tous les assistants, qui en ignoraient la cause, se regardaient les uns les autres avec autant de frayeur

---

1. *chapelles* : petits reposoirs ornés de fleurs.
2. *l'Hôpital* : c'est aujourd'hui La Salpêtrière (de sa première destination : fabriquer du salpêtre). Puis ce fut un asile pour personnes sans ressources ; enfin une prison, très dure, pour les femmes.

que de surprise. M. de G... M... rajustait pendant ce temps-là sa perruque et sa cravate ; et dans le dépit d'avoir été si maltraité, il ordonnait au Supérieur de me
2310 resserrer plus étroitement que jamais, et de me punir par tous les châtiments qu'on sait être propres à Saint-Lazare. Non, Monsieur, lui dit le Supérieur ; ce n'est point avec une personne de la naissance de M. le Chevalier, que nous en usons de cette manière. Il est si doux,
2315 d'ailleurs, et si honnête, que j'ai peine à comprendre qu'il se soit porté à cet excès sans de fortes raisons. Cette réponse acheva de déconcerter M. de G... M... Il sortit en disant qu'il saurait faire plier et le Supérieur et moi, et tous ceux qui oseraient lui résister.
2320 Le Supérieur, ayant ordonné à ses religieux de le conduire, demeura seul avec moi. Il me conjura de lui apprendre promptement d'où venait ce désordre. Ô mon Père, lui dis-je, en continuant de pleurer comme un enfant, figurez-vous la plus horrible cruauté, imagi-
2325 nez-vous la plus détestable de toutes les barbaries : c'est l'action que l'indigne G... M... a eu la lâcheté de commettre. Oh ! il m'a percé le cœur. Je n'en reviendrai jamais. Je veux vous raconter tout, ajoutai-je en sanglotant. Vous êtes bon, vous aurez pitié de moi. Je lui fis un
2330 récit abrégé de la longue et insurmontable passion que j'avais pour Manon, de la situation florissante de notre fortune avant que nous eussions été dépouillés par nos propres domestiques, des offres que G... M... avait faites à ma maîtresse, de la conclusion de leur marché et de la
2335 manière dont il avait été rompu. Je lui représentai les choses, à la vérité, du côté le plus favorable pour nous : Voilà, continuai-je, de quelle source est venu le zèle de M. de G... M... pour ma conversion. Il a eu le crédit de me faire ici renfermer par un pur motif de vengeance. Je
2340 lui pardonne ; mais, mon Père, ce n'est pas tout ; il a fait enlever cruellement la plus chère moitié de moi-même ; il l'a fait mettre honteusement à l'Hôpital ; il a eu l'impudence de me l'annoncer aujourd'hui de sa propre bouche. À l'Hôpital, mon Père ! Ô Ciel ! ma charmante
2345 maîtresse, ma chère reine à l'Hôpital, comme la plus infâme de toutes les créatures ! Où trouverai-je assez de force pour ne pas mourir de douleur et de honte ? Le bon

Père, me voyant dans cet excès d'affliction, entreprit de me consoler. Il me dit qu'il n'avait jamais compris mon
2350 aventure de la manière dont je la racontais ; qu'il avait su, à la vérité, que je vivais dans le désordre, mais qu'il s'était figuré que ce qui avait obligé M. de G... M... d'y prendre intérêt, était quelque liaison d'estime et d'amitié avec ma famille ; qu'il ne s'en était expliqué à lui-
2355 même que sur ce pied ; que ce que je venais de lui apprendre mettrait beaucoup de changement dans mes affaires, et qu'il ne doutait point que le récit fidèle qu'il avait dessein d'en faire à M. le Lieutenant général de Police ne pût contribuer à ma liberté. Il me demanda
2360 ensuite pourquoi je n'avais pas encore pensé à donner de mes nouvelles à ma famille, puisqu'elle n'avait point eu de part à ma captivité. Je satisfis à cette objection par quelques raisons prises de la douleur que j'avais appréhendé de causer à mon père, et de la honte que j'en
2365 aurais ressentie moi-même. Enfin il me promit d'aller de ce pas chez le Lieutenant de Police, ne serait-ce, ajouta-t-il, que pour prévenir quelque chose de pis, de la part de M. de G... M..., qui est sorti de cette maison fort mal satisfait, et qui est assez considéré pour se faire redouter.
2370 J'attendis le retour du Père avec toutes les agitations d'un malheureux qui touche au moment de sa sentence. C'était pour moi un supplice inexprimable, de me représenter Manon à l'Hôpital. Outre l'infamie de cette demeure, j'ignorais de quelle manière elle y était traitée ;
2375 et le souvenir de quelques particularités que j'avais entendues de cette maison d'horreur, renouvelait à tous moments mes transports. J'étais tellement résolu de la secourir, à quelque prix et par quelque moyen que ce pût être, que j'aurais mis le feu à Saint-Lazare, s'il m'eût
2380 été impossible d'en sortir autrement. Je réfléchis donc sur les voies que j'avais à prendre, s'il arrivait que le Lieutenant général de Police continuât de m'y retenir malgré moi. Je mis mon industrie[1] à toutes les épreuves ; je parcourus toutes les possibilités. Je ne vis rien qui pût

---

1. *mon industrie* : mon habileté, mon ingéniosité.

2385 m'assurer d'une évasion certaine, et je craignis d'être renfermé plus étroitement, si je faisais une tentative malheureuse. Je me rappelai le nom de quelques amis, de qui je pouvais espérer du secours ; mais quel moyen de leur faire savoir ma situation ? Enfin, je crus avoir

2390 formé un plan si adroit qu'il pourrait réussir ; et je remis à l'arranger encore mieux après le retour du Père Supérieur, si l'inutilité de sa démarche me le rendait nécessaire. Il ne tarda point à revenir. Je ne vis pas, sur son visage, les marques de joie qui accompagnent une bonne

2395 nouvelle. J'ai parlé, me dit-il, à M. le Lieutenant général de Police, mais je lui ai parlé trop tard. M. de G... M... l'est allé voir en sortant d'ici, et l'a si fort prévenu contre vous, qu'il était sur le point de m'envoyer de nouveaux ordres, pour vous resserrer davantage.

2400 Cependant lorsque je lui ai appris le fond de vos affaires, il a paru s'adoucir beaucoup, et riant un peu de l'incontinence[1] du vieux M. de G... M..., il m'a dit qu'il fallait vous laisser ici six mois pour le satisfaire ; d'autant mieux, a-t-il dit, que cette demeure ne saurait vous être

2405 inutile. Il m'a recommandé de vous traiter honnêtement, et je vous réponds que vous ne vous plaindrez point de mes manières.

Cette explication du bon Supérieur fut assez longue pour me donner le temps de faire une sage réflexion. Je

2410 conçus que je m'exposerais à renverser mes desseins, si je lui marquais trop d'empressement pour ma liberté. Je lui témoignai au contraire que, dans la nécessité de demeurer, c'était une douce consolation pour moi d'avoir quelque part à son estime. Je le priai ensuite,

2415 sans affectation, de m'accorder une grâce, qui n'était de nulle importance pour personne, et qui servirait beaucoup à ma tranquillité : c'était de faire avertir un de ses amis, un saint ecclésiastique qui demeurait à Saint-Sulpice, que j'étais à Saint-Lazare, et de permettre que je

2420 reçusse quelquefois sa visite. Cette faveur me fut accordée sans délibérer. C'était mon ami Tiberge dont il était

---

1. *l'incontinence* : « *manque de retenue en face des plaisirs de l'amour* » (Dic. Larousse).

question ; non que j'espérasse de lui les secours nécessaires pour ma liberté ; mais je voulais l'y faire servir
comme un instrument éloigné, sans qu'il en eût même
2425 connaissance. En un mot voici mon projet : je voulais
écrire à Lescaut et le charger, lui et nos amis communs,
du soin de me délivrer. La première difficulté était de lui
faire tenir ma lettre ; ce devait être l'office de Tiberge.
Cependant, comme il le connaissait pour le frère de ma
2430 maîtresse, je craignais qu'il n'eût peine à se charger de
cette commission. Mon dessein était de renfermer ma
lettre à Lescaut dans une autre lettre, que je devais
adresser à un honnête homme de ma connaissance, en
le priant de rendre promptement la première à son
2435 adresse ; et comme il était nécessaire que je visse Lescaut pour nous accorder dans nos mesures, je voulais lui
marquer de venir à Saint-Lazare, et de demander à me
voir sous le nom de mon frère aîné, qui était venu exprès
à Paris pour prendre connaissance de mes affaires. Je
2440 remettais à convenir, avec lui, des moyens qui nous
paraîtraient les plus expéditifs et les plus sûrs. Le Père
Supérieur fit avertir Tiberge du désir que j'avais de l'entretenir. Ce fidèle ami ne m'avait pas tellement perdu de
vue, qu'il ignorât mon aventure ; il savait que j'étais à
2445 Saint-Lazare, et peut-être n'avait-il pas été fâché de cette
disgrâce qu'il croyait capable de me ramener au devoir.
Il accourut aussitôt à ma chambre.

Notre entretien fut plein d'amitié. Il voulut être
informé de mes dispositions. Je lui ouvris mon cœur
2450 sans réserve, excepté sur le dessein de ma fuite. Ce n'est
pas à vos yeux, cher ami, lui dis-je, que je veux paraître
ce que je ne suis point. Si vous avez cru trouver ici un
ami sage et réglé dans ses désirs, un libertin[1] réveillé par
les châtiments du Ciel, en un mot un cœur dégagé de
2455 l'amour et revenu des charmes de sa Manon, vous avez
jugé trop favorablement de moi. Vous me revoyez tel
que vous me laissâtes il y a quatre mois : toujours

---

1. *un libertin* : nom s'appliquant à ceux qui, volontairement, transgressaient les
principes moraux et religieux, en actes et en paroles.

tendre, et toujours malheureux par cette fatale tendresse dans laquelle je ne me lasse point de chercher mon bonheur.

Il me répondit que l'aveu que je faisais me rendait inexcusable ; qu'on voyait bien des pécheurs qui s'enivraient du faux bonheur du vice jusqu'à le préférer hautement à celui de la vertu ; mais que c'était du moins à des images de bonheur qu'ils s'attachaient, et qu'ils étaient les dupes de l'apparence ; mais que de reconnaître, comme je le faisais, que l'objet de mes attachements n'était propre qu'à me rendre coupable et malheureux, et de continuer à me précipiter volontairement dans l'infortune et dans le crime, c'était une contradiction d'idées et de conduite qui ne faisait pas honneur à ma raison.

Tiberge, repris-je, qu'il vous est aisé de vaincre, lorsqu'on n'oppose rien à vos armes ! Laissez-moi raisonner à mon tour. Pouvez-vous prétendre que ce que vous appelez le bonheur de la vertu soit exempt de peines, de traverses et d'inquiétudes ? Quel nom donnerez-vous à la prison, aux croix, aux supplices et aux tortures des tyrans ? Direz-vous, comme font les mystiques, que ce qui tourmente le corps est un bonheur pour l'âme ? Vous n'oseriez le dire ; c'est un paradoxe insoutenable. Ce bonheur que vous relevez tant, est donc mêlé de mille peines ; ou pour parler plus juste, ce n'est qu'un tissu de malheurs, au travers desquels on tend à la félicité. Or, si la force de l'imagination fait trouver du plaisir dans ces maux mêmes, parce qu'ils peuvent conduire à un terme heureux qu'on espère, pourquoi traitez-vous de contradictoire et d'insensée, dans ma conduite, une disposition toute semblable ? J'aime Manon ; je tends au travers de mille douleurs à vivre heureux et tranquille auprès d'elle. La voie par où je marche est malheureuse ; mais l'espérance d'arriver à mon terme y répand toujours de la douceur ; et je me croirai trop bien payé, par un moment passé avec elle, de tous les chagrins que j'essuie pour l'obtenir. Toutes choses me paraissent donc égales de votre côté et du mien ; ou s'il y a quelque différence, elle est encore à mon avantage, car le bonheur que j'espère est proche, et l'autre est éloigné ; le mien est de la

nature des peines, c'est-à-dire sensible au corps, et
2500 l'autre est d'une nature inconnue, qui n'est certaine que
par la foi.

Tiberge parut effrayé de ce raisonnement. Il recula de
deux pas, en me disant, de l'air le plus sérieux, que non
seulement ce que je venais de dire blessait le bon sens,
2505 mais que c'était un malheureux sophisme d'impiété et
d'irréligion : car cette comparaison, ajouta-t-il, du terme
de vos peines avec celui qui est proposé par la religion,
est une idée des plus libertines et des plus monstrueuses.

J'avoue, repris-je, qu'elle n'est pas juste ; mais pre-
2510 nez-y garde, ce n'est pas sur elle que porte mon raisonnement. J'ai eu dessein d'expliquer ce que vous
regardez comme une contradiction dans la persévérance
d'un amour malheureux ; et je crois avoir fort bien
prouvé que si c'en est une, vous ne sauriez vous en sau-
2515 ver plus que moi. C'est à cet égard seulement que j'ai
traité les choses d'égales, et je soutiens encore qu'elles
le sont. Répondrez-vous que le terme de la vertu est
infiniment supérieur à celui de l'amour ? Qui refuse d'en
convenir ? Mais est-ce de quoi il est question ? Ne
2520 s'agit-il pas de la force qu'ils ont, l'un et l'autre, pour
faire supporter les peines ? Jugeons-en par l'effet.
Combien trouve-t-on de déserteurs de la sévère vertu, et
combien en trouverez-vous peu de l'amour ? Répondrez-
vous encore que, s'il y a des peines dans l'exercice du
2525 bien, elles ne sont pas infaillibles et nécessaires ; qu'on
ne trouve plus de tyrans ni de croix, et qu'on voit quantité de personnes vertueuses mener une vie douce et
tranquille ? Je vous dirai de même qu'il y a des amours
paisibles et fortunés ; et ce qui fait encore une différence
2530 qui m'est extrêmement avantageuse, j'ajouterai que
l'amour, quoiqu'il trompe assez souvent, ne promet du
moins que des satisfactions et des joies, au lieu que la
religion veut qu'on s'attende à une pratique triste et
mortifiante. Ne vous alarmez pas, ajoutai-je en voyant
2535 son zèle prêt à se chagriner. L'unique chose que je veux
conclure ici, c'est qu'il n'y a point de plus mauvaise
méthode pour dégoûter un cœur de l'amour, que de lui
en décrier les douceurs et de lui promettre plus de bonheur dans l'exercice de la vertu. De la manière dont

2540 nous sommes faits, il est certain que notre félicité
consiste dans le plaisir ; je défie qu'on s'en forme une
autre idée ; or le cœur n'a pas besoin de se consulter
longtemps pour sentir que, de tous les plaisirs, les plus
doux sont ceux de l'amour. Il s'aperçoit bientôt qu'on le
2545 trompe lorsqu'on lui en promet ailleurs de plus charmants ; et cette tromperie le dispose à se défier des promesses les plus solides. Prédicateurs, qui voulez me
ramener à la vertu, dites-moi qu'elle est indispensable-
ment nécessaire ; mais ne me déguisez pas qu'elle est
2550 sévère et pénible. Établissez bien que les délices de
l'amour sont passagères, qu'elles sont défendues,
qu'elles seront suivies par d'éternelles peines ; et ce qui
fera peut-être encore plus d'impression sur moi, que
plus elles sont douces et charmantes, plus le Ciel sera
2555 magnifique à récompenser un si grand sacrifice ; mais
confessez qu'avec des cœurs tels que nous les avons,
elles sont ici-bas nos plus parfaites félicités.

Cette fin de mon discours rendit sa bonne humeur à
Tiberge. Il convint qu'il y avait quelque chose de raison-
2560 nable dans mes pensées. La seule objection qu'il ajouta
fut de me demander pourquoi je n'entrais pas du moins
dans mes propres principes, en sacrifiant mon amour à
l'espérance de cette rémunération dont je me faisais une
si grande idée. Ô cher ami ! lui répondis-je, c'est ici que
2565 je reconnais ma misère et ma faiblesse. Hélas ! oui, c'est
mon devoir d'agir comme je raisonne ! mais l'action est-
elle en mon pouvoir ? De quels secours n'aurais-je pas
besoin pour oublier les charmes de Manon ? Dieu me
pardonne, reprit Tiberge, je pense que voici encore un
2570 de nos jansénistes[1]. Je ne sais ce que je suis, répliquai-je,
et je ne vois pas trop clairement ce qu'il faut être ; mais
je n'éprouve que trop la vérité de ce qu'ils disent.

Cette conversation servit du moins à renouveler la
pitié de mon ami. Il comprit qu'il y avait plus de fai-

---

1. *jansénistes* : de la doctrine de Jansen, évêque d'Ypres (1585-1638). Il interpréta
saint Augustin, en insistant sur la grâce, le libre arbitre, et la prédestination. Les
Jésuites s'opposèrent à cette sévérité doctrinale.

2575 blesse que de malignité dans mes désordres. Son amitié en fut plus disposée, dans la suite, à me donner des secours, sans lesquels j'aurais péri infailliblement de misère. Cependant je ne lui fis pas la moindre ouverture du dessein que j'avais de m'échapper de Saint-Lazare. Je

2580 le priai seulement de se charger de ma lettre. Je l'avais préparée, avant qu'il fût venu, et je ne manquai point de prétextes pour colorer la nécessité où j'étais d'écrire. Il eut la fidélité de la porter exactement, et Lescaut reçut, avant la fin du jour, celle qui était pour lui.

2585 Il me vint voir le lendemain, et il passa heureusement sous le nom de mon frère. Ma joie fut extrême en l'apercevant dans ma chambre. J'en fermai la porte avec soin. Ne perdons pas un seul moment, lui dis-je ; apprenez-moi d'abord des nouvelles de Manon, et donnez-moi

2590 ensuite un bon conseil pour rompre mes fers. Il m'assura qu'il n'avait pas vu sa sœur depuis le jour qui avait précédé mon emprisonnement, qu'il n'avait appris son sort et le mien qu'à force d'informations et de soins ; que s'étant présenté deux ou trois fois à l'Hôpital, on lui

2595 avait refusé la liberté de lui parler. Malheureux G... M...! m'écriai-je, que tu me le paieras cher !

Pour ce qui regarde votre délivrance, continua Lescaut, c'est une entreprise moins facile que vous ne pensez. Nous passâmes hier la soirée, deux de mes amis et moi, à

2600 observer toutes les parties extérieures de cette maison, et nous jugeâmes que, vos fenêtres étant sur une cour entou-rée de bâtiments, comme vous nous l'aviez marqué, il y aurait bien de la difficulté à vous tirer de là. Vous êtes d'ailleurs au troisième étage, et nous ne pouvons intro-

2605 duire ici ni cordes ni échelles. Je ne vois donc nulle ressource du côté du dehors. C'est dans la maison même qu'il faudrait imaginer quelque artifice. Non, repris-je ; j'ai tout examiné, surtout depuis que ma clôture est un peu moins rigoureuse, par l'indulgence du Supérieur. La porte

2610 de ma chambre ne se ferme plus avec la clef ; j'ai la liberté de me promener dans les galeries des religieux ; mais tous les escaliers sont bouchés par des portes épaisses, qu'on a soin de tenir fermées la nuit et le jour, de sorte qu'il est impossible que la seule adresse puisse me sauver. Atten-

2615 dez, repris-je, après avoir un peu réfléchi sur une idée qui

me parut excellente, pourriez-vous m'apporter un pistolet ? Aisément, me dit Lescaut ; mais voulez-vous tuer
quelqu'un ? Je l'assurai que j'avais si peu dessein de tuer
qu'il n'était pas même nécessaire que le pistolet fût
2620 chargé. Apportez-le-moi demain, ajoutai-je, et ne man-
quez pas de vous trouver le soir, à onze heures, vis-à-vis
de la porte de cette maison, avec deux ou trois de nos
amis. J'espère que je pourrai vous y rejoindre. Il me
pressa en vain de lui en apprendre davantage. Je lui dis
2625 qu'une entreprise telle que je la méditais, ne pouvait
paraître raisonnable qu'après avoir réussi. Je le priai
d'abréger sa visite, afin qu'il trouvât plus de facilité à me
revoir le lendemain. Il fut admis avec aussi peu de peine
que la première fois. Son air était grave. Il n'y a per-
2630 sonne qui ne l'eût pris pour un homme d'honneur.

Lorsque je me trouvai muni de l'instrument de ma
liberté, je ne doutai presque plus du succès de mon projet.
Il était bizarre et hardi ; mais de quoi n'étais-je pas
capable, avec les motifs qui m'animaient ? J'avais remar-
2635 qué, depuis qu'il m'était permis de sortir de ma chambre
et de me promener dans les galeries, que le portier apportait chaque jour au soir les clefs de toutes les portes au
Supérieur, et qu'il régnait ensuite un profond silence dans
la maison, qui marquait que tout le monde était retiré. Je
2640 pouvais aller sans obstacle, par une galerie de communication, de ma chambre à celle de ce Père. Ma résolution
était de lui prendre ses clefs, en l'épouvantant avec mon
pistolet s'il faisait difficulté de me les donner, et de m'en
servir pour gagner la rue. J'en attendis le temps avec
2645 impatience. Le portier vint à l'heure ordinaire, c'est-à-dire
un peu après neuf heures. J'en laissai passer encore une,
pour m'assurer que tous les religieux et les domestiques
étaient endormis. Je partis enfin, avec mon arme et une
chandelle allumée. Je frappai d'abord doucement à la
2650 porte du Père, pour l'éveiller sans bruit. Il m'entendit au
second coup ; et s'imaginant sans doute que c'était quelque religieux qui se trouvait mal[1] et qui avait besoin de

---

1. *se trouvait mal* : était malade.

secours, il se leva pour m'ouvrir. Il eut néanmoins la
précaution de demander, au travers de la porte, qui
2655 c'était et ce qu'on voulait de lui. Je fus obligé de me
nommer ; mais j'affectai un ton plaintif, pour lui faire
comprendre que je ne me trouvais pas bien. Ah ! c'est
vous, mon cher fils, me dit-il, en ouvrant la porte.
Qu'est-ce donc qui vous amène si tard ? J'entrai dans sa
2660 chambre, et l'ayant tiré à l'autre bout, opposé à la porte,
je lui déclarai qu'il m'était impossible de demeurer plus
longtemps à Saint-Lazare ; que la nuit était un temps
commode pour sortir sans être aperçu, et que j'attendais
de son amitié qu'il consentirait à m'ouvrir les portes, ou
2665 à me prêter ses clefs pour les ouvrir moi-même.
　　Ce compliment devait le surprendre. Il demeura quelque temps à me considérer, sans me répondre. Comme
je n'en avais pas à perdre, je repris la parole pour lui
dire que j'étais fort touché de toutes ses bontés, mais
2670 que la liberté étant le plus cher de tous les biens, surtout
pour moi à qui on la ravissait injustement, j'étais résolu
de me la procurer cette nuit même, à quelque prix que
ce fût ; et de peur qu'il ne lui prît envie d'élever la voix
pour appeler du secours, je lui fis voir une honnête rai-
2675 son de silence, que je tenais sous mon juste-au-corps.
Un pistolet ! me dit-il. Quoi ! mon fils, vous voulez
m'ôter la vie, pour reconnaître la considération que j'ai
eue pour vous ? À Dieu ne plaise, lui répondis-je. Vous
avez trop d'esprit et de raison pour me mettre dans cette
2680 nécessité ; mais je veux être libre, et j'y suis si résolu
que, si mon projet manque par votre faute, c'est fait de
vous absolument. Mais, mon cher fils ! reprit-il d'un air
pâle et effrayé, que vous ai-je fait ? quelle raison avez-
vous de vouloir ma mort ? Eh non ! répliquai-je avec
2685 impatience. Je n'ai pas dessein de vous tuer. Si vous
voulez vivre, ouvrez-moi la porte, et je suis le meilleur
de vos amis. J'aperçus les clefs, qui étaient sur la table.
Je les pris, et je le priai de me suivre, en faisant le moins
de bruit qu'il pourrait. Il fut obligé de s'y résoudre. À
2690 mesure que nous avancions et qu'il ouvrait une porte, il
me répétait avec un soupir : Ah ! mon fils, ah ! qui l'aurait cru ? Point de bruit, mon Père, répétais-je de mon
côté à tout moment. Enfin nous arrivâmes à une espèce

de barrière, qui est avant la grande porte de la rue. Je me
2695 croyais déjà libre, et j'étais derrière le Père, avec ma
chandelle dans une main et mon pistolet dans l'autre.
Pendant qu'il s'empressait d'ouvrir, un domestique, qui
couchait dans une petite chambre voisine, entendant le
bruit de quelques verrous, se lève et met la tête à sa
2700 porte. Le bon Père le crut apparemment capable de
m'arrêter. Il lui ordonna, avec beaucoup d'imprudence,
de venir à son secours. C'était un puissant coquin, qui
s'élança sur moi sans balancer. Je ne le marchandai
point[1] ; je lui lâchai le coup au milieu de la poitrine.
2705 Voilà de quoi vous êtes cause, mon Père, dis-je assez
fièrement à mon guide. Mais que cela ne vous empêche
point d'achever, ajoutai-je en le poussant vers la dernière porte. Il n'osa refuser de l'ouvrir. Je sortis heureusement et je trouvai, à quatre pas, Lescaut qui m'at-
2710 tendait avec deux amis, suivant sa promesse.

Nous nous éloignâmes. Lescaut me demanda s'il
n'avait pas entendu tirer un pistolet. C'est votre faute,
lui dis-je ; pourquoi me l'apportiez-vous chargé ? Cependant je le remerciai d'avoir eu cette précaution, sans
2715 laquelle j'étais sans doute à Saint-Lazare pour longtemps. Nous allâmes passer la nuit chez un traiteur, où
je me remis un peu de la mauvaise chère que j'avais faite
depuis près de trois mois. Je ne pus néanmoins m'y
livrer au plaisir. Je souffrais mortellement dans Manon.
2720 Il faut la délivrer, dis-je à mes trois amis. Je n'ai souhaité
la liberté que dans cette vue. Je vous demande le secours
de votre adresse ; pour moi, j'y emploierai jusqu'à ma
vie. Lescaut, qui ne manquait pas d'esprit et de prudence, me représenta qu'il fallait aller bride en main[2],
2725 que mon évasion de Saint-Lazare, et le malheur qui
m'était arrivé en sortant, causeraient infailliblement du
bruit ; que le Lieutenant général de Police me ferait chercher, et qu'il avait les bras longs ; enfin, que si je ne
voulais pas être exposé à quelque chose de pis que

---

1. *Je ne le marchandai point* : je ne mis pas son sort en discussion.
2. *aller bride en main* : en maintenant le cheval, donc lentement, avec prudence.

2730 Saint-Lazare, il était à propos de me tenir couvert et
renfermé pendant quelques jours pour laisser au premier
feu de mes ennemis le temps de s'éteindre. Son conseil
était sage, mais il aurait fallu l'être aussi pour le suivre.
Tant de lenteur et de ménagement ne s'accordait pas
2735 avec ma passion. Toute ma complaisance se réduisit à
lui promettre que je passerais le jour suivant à dormir. Il
m'enferma dans sa chambre, où je demeurai jusqu'au
soir.

J'employai une partie de ce temps à former des pro-
2740 jets et des expédients pour secourir Manon. J'étais bien
persuadé que sa prison était encore plus impénétrable
que n'avait été la mienne. Il n'était pas question de force
et de violence, il fallait de l'artifice ; mais la déesse
même de l'invention n'aurait pas su par où commencer.
2745 J'y vis si peu jour, que je remis à considérer mieux les
choses lorsque j'aurais pris quelques informations sur
l'arrangement intérieur de l'Hôpital.

Aussitôt que la nuit m'eut rendu la liberté, je priai
Lescaut de m'accompagner. Nous liâmes conversation
2750 avec un des portiers, qui nous parut homme de bon
sens. Je feignis d'être un étranger qui avait entendu parler avec admiration de l'Hôpital général, et de l'ordre
qui s'y observe. Je l'interrogeai sur les plus minces
détails, et de circonstances en circonstances, nous tom-
2755 bâmes sur les administrateurs, dont je le priai de m'apprendre les noms et les qualités. Les réponses qu'il me
fit sur ce dernier article me firent naître une pensée dont
je m'applaudis aussitôt, et que je ne tardai point à mettre
en œuvre. Je lui demandai, comme une chose essentielle
2760 à mon dessein, si ces messieurs avaient des enfants. Il
me dit qu'il ne pouvait pas m'en rendre un compte certain, mais que pour M. de T., qui était un des principaux, il lui connaissait un fils en âge d'être marié, qui
était venu plusieurs fois à l'Hôpital avec son père. Cette
2765 assurance me suffisait. Je rompis presque aussitôt notre
entretien, et je fis part à Lescaut, en retournant chez lui,
du dessein que j'avais conçu. Je m'imagine, lui dis-je,
que M. de T... le fils, qui est riche et de bonne famille,
est dans un certain goût de plaisirs, comme la plupart
2770 des jeunes gens de son âge. Il ne saurait être ennemi des

114

femmes, ni ridicule au point de refuser ses services pour une affaire d'amour. J'ai formé le dessein de l'intéresser à la liberté de Manon. S'il est honnête homme, et qu'il ait des sentiments, il nous accordera son secours par
2775 générosité. S'il n'est point capable d'être conduit par ce motif, il fera du moins quelque chose pour une fille aimable, ne fût-ce que par l'espérance d'avoir part à ses faveurs. Je ne veux pas différer de le voir, ajoutai-je, plus longtemps que jusqu'à demain. Je me sens si consolé
2780 par ce projet, que j'en tire un bon augure. Lescaut convint lui-même qu'il y avait de la vraisemblance dans mes idées, et que nous pouvions espérer quelque chose par cette voie. J'en passai la nuit moins tristement.

Le matin étant venu, je m'habillai le plus proprement[1]
2785 qu'il me fût possible, dans l'état d'indigence où j'étais, et je me fis conduire dans un fiacre à la maison de M. de T... Il fut surpris de recevoir la visite d'un inconnu. J'augurai bien de sa physionomie et de ses civilités. Je m'expliquai naturellement avec lui, et pour échauffer ses sen-
2790 timents naturels, je lui parlai de ma passion, et du mérite de ma maîtresse, comme de deux choses qui ne pouvaient être égalées que l'une par l'autre. Il me dit que quoiqu'il n'eût jamais vu Manon, il avait entendu parler d'elle, du moins s'il s'agissait de celle qui avait été la
2795 maîtresse du vieux G... M... Je ne doutai point qu'il ne fût informé de la part que j'avais eue à cette aventure, et pour le gagner de plus en plus, en me faisant un mérite de ma confiance, je lui racontai le détail de tout ce qui était arrivé à Manon et à moi. Vous voyez, Monsieur,
2800 continuai-je, que l'intérêt de ma vie et celui de mon cœur sont maintenant entre vos mains. L'un ne m'est pas plus cher que l'autre. Je n'ai point de réserve avec vous, parce que je suis informé de votre générosité, et que la ressemblance de nos âges me fait espérer qu'il
2805 s'en trouvera quelqu'une dans nos inclinations. Il parut fort sensible à cette marque d'ouverture et de candeur. Sa réponse fut celle d'un homme qui a du monde, et des

---

1. *proprement* : décemment.

sentiments ; ce que le monde ne donne pas toujours, et qu'il fait perdre souvent. Il me dit qu'il mettait ma visite
2810 au rang de ses bonnes fortunes, qu'il regarderait mon amitié comme une de ses plus heureuses acquisitions, et qu'il s'efforcerait de la mériter par l'ardeur de ses services. Il ne promit pas de me rendre Manon, parce qu'il n'avait, me dit-il, qu'un crédit médiocre et mal assuré ;
2815 mais il m'offrit de me procurer le plaisir de la voir, et de faire tout ce qui serait en sa puissance pour la remettre entre mes bras. Je fus plus satisfait de cette incertitude de son crédit, que je ne l'aurais été d'une pleine assurance de remplir tous mes désirs. Je trouvai, dans la
2820 modération de ses offres, une marque de franchise dont je fus charmé. En un mot, je me promis tout de ses bons offices. La seule promesse de me faire voir Manon m'aurait fait tout entreprendre pour lui. Je lui marquai quelque chose de ces sentiments, d'une manière qui le per-
2825 suada aussi que je n'étais pas d'un mauvais naturel. Nous nous embrassâmes avec tendresse, et nous devînmes amis, sans autre raison que la bonté de nos cœurs, et une simple disposition qui porte un homme tendre et généreux à aimer un autre homme qui lui ressemble. Il
2830 poussa les marques de son estime bien plus loin ; car ayant combiné mes aventures, et jugeant qu'en sortant de Saint-Lazare je ne devais pas me trouver à mon aise, il m'offrit sa bourse, et il me pressa de l'accepter. Je ne l'acceptai point ; mais je lui dis : C'est trop, mon cher
2835 Monsieur. Si avec tant de bonté et d'amitié, vous me faites revoir ma chère Manon, je vous suis attaché pour toute ma vie. Si vous me rendez tout à fait cette chère créature, je ne croirai pas être quitte en versant tout mon sang pour vous servir.
2840 Nous ne nous séparâmes qu'après être convenus du temps et du lieu où nous devions nous retrouver. Il eut la complaisance de ne pas me remettre plus loin que l'après-midi du même jour. Je l'attendis dans un café, où il vint me rejoindre vers les quatre heures, et nous prîmes
2845 ensemble le chemin de l'Hôpital. Mes genoux étaient tremblants en traversant les cours. Puissance d'amour ! disais-je, je reverrai donc l'idole de mon cœur, l'objet de tant de pleurs et d'inquiétudes ! Ciel ! conservez-moi

assez de vie pour aller jusqu'à elle, et disposez après cela
2850 de ma fortune et de mes jours ; je n'ai plus d'autre grâce
à vous demander.

M. de T... parla à quelques concierges de la maison,
qui s'empressèrent de lui offrir tout ce qui dépendait
d'eux pour sa satisfaction. Il se fit montrer le quartier où
2855 Manon avait sa chambre, et l'on nous y conduisit avec
une clef d'une grandeur effroyable, qui servit à ouvrir sa
porte. Je demandai au valet qui nous menait, et qui était
celui qu'on avait chargé du soin de la servir, de quelle
manière elle avait passé le temps dans cette demeure. Il
2860 nous dit que c'était une douceur angélique ; qu'il n'avait
jamais reçu d'elle un mot de dureté ; qu'elle avait versé
continuellement des larmes pendant les six premières
semaines après son arrivée, mais que depuis quelque
temps elle paraissait prendre son malheur avec plus de
2865 patience ; et qu'elle était occupée à coudre du matin
jusqu'au soir, à la réserve de quelques heures qu'elle
employait à la lecture. Je lui demandai encore si elle
avait été entretenue proprement. Il m'assura que le
nécessaire du moins ne lui avait jamais manqué.
2870 Nous approchâmes de sa porte. Mon cœur battait
violemment. Je dis à M. de T... : Entrez seul et
prévenez-la sur ma visite, car j'appréhende qu'elle ne
soit trop saisie en me voyant tout d'un coup. La porte
nous fut ouverte. Je demeurai dans la galerie. J'entendis
2875 néanmoins leur discours. Il lui dit qu'il venait lui
apporter un peu de consolation ; qu'il était de mes amis,
et qu'il prenait beaucoup d'intérêt à notre bonheur. Elle
lui demanda, avec le plus vif empressement, si elle
apprendrait de lui ce que j'étais devenu. Il lui promit de
2880 m'amener à ses pieds, aussi tendre, aussi fidèle qu'elle
pouvait le désirer. Quand ? reprit-elle. Aujourd'hui
même, lui dit-il ; ce bienheureux moment ne tardera
point ; il va paraître à l'instant si vous le souhaitez. Elle
comprit que j'étais à la porte. J'entrai, lorsqu'elle y
2885 accourait avec précipitation. Nous nous embrassâmes
avec cette effusion de tendresse qu'une absence de trois
mois fait trouver si charmante à de parfaits amants. Nos
soupirs, nos exclamations interrompues, mille noms
d'amour répétés languissamment de part et d'autre,

2890 formèrent, pendant un quart d'heure, une scène qui
attendrissait M. de T... Je vous porte envie, me dit-il, en
nous faisant asseoir ; il n'y a point de sort glorieux
auquel je ne préférasse une maîtresse si belle et si
passionnée. Aussi mépriserais-je tous les empires du
2895 monde, lui répondis-je, pour m'assurer le bonheur
d'être aimé d'elle.

Tout le reste d'une conversation si désirée ne pouvait
manquer d'être infiniment tendre. La pauvre Manon
me raconta ses aventures, et je lui appris les miennes.
2900 Nous pleurâmes amèrement en nous entretenant de
l'état où elle était, et de celui d'où je ne faisais que
sortir. M. de T... nous consola, par de nouvelles
promesses de s'employer ardemment pour finir nos
misères. Il nous conseilla de ne pas rendre cette
2905 première entrevue trop longue, pour lui donner plus de
facilité à nous en procurer d'autres. Il eut beaucoup de
peine à nous faire goûter ce conseil ; Manon, surtout,
ne pouvait se résoudre à me laisser partir. Elle me fit
remettre cent fois sur ma chaise ; elle me retenait par
2910 les habits et par les mains. Hélas ! dans quel lieu me
laissez-vous ! disait-elle. Qui peut m'assurer de vous
revoir ? M. de T... lui promit de la venir voir souvent
avec moi. Pour le lieu, ajouta-t-il agréablement, il ne
faut plus l'appeler l'Hôpital ; c'est Versailles, depuis
2915 qu'une personne qui mérite l'empire de tous les cœurs
y est enfermée.

Je fis, en sortant, quelques libéralités au valet qui la
servait, pour l'engager à lui rendre ses soins avec zèle.
Ce garçon avait l'âme moins basse et moins dure que ses
2920 pareils. Il avait été témoin de notre entrevue ; ce tendre
spectacle l'avait touché. Un louis d'or[1], dont je lui fis
présent, acheva de me l'attacher. Il me prit à l'écart en
descendant dans les cours. Monsieur, me dit-il, si vous
me voulez prendre à votre service, ou me donner une
2925 honnête récompense pour me dédommager de la perte
de l'emploi que j'occupe ici, je crois qu'il me sera facile

---

1. *Un louis d'or* : pièce de vingt francs-or = environ 400 F.

de délivrer Mademoiselle Manon. J'ouvris l'oreille à
cette proposition ; et quoique je fusse dépourvu de tout,
je lui fis des promesses fort au-dessus de ses désirs. Je
2930 comptais bien qu'il me serait toujours aisé de récompenser un homme de cette étoffe. Sois persuadé, lui dis-je,
mon ami, qu'il n'y a rien que je ne fasse pour toi, et que
ta fortune est aussi assurée que la mienne. Je voulus
savoir quels moyens il avait dessein d'employer. Nul
2935 autre, me dit-il, que de lui ouvrir le soir la porte de sa
chambre, et de vous la conduire jusqu'à celle de la rue,
où il faudra que vous soyez prêt à la recevoir. Je lui
demandai s'il n'était point à craindre qu'elle ne fût
reconnue en traversant les galeries et les cours. Il
2940 confessa qu'il y avait quelque danger, mais il me dit qu'il
fallait bien risquer quelque chose. Quoique je fusse ravi
de le voir si résolu, j'appelai M. de T... pour lui
communiquer ce projet, et la seule raison qui semblait
pouvoir le rendre douteux. Il y trouva plus de difficulté
2945 que moi. Il convint qu'elle pouvait absolument s'échapper de cette manière ; mais si elle est reconnue,
continua-t-il, si elle est arrêtée en fuyant, c'est peut-être
fait d'elle pour toujours. D'ailleurs il vous faudrait donc
quitter Paris sur-le-champ, car vous ne seriez jamais
2950 assez caché aux recherches. On les redoublerait, autant
par rapport à vous qu'à elle. Un homme s'échappe
aisément quand il est seul, mais il est presque
impossible de demeurer inconnu avec une jolie femme.
Quelque solide que me parût ce raisonnement, il ne put
2955 l'emporter, dans mon esprit, sur un espoir si proche de
mettre Manon en liberté.
Je le dis à M. de T..., et je le priai de pardonner un peu
d'imprudence et de témérité à l'amour. J'ajoutai que
mon dessein était en effet de quitter Paris, pour m'arrê-
2960 ter, comme j'avais déjà fait, dans quelque village voisin.
Nous convînmes donc, avec le valet, de ne pas remettre
son entreprise plus loin qu'au jour suivant, et pour la
rendre aussi certaine qu'il était en notre pouvoir, nous
résolûmes d'apporter des habits d'homme, dans la vue
2965 de faciliter notre sortie. Il n'était pas aisé de les faire
entrer, mais je ne manquai pas d'invention pour en trouver le moyen. Je priai seulement M. de T... de mettre le

lendemain deux vestes[1] légères l'une sur l'autre, et je me
chargeai de tout le reste.

2970   Nous retournâmes le matin à l'Hôpital. J'avais avec
moi, pour Manon, du linge, des bas, etc., et par dessus
mon juste-au-corps[2], un surtout[3] qui ne laissait rien voir
de trop enflé dans mes poches. Nous ne fûmes qu'un
moment dans sa chambre. M. de T... lui laissa une de ses
2975   deux vestes ; je lui donnai mon juste-au-corps, le surtout
me suffisant pour sortir. Il ne se trouva rien de manque[4]
à son ajustement, excepté la culotte que j'avais malheureusement oubliée. L'oubli de cette pièce nécessaire
nous eût sans doute apprêtés à rire si l'embarras où il
2980   nous mettait eût été moins sérieux. J'étais au désespoir
qu'une bagatelle de cette nature fût capable de nous
arrêter. Cependant je pris mon parti, qui fut de sortir
moi-même sans culotte. Je laissai la mienne à Manon.
Mon surtout était long, et je me mis, à l'aide de quelques
2985   épingles, en état de passer décemment à la porte. Le
reste du jour me parut d'une longueur insupportable.
Enfin, la nuit étant venue, nous nous rendîmes un peu
au-dessous de la porte de l'Hôpital, dans un carrosse.
Nous n'y fûmes pas longtemps sans voir Manon paraître
2990   avec son conducteur. Notre portière étant ouverte, ils
montèrent tous deux à l'instant. Je reçus ma chère maîtresse dans mes bras. Elle tremblait comme une feuille.
Le cocher me demanda où il fallait toucher. Touche au
bout du monde, lui dis-je, et mène-moi quelque part où
2995   je ne puisse jamais être séparé de Manon.

Ce transport, dont je ne fus pas le maître, faillit de
m'attirer un fâcheux embarras. Le cocher fit réflexion à
mon langage ; et lorsque je lui dis ensuite le nom de la rue
où nous voulions être conduits, il me répondit qu'il crai-
3000   gnait que je ne l'engageasse dans une mauvaise affaire,
qu'il voyait bien que ce beau jeune homme qui s'appelait
Manon, était une fille que j'enlevais de l'Hôpital, et qu'il

---

1. *deux vestes* : très longues, elles descendaient jusqu'aux genoux.
2. *juste-au-corps* : vêtement serré à la taille, avec des basques.
3. *un surtout* : manteau ample qui couvrait les vêtements.
4. *rien de manque* : rien qui manquât.

n'était pas d'humeur à se perdre pour l'amour de moi. La délicatesse de ce coquin n'était qu'une envie de me ³⁰⁰⁵ faire payer la voiture plus cher. Nous étions trop près de l'Hôpital pour ne pas filer doux. Tais-toi, lui dis-je, il y a un louis d'or à gagner pour toi. Il m'aurait aidé, après cela, à brûler l'Hôpital même. Nous gagnâmes la maison où demeurait Lescaut. Comme il était tard, M. de T... ³⁰¹⁰ nous quitta en chemin, avec promesse de nous revoir le lendemain. Le valet demeura seul avec nous.

Je tenais Manon si étroitement serrée entre mes bras, que nous n'occupions qu'une place dans le carrosse. Elle pleurait de joie, et je sentais ses larmes qui mouil- ³⁰¹⁵ laient mon visage. Mais lorsqu'il fallut descendre pour entrer chez Lescaut, j'eus avec le cocher un nouveau démêlé, dont les suites furent funestes. Je me repentis de lui avoir promis un louis, non seulement parce que le présent était excessif, mais par une autre raison bien ³⁰²⁰ plus forte, qui était l'impuissance de le payer. Je fis appeler Lescaut. Il descendit de sa chambre pour venir à la porte. Je lui dis à l'oreille dans quel embarras je me trouvais. Comme il était d'une humeur brusque, et nulle- ment accoutumé à ménager un fiacre, il me répondit que ³⁰²⁵ je me moquais. Un louis d'or! ajouta-t-il. Vingt coups de canne à ce coquin-là! J'eus beau lui représenter douce- ment qu'il allait nous perdre, il m'arracha ma canne, avec l'air d'en vouloir maltraiter le cocher. Celui-ci, à qui il était peut-être arrivé de tomber quelquefois sous la ³⁰³⁰ main d'un garde du corps ou d'un mousquetaire, s'enfuit de peur, avec son carrosse, en criant que je l'avais trompé, mais que j'aurais de ses nouvelles. Je lui répétai inutilement d'arrêter. Sa fuite me causa une extrême inquiétude. Je ne doutai point qu'il n'avertît le commis- ³⁰³⁵ saire. Vous me perdez, dis-je à Lescaut. Je ne serais pas en sûreté chez vous; il faut nous éloigner dans le moment. Je prêtai le bras à Manon pour marcher, et nous sortîmes promptement de cette dangereuse rue. Lescaut nous tint compagnie. C'est quelque chose d'ad- ³⁰⁴⁰ mirable[1] que la manière dont la Providence enchaîne les

---

1. *admirable* : très étonnant.

événements. À peine avions-nous marché cinq ou six minutes, qu'un homme, dont je ne découvris point le visage, reconnut Lescaut. Il le cherchait sans doute aux environs de chez lui, avec le malheureux dessein qu'il exécuta. C'est Lescaut, dit-il, en lui lâchant un coup de pistolet ; il ira souper ce soir avec les anges. Il se déroba aussitôt. Lescaut tomba, sans le moindre mouvement de vie. Je pressai Manon de fuir, car nos secours étaient inutiles à un cadavre, et je craignais d'être arrêté par le guet[1], qui ne pouvait tarder à paraître. J'enfilai, avec elle et le valet, la première petite rue qui croisait. Elle était si éperdue, que j'avais de la peine à la soutenir. Enfin j'aperçus un fiacre au bout de la rue. Nous y montâmes, mais lorsque le cocher me demanda où il fallait nous conduire, je fus embarrassé à lui répondre. Je n'avais point d'asile assuré, ni d'ami de confiance à qui j'osasse avoir recours. J'étais sans argent, n'ayant guère plus d'une demi-pistole dans ma bourse. La frayeur et la fatigue avaient tellement incommodé Manon, qu'elle était à demi pâmée près de moi. J'avais d'ailleurs l'imagination remplie du meurtre de Lescaut, et je n'étais pas encore sans appréhension de la part du guet. Quel parti prendre ? Je me souvins heureusement de l'auberge de Chaillot, où j'avais passé quelques jours avec Manon, lorsque nous étions allés dans ce village pour y demeurer. J'espérai non seulement d'y être en sûreté, mais d'y pouvoir vivre quelque temps sans être pressé de payer. Mène-nous à Chaillot, dis-je au cocher. Il refusa d'y aller si tard, à moins d'une pistole[2] : autre sujet d'embarras. Enfin nous convînmes de six francs ; c'était toute la somme qui restait dans ma bourse.

Je consolais Manon, en avançant ; mais au fond, j'avais le désespoir dans le cœur. Je me serais donné mille fois la mort, si je n'eusse pas eu dans mes bras le seul bien qui m'attachait à la vie. Cette seule pensée me

---

1. *le guet* : ancien nom pour une patrouille de police.
2. *une pistole* : pièce de dix francs or (environ 200 F).

remettait[1]. Je la tiens du moins, disais-je ; elle m'aime, elle est à moi. Tiberge a beau dire, ce n'est pas là un fantôme de bonheur. Je verrais périr tout l'univers sans y prendre intérêt. Pourquoi ? Parce que je n'ai plus d'affec-
3080 tion de reste. Ce sentiment était vrai ; cependant, dans le temps que je faisais si peu de cas des biens du monde, je sentais que j'aurais eu besoin d'en avoir du moins une petite partie, pour mépriser encore plus souverainement tout le reste. L'amour est plus fort que l'abondance, plus
3085 fort que les trésors et les richesses, mais il a besoin de leur secours ; et rien n'est plus désespérant, pour un amant délicat, que de se voir ramené par là, malgré lui, à la grossièreté des âmes les plus basses.

Il était onze heures quand nous arrivâmes à Chaillot.
3090 Nous fûmes reçus à l'auberge comme des personnes de connaissance. On ne fut pas surpris de voir Manon en habit d'homme, parce qu'on est accoutumé, à Paris et aux environs, de voir prendre aux femmes toutes sortes de formes. Je la fis servir aussi proprement que si j'eusse
3095 été dans la meilleure fortune. Elle ignorait que je fusse mal en argent. Je me gardai bien de lui en rien apprendre, étant résolu de retourner seul à Paris le lendemain, pour chercher quelque remède à cette fâcheuse espèce de maladie.
3100 Elle me parut pâle et maigrie en soupant. Je ne m'en étais point aperçu à l'Hôpital, parce que la chambre où je l'avais vue n'était pas des plus claires. Je lui demandai si ce n'était point encore un effet de la frayeur qu'elle avait eue en voyant assassiner son frère. Elle m'assura
3105 que quelque touchée qu'elle fût de cet accident, sa pâleur ne venait que d'avoir essuyé pendant trois mois mon absence. Tu m'aimes donc extrêmement ? lui répondis-je. Mille fois plus que je ne puis dire, reprit-elle. Tu ne me quitteras donc plus jamais ? ajoutai-je.
3110 Non, jamais, répliqua-t-elle ; et cette assurance fut confirmée par tant de caresses et de serments, qu'il me parut impossible, en effet, qu'elle pût jamais les oublier.

---

1. *me remettait* : me rendait courage.

J'ai toujours été persuadé qu'elle était sincère ; quelle raison aurait-elle eue de se contrefaire jusqu'à ce point ?
3115 Mais elle était encore plus volage, ou plutôt elle n'était plus rien, et elle ne se reconnaissait pas elle-même, lorsque ayant devant les yeux des femmes qui vivaient dans l'abondance, elle se trouvait dans la pauvreté et le besoin. J'étais à la veille d'en avoir une dernière preuve
3120 qui a surpassé toutes les autres, et qui a produit la plus étrange aventure qui soit jamais arrivée à un homme de ma naissance et de ma fortune.

Comme je la connaissais de cette humeur, je me hâtai le lendemain d'aller à Paris. La mort de son frère et la
3125 nécessité d'avoir du linge et des habits pour elle et pour moi, étaient de si bonnes raisons, que je n'eus pas besoin de prétextes. Je sortis de l'auberge avec le dessein, dis-je à Manon et à mon hôte, de prendre un carrosse de louage ; mais c'était une gasconnade[1]. La néces-
3130 sité m'obligeant d'aller à pied, je marchai fort vite jusqu'au Cours-la-Reine, où j'avais dessein de m'arrêter. Il fallait bien prendre un moment de solitude et de tranquillité pour m'arranger et prévoir ce que j'allais faire à Paris.

3135 Je m'assis sur l'herbe. J'entrai dans une mer de raisonnements et de réflexions, qui se réduisirent peu à peu à trois principaux articles. J'avais besoin d'un secours présent, pour un nombre infini de nécessités présentes. J'avais à chercher quelque voie qui pût du
3140 moins m'ouvrir des espérances pour l'avenir ; et ce qui n'était pas de moindre importance, j'avais des informations et des mesures à prendre, pour la sûreté de Manon et pour la mienne. Après m'être épuisé en projets et en combinaisons sur ces trois chefs, je jugeai encore à pro-
3145 pos d'en retrancher les deux derniers. Nous n'étions pas mal à couvert, dans une chambre de Chaillot ; et pour les besoins futurs, je crus qu'il serait temps d'y penser lorsque j'aurais satisfait aux présents.

Il était donc question de remplir actuellement ma

---

1. *une gasconnade* : propos tenu pour se vanter.

3150 bourse. M. de T... m'avait offert généreusement la
sienne ; mais j'avais une extrême répugnance à le
remettre moi-même sur cette matière. Quel personnage,
que d'aller exposer sa misère à un étranger, et de le prier
de nous faire part de son bien ! Il n'y a qu'une âme lâche
3155 qui en soit capable, par une bassesse qui l'empêche d'en
sentir l'indignité ; ou un chrétien humble, par un excès
de générosité qui le rend supérieur à cette honte. Je
n'étais ni un homme lâche, ni un bon chrétien ; j'aurais
donné la moitié de mon sang pour éviter cette humilia-
3160 tion. Tiberge, disais-je, le bon Tiberge me refusera-t-il ce
qu'il aura le pouvoir de me donner ? Non, il sera touché
de ma misère ; mais il m'assassinera par sa morale. Il
faudra essuyer ses reproches, ses exhortations, ses
menaces ; il me fera acheter ses secours si cher, que je
3165 donnerais encore une partie de mon sang plutôt que de
m'exposer à cette scène fâcheuse, qui me laissera du
trouble et des remords. Bon, reprenais-je ; il faut donc
renoncer à tout espoir, puisqu'il ne me reste point
d'autre voie, et que je suis si éloigné de m'arrêter à ces
3170 deux-là, que je verserais plus volontiers la moitié de
mon sang que d'en prendre une, c'est-à-dire tout mon
sang plutôt que de les prendre toutes deux ? Oui, mon
sang tout entier, ajoutai-je, après une réflexion d'un
moment ; je le donnerais plus volontiers, sans doute,
3175 que de me réduire à de basses supplications. Mais il
s'agit bien ici de mon sang ! Il s'agit de la vie et de
l'entretien de Manon, il s'agit de son amour et de sa
fidélité. Qu'ai-je à mettre en balance avec elle ? Je n'y ai
rien mis jusqu'à présent. Elle me tient lieu de gloire, de
3180 bonheur et de fortune. Il y a bien des choses, sans doute,
que je donnerais ma vie pour obtenir ou pour éviter ;
mais estimer une chose plus que ma vie n'est pas une
raison pour l'estimer autant que Manon. Je ne fus pas
longtemps à me déterminer, après ce raisonnement. Je
3185 continuai mon chemin, résolu d'aller d'abord chez
Tiberge, et de là chez M. de T...

En entrant à Paris, je pris un fiacre, quoique je n'eusse
pas de quoi le payer ; je comptais sur les secours que
j'allais solliciter. Je me fis conduire au Luxembourg, d'où
3190 j'envoyai avertir Tiberge que j'étais à l'attendre. Il satisfit

125

mon impatience par sa promptitude. Je lui appris l'extrémité de mes besoins, sans nul détour. Il me demanda si les cent pistoles[1] que je lui avais rendues me suffiraient ; et sans m'opposer un seul mot de difficulté, il me

3195 les alla chercher dans le moment, avec cet air ouvert, et ce plaisir à donner, qui n'est connu que de l'amour et de la véritable amitié. Quoique je n'eusse pas eu le moindre doute du succès de ma demande, je fus surpris de l'avoir obtenue à si bon marché, c'est-à-dire sans qu'il m'eût

3200 querellé sur mon impénitence. Mais je me trompais en me croyant tout à fait quitte de ses reproches ; car lorsqu'il eut achevé de me compter son argent et que je me préparais à le quitter, il me pria de faire avec lui un tour d'allée. Je ne lui avais point parlé de Manon. Il ignorait

3205 qu'elle fût en liberté ; ainsi sa morale ne tomba que sur ma fuite téméraire de Saint-Lazare, et sur la crainte où il était qu'au lieu de profiter des leçons de sagesse que j'y avais reçues, je ne reprisse le train du désordre. Il me dit qu'étant allé pour me visiter à Saint-Lazare, le lende-

3210 main de mon évasion, il avait été frappé au-delà de toute expression en apprenant la manière dont j'en étais sorti ; qu'il avait eu là-dessus un entretien avec le Supérieur ; que ce bon Père n'était pas encore remis de son effroi ; qu'il avait eu néanmoins la générosité de déguiser

3215 à M. le Lieutenant général de Police les circonstances de mon départ, et qu'il avait empêché que la mort du portier ne fût connue au-dehors ; que je n'avais donc, de ce côté-là, nul sujet d'alarme, mais que s'il me restait le moindre sentiment de sagesse, je profiterais de cet heu-

3220 reux tour que le Ciel donnait à mes affaires ; que je devais commencer par écrire à mon père et me remettre bien avec lui ; et que si je voulais suivre une fois son conseil, il était d'avis que je quittasse Paris, pour retourner dans le sein de ma famille.

3225 J'écoutai son discours jusqu'à la fin. Il y avait là bien des choses satisfaisantes. Je fus ravi, premièrement, de n'avoir rien à craindre du côté de Saint-Lazare. Les rues

---

1. *cent pistoles* : environ 20 000 F.

de Paris me redevenaient un pays libre. En second lieu,
je m'applaudis de ce que Tiberge n'avait pas la moindre
3230 idée de la délivrance de Manon, et de son retour avec
moi. Je remarquai même qu'il avait évité de me parler
d'elle, dans l'opinion apparemment qu'elle me tenait
moins au cœur, puisque je paraissais si tranquille sur son
sujet. Je résolus, sinon de retourner dans ma famille, du
3235 moins d'écrire à mon père, comme il me le conseillait,
et de lui témoigner que j'étais disposé à rentrer dans
l'ordre de mes devoirs et de ses volontés. Mon espérance était de l'engager à m'envoyer de l'argent, sous
prétexte de faire mes exercices à l'Académie[1] ; car j'au-
3240 rais eu peine à lui persuader que je fusse dans la disposition de retourner à l'état ecclésiastique. Et dans le fond,
je n'avais nul éloignement pour ce que je voulais lui
promettre. J'étais bien aise, au contraire, de m'appliquer
à quelque chose d'honnête et de raisonnable, autant que
3245 ce dessein pourrait s'accorder avec mon amour. Je faisais mon compte de vivre avec ma maîtresse, et de faire
en même temps mes exercices. Cela était fort compa-
tible. Je fus si satisfait de toutes ces idées que je promis à
Tiberge de faire partir, le jour même, une lettre pour
3250 mon père. J'entrai effectivement dans un bureau d'écriture[2], en le quittant ; et j'écrivis d'une manière si tendre
et si soumise, qu'en relisant ma lettre, je me flattai d'obtenir quelque chose du cœur paternel.

Quoique je fusse en état de prendre et de payer un
3255 fiacre après avoir quitté Tiberge, je me fis un plaisir de
marcher fièrement à pied en allant chez M. de T... Je
trouvais de la joie dans cet exercice de ma liberté, pour
laquelle mon ami m'avait assuré qu'il ne me restait rien
à craindre. Cependant il me revint tout d'un coup à
3260 l'esprit que ses assurances ne regardaient que Saint-
Lazare, et que j'avais outre cela l'affaire de l'Hôpital sur
les bras, sans compter la mort de Lescaut, dans laquelle
j'étais mêlé, du moins comme témoin. Ce souvenir m'ef-

---

1. *l'Académie* : *cf.* note 5, p. 26.
2. *un bureau d'écriture* : on y trouvait ce qu'il fallait pour écrire une lettre.

fraya si vivement, que je me retirai dans la première
3265 allée, d'où je fis appeler un carrosse. J'allai droit chez M.
de T..., que je fis rire de ma frayeur. Elle me parut risible
à moi-même, lorsqu'il m'eut appris que je n'avais rien à
craindre du côté de l'Hôpital, ni de celui de Lescaut. Il
me dit que dans la pensée qu'on pourrait le soupçonner
3270 d'avoir eu part à l'enlèvement de Manon, il était allé le
matin à l'Hôpital, et qu'il avait demandé à la voir en
feignant d'ignorer ce qui était arrivé ; qu'on était si éloigné de nous accuser, ou lui, ou moi, qu'on s'était
empressé au contraire de lui apprendre cette aventure
3275 comme une étrange nouvelle, et qu'on admirait qu'une
fille aussi jolie que Manon eût pris le parti de fuir avec
un valet ; et qu'il s'était contenté de répondre froidement qu'il n'en était pas surpris, et qu'on fait tout pour
la liberté. Il continua de me raconter qu'il était allé de là
3280 chez Lescaut, dans l'espérance de m'y trouver avec ma
charmante maîtresse ; que l'hôte de la maison, qui était
un carrossier, lui avait protesté qu'il n'avait vu ni elle ni
moi ; mais qu'il n'était pas étonnant que nous n'eussions
point paru chez lui, si c'était pour Lescaut que nous
3285 devions y venir, parce que nous aurions sans doute
appris qu'il venait d'être tué, à peu près dans le même
temps. Sur quoi, il n'avait pas refusé d'expliquer ce qu'il
savait de la cause et des circonstances de cette mort.
Environ deux heures auparavant, un garde du corps, des
3290 amis de Lescaut, l'était venu voir, et lui avait proposé de
jouer. Lescaut avait gagné si rapidement, que l'autre
s'était trouvé cent écus[1] de moins en une heure, c'est-à-
dire tout son argent. Ce malheureux, qui se voyait sans
un sou, avait prié Lescaut de lui prêter la moitié de la
3295 somme qu'il avait perdue ; et sur quelques difficultés
nées à cette occasion, ils s'étaient querellés avec une
animosité extrême. Lescaut avait refusé de sortir pour
mettre l'épée à la main, et l'autre avait juré, en le quittant, de lui casser la tête ; ce qu'il avait exécuté le soir
3300 même. M. de T... eut l'honnêteté d'ajouter qu'il avait été

---

1. *cent écus* : environ 12 000 F.

fort inquiet par rapport à nous, et qu'il continuait de m'offrir ses services. Je ne balançai point à lui apprendre le lieu de notre retraite. Il me pria de trouver bon qu'il allât souper avec nous.

3305 Comme il ne me restait qu'à prendre du linge et des habits pour Manon, je lui dis que nous pouvions partir à l'heure même, s'il voulait avoir la complaisance de s'arrêter un moment avec moi chez quelques marchands. Je ne sais s'il crut que je lui faisais cette proposition dans la

3310 vue d'intéresser sa générosité, ou si ce fut par le simple mouvement d'une belle âme ; mais ayant consenti à partir aussitôt, il me mena chez les marchands qui fournissaient sa maison ; il me fit choisir plusieurs étoffes d'un prix plus considérable que je ne me l'étais proposé ; et

3315 lorsque je me disposais à les payer, il défendit absolument aux marchands de recevoir un sou de moi. Cette galanterie se fit de si bonne grâce, que je crus pouvoir en profiter sans honte. Nous prîmes ensemble le chemin de Chaillot, où j'arrivai avec moins d'inquiétude que je n'en

3320 étais parti.

Le Chevalier Des Grieux ayant employé plus d'une heure à ce récit, je le priai de prendre un peu de relâche, et de nous tenir compagnie à souper. Notre attention lui fit juger que nous l'avions écouté avec plaisir. Il nous

3325 assura que nous trouverions quelque chose encore de plus intéressant dans la suite de son histoire ; et lorsque nous eûmes fini de souper, il continua dans ces termes.

FIN DE LA PREMIÈRE PARTIE

Sixième et dernier épisode : le séjour à St Lazare et la fuite.

Compréhension

1. *Quelles sont les parties successives du récit du séjour en prison et quel titre pouvez-vous donner à chacune d'elle ?*

2. *Quelle image de la réalité sociale de l'époque et de la sensibilité du chevalier donne le dialogue inaugural du Supérieur et du chevalier ?*

3. *Comment le romancier évite-t-il de faire de son jeune héros un personnage odieux, malgré son comportement détestable envers le Supérieur ?*

4. *Comment le chevalier présente-t-il au narrataire* son désir de voir G...M... ?*

5. *Quelle est la fonction de cette séquence narrative par rapport à l'action, à la caractérisation* des personnages, au dessein du narrateur et au projet de l'auteur ?*

6. *Comment le chevalier présente-t-il à son ami Tiberge la situation du moment et dans quel but la décrit-il dans ces termes ? Situez les moments successifs de la discussion philosophique des deux amis.*

7. *Quels sont les arguments des deux plaidoyers ?*

8. *Dans quelle mesure Des Grieux donne-t-il à son ami des arguments que celui-ci devrait employer, au lieu de les laisser à l'initiative de son interlocuteur ?*

9. *Quel est l'argument décisif de Des Grieux et à quel courant de spiritualité ce dernier recourt-il ?*

10. *Quelles sont les étapes qui amènent le chevalier à l'évasion de Manon, à partir de sa sortie de St-Lazare ?*

11. *Quelle est la fonction de la séquence narrative qui précède l'entrevue des amants ?*

12. *À quelle fin didactique* le narrateur et l'auteur présentent-ils le portrait de Manon tel que le rapporte le geôlier ?*

13. *Quelle est la fonction didactique de cette scène ?*

14. *Dans quelle mesure Des Grieux choisit-il, dans la relation de cette scène, les détails destinés à donner à son narrataire une*

image radieuse de l'amour qui l'unit à Manon, ainsi que celle de la qualité d'âme de son amante ?

15. *À quoi sert l'intervention des personnages secondaires ?*

16. *Quels éléments de la réalité sociale – le cadre, les personnages – apparaissent dans la scène ?*

Les personnages

17. *En quoi le geste meurtrier du chevalier apporte-t-il une caractérisation* nouvelle et capitale du personnage ?*

18. *Comment Des Grieux présente-t-il ce geste à son narrataire* ?*

19. *Quel est l'intérêt de la scène finale par rapport au déroulement de l'action ?*

20. *De quelles qualités Des Grieux fait-il preuve ?*

21. *Quel personnage s'introduit dans le récit et quelles sont ses caractérisations ?*

22. *Quelles sont les raisons qui font naître l'entente amicale entre les deux jeunes gens et quel élément de la réalité sociale cette relation facilement instaurée révèle-t-elle ?*

Écriture

23. *Quels effets suscitent la variété des discours, et la répartition selon le personnage ?*

24. *Relevez dans le discours des deux amis les champs lexicaux qui décrivent la même situation, celle de la psychologie amoureuse, et analysez l'opposition sémantique* et l'effet esthétique et didactique* produits.*

25. *Dans quelle mesure le style des deux personnages traduit-il l'opposition des deux caractères ?*

26. *En quel terme le chevalier qualifie-t-il son comportement à St-Lazare ?*

27. *Relevez la formule par laquelle le chevalier énonce sa conviction.*

28. *Quels sont les moyens imaginés par le chevalier pour son évasion ? Ne présentent-ils pas quelque invraisemblance ?*

29. *Dans quelle mesure fait-il preuve de qualités nouvelles par rapport aux situations critiques antérieures ?*

30. *Par quels procédés Des Grieux se montre-t-il un narrateur habile, soucieux à la fois de ménager l'intérêt de ses destinataires et de laisser de lui une image sympathique?*

31. *Quels sont les éléments qui font surgir la réalité dans ce récit?*

32. *Quel est l'effet recherché par l'enchaînement parataxique* des phrases, la présence et la place du pronom de la première personne?*

33. *Appréciez les effets produits par l'entrelacement des modes de discours.*

34. *Comment justifiez-vous l'emploi du style indirect dans les explications de Lescaut?*

35. *L'évasion de Manon suscite un nouveau champ lexical : lequel? Comment appréciez-vous ce vocabulaire et ce style pour caractériser l'évolution psychologique du chevalier?*

36. *Que souligne le champ lexical constitué par la présentation des deux jeunes gens?*

37. *Quel effet surgit du discours rapporté au style indirect du valet de la prison chargé du soin de Manon?*

Mise en perspective

38. *Comment imaginer la transposition de ce récit en scène de théâtre – succession des scènes, dialogues, ton, gestualité, déplacements?*

Bilan

L'action

• Ce que nous savons

Après une péripétie malheureuse, le vol de leurs économies acquises par le chevalier devenu joueur et tricheur, Manon, conseillée par son frère, avoue à son amant dans une lettre, son intention de séduire un riche vieillard, M. de G... M... et de profiter de ses largesses pour rétablir leur situation.

Le hasard intervient à nouveau; le vol des économies crée le besoin urgent de se procurer de l'argent et le schéma habituel se reproduit: Manon accepte un riche protecteur et son amant tente de l'arracher à l'infidélité, ce qui suscite une nouvelle escroquerie, qui entraînera de nouveau la séparation du couple.

À la prison de St-Lazare, comme il l'a fait à Amiens et à St-Sulpice, Des Grieux délibère en lui-même et choisit de vivre avec Manon par n'importe quel moyen: grâce à son attitude hypocrite, il suscite la bienveillance du Supérieur puis le contraint à le laisser s'évader; mais il tue un geôlier. Libre, il organise l'évasion de Manon de la prison de l'Hôpital. Les amants sont à nouveau réunis.

Lors de cette entreprise, Lescaut est assassiné par un garde. La fin de la première partie est marquée par les effets du hasard: la mort de Lescaut, provoquée par la brouille avec un ami de jeu, le silence étonnant du Supérieur sur l'évasion du chevalier, la participation immédiate et inattendue du jeune T...

Le roman d'une passion fatale est traversé par une suite d'aventures qui échappent à la vraisemblance, soulignent l'indifférence de l'auteur pour la réalité et démontrent l'intention romanesque annoncée dans l'Avis.

• À quoi nous attendre?

Désormais sans argent, comment vont vivre les jeunes gens? Seront-ils poursuivis par la justice pour le meurtre du geôlier, et les deux évasions?

Les personnages

• Ce que nous savons

Lescaut, personnage secondaire, joue un rôle important dans cet épisode: il suscite la deuxième infidélité de Manon, mais apporte, au chevalier **à plusieurs reprises,** une aide précieuse. Il est présenté par le narrateur/personnage comme un homme habile, qui a réussi, mais dont la dépravation est totale : il propose à Des Grieux la prostitution de Manon et de sa personne ; et c'est quand Des Grieux aux abois accepte d'entrer dans le monde de l'escroquerie qu'il accepte de l'introduire dans le cercle des tricheurs. Si Des Grieux souligne la malhonnêteté de Lescaut c'est pour le rendre responsable de ses erreurs et de celles de Manon ; c'est un argument essentiel de sa confession/plaidoierie.

Malgré son absence dans le récit, **Manon** joue un rôle de premier plan pour tous les personnages masculins : son frère ne peut oublier ce que peut lui rapporter une sœur aussi séduisante. M. de G... M... est envoûté par le charme de Manon, au point de ne pas se rendre compte de la comédie que lui joue le trio, et le jeune T. est séduit lui aussi par le charme de la jeune femme, lors de l'entrevue dans la prison.

Des Grieux est entièrement «habité» par l'amour qu'il éprouve pour Manon ; dans son récit mémoriel, il veut offrir de lui l'image d'un homme emporté irrésistiblement par une passion fatale et quand, après les drames successifs de l'épisode, il retrouve calme et lucidité, cette attitude est provisoire, et résolument il choisit de tout faire pour satisfaire son amante. Par la dramatisation* du récit qu'il effectue comme narrateur, il en devient le personnage essentiel.

Face à lui, **Tiberge** est la voix de la conscience et de la moralité, un «actant*» dans le déchirement du chevalier ; mais il échoue dans son entreprise.

• À quoi nous attendre ?

Jusqu'où Des Grieux sera-t-il contraint d'aller pour garder Manon, malgré le dénuement qui est le leur ?
Que va imaginer Manon pour pallier ce manque d'argent ?
Le jeune T. se contentera-t-il du rôle d'ami du couple, face au charme de Manon ?
Quelle conséquence peut avoir la disparition de Lescaut sur la vie du couple ?

Écriture

L'épisode se déroule dans un style varié qui répond au caractère de chaque personnage.
C'est en style indirect que le plus souvent le narrateur rapporte les

discours du Supérieur, de Lescaut, de Tiberge ; ce mode de discours permet au chevalier de choisir dans ses souvenirs et de rapporter seulement ce qui lui semble le plus intéressant. Mais quand Des Grieux évoque sa passion ou son amante, il plaide en se confessant et son style se veut pathétique pour susciter la compassion et la compréhension de Renoncour. Sa discussion avec Tiberge fait appel à la rhétorique d'un plaidoyer qui veut convaincre un adversaire.

SECONDE PARTIE

Ma présence et les politesses de M. de T... dissipèrent tout ce qui pouvait rester de chagrin à Manon. Oublions nos terreurs passées, ma chère âme, lui dis-je en arrivant, et recommençons à vivre plus heureux que jamais. Après tout, l'Amour est un bon maître. La Fortune ne saurait nous causer autant de peines qu'il nous fait goûter de plaisirs. Notre souper fut une vraie scène de joie. J'étais plus fier et plus content avec Manon et mes cent pistoles, que le plus riche partisan[1] de Paris avec ses trésors entassés. Il faut compter ses richesses par les moyens qu'on a de satisfaire ses désirs. Je n'en avais pas un seul à remplir ; l'avenir même me causait peu d'embarras. J'étais presque sûr que mon père ne ferait pas de difficulté de me donner de quoi vivre honorablement à Paris, parce qu'étant dans ma vingtième année, j'entrais en droit d'exiger ma part du bien de ma mère. Je ne cachai point à Manon que le fond de mes richesses n'était que de cent pistoles. C'était assez pour attendre tranquillement une meilleure fortune, qui semblait ne me pouvoir manquer, soit par mes droits naturels, ou par les ressources du jeu.

Ainsi, pendant les premières semaines, je ne pensai qu'à jouir de ma situation ; et la force de l'honneur, autant qu'un reste de ménagement pour la police, me faisant remettre de jour en jour à renouer avec les Associés de l'hôtel de T...[2], je me réduisis à jouer dans quelques assemblées moins décriées, où la faveur du sort m'épargna l'humiliation d'avoir recours à l'industrie[3]. J'allais passer à la ville une partie de l'après-midi, et je revenais souper à Chaillot, accompagné fort souvent de M. de T..., dont l'amitié croissait de jour en jour pour nous. Manon trouva des ressources contre l'ennui. Elle

---

1. *partisan* : sens aujourd'hui disparu : on désignait ainsi certains fermiers généraux (*cf.* note 2, p. 36).
2. *T...* : Transylvanie (*cf.* note 2, p. 76).
3. *la faveur du sort... l'industrie* : la faveur du sort (ma chance) m'évita de tricher.

3360 se lia, dans le voisinage, avec quelques jeunes personnes que le printemps y avait ramenées. La promenade et les petits exercices de leur sexe faisaient alternativement leur occupation. Une partie de jeu, dont elles avaient réglé les bornes, fournissait aux frais de la voiture. Elles
3365 allaient prendre l'air au bois de Boulogne, et le soir, à mon retour, je retrouvais Manon plus belle, plus contente, et plus passionnée que jamais.

Il s'éleva néanmoins quelques nuages, qui semblèrent menacer l'édifice de mon bonheur. Mais ils furent nette-
3370 ment dissipés ; et l'humeur folâtre de Manon rendit le dénouement si comique, que je trouve encore de la dou-ceur dans un souvenir qui me représente sa tendresse et les agréments de son esprit.

Le seul valet qui composait notre domestique[1] me prit
3375 un jour à l'écart pour me dire avec beaucoup d'embarras qu'il avait un secret d'importance à me communiquer. Je l'encourageai à parler librement. Après quelques détours, il me fit entendre qu'un seigneur étranger sem-blait avoir pris beaucoup d'amour pour Mademoiselle
3380 Manon. Le trouble de mon sang se fit sentir dans toutes mes veines. En a-t-elle pour lui ? interrompis-je plus brusquement que la prudence ne permettait pour m'éclaircir. Ma vivacité l'effraya. Il me répondit d'un air inquiet que sa pénétration n'avait pas été si loin ; mais
3385 qu'ayant observé, depuis plusieurs jours, que cet étran-ger venait assidûment au bois de Boulogne, qu'il y des-cendait de son carrosse, et que s'engageant seul dans les contre-allées, il paraissait chercher l'occasion de voir ou de rencontrer Mademoiselle, il lui était venu à l'esprit de
3390 faire quelque liaison avec ses gens, pour apprendre le nom de leur maître ; qu'ils le traitaient de Prince italien, et qu'ils le soupçonnaient eux-mêmes de quelque aven-ture galante ; qu'il n'avait pu se procurer d'autres lumières, ajouta-t-il en tremblant, parce que le Prince,
3395 étant alors sorti du bois, s'était approché familièrement de lui, et lui avait demandé son nom ; après quoi,

---

1. *domestique* : nous dirions ici : domesticité.

comme s'il eût deviné qu'il était à notre service, il l'avait félicité d'appartenir à la plus charmante personne du monde.

3400 J'attendais impatiemment la suite de ce récit. Il le finit par des excuses timides, que je n'attribuai qu'à mes imprudentes agitations. Je le pressai en vain de continuer sans déguisement. Il me protesta qu'il ne savait rien de plus, et que ce qu'il venait de me raconter étant 3405 arrivé le jour précédent, il n'avait pas revu les gens du Prince. Je le rassurai, non seulement par des éloges, mais par une honnête récompense ; et sans lui marquer la moindre défiance de Manon, je lui recommandai, d'un ton plus tranquille, de veiller sur toutes les 3410 démarches de l'étranger.

Au fond, sa frayeur me laissa de cruels doutes. Elle pouvait lui avoir fait supprimer une partie de la vérité. Cependant, après quelques réflexions, je revins de mes alarmes, jusqu'à regretter d'avoir donné cette marque de 3415 faiblesse. Je ne pouvais faire un crime à Manon d'être aimée. Il y avait beaucoup d'apparence qu'elle ignorait sa conquête ; et quelle vie allais-je mener si j'étais capable d'ouvrir si facilement l'entrée de mon cœur à la jalousie ? Je retournai à Paris le jour suivant, sans avoir 3420 formé d'autre dessein que de hâter le progrès de ma fortune en jouant plus gros jeu, pour me mettre en état de quitter Chaillot, au premier sujet d'inquiétude. Le soir, je n'appris rien de nuisible à mon repos. L'étranger avait reparu au bois de Boulogne, et prenant droit de ce 3425 qui s'y était passé la veille pour se rapprocher de mon confident, il lui avait parlé de son amour, mais dans des termes qui ne supposaient aucune intelligence avec Manon. Il l'avait interrogé sur mille détails. Enfin, il avait tenté de le mettre dans ses intérêts par des pro-3430 messes considérables ; et tirant une lettre qu'il tenait prête, il lui avait offert inutilement quelques louis d'or, pour la rendre à sa maîtresse.

Deux jours se passèrent sans aucun autre incident. Le troisième fut plus orageux. J'appris, en arrivant de la 3435 ville assez tard, que Manon, pendant sa promenade, s'était écartée un moment de ses compagnes ; et que l'étranger, qui la suivait à peu de distance, s'étant appro-

ché d'elle au signe qu'elle lui en avait fait, elle lui avait
remis une lettre, qu'il avait reçue avec des transports de
3440 joie. Il n'avait eu le temps de les exprimer qu'en baisant
amoureusement les caractères, parce qu'elle s'était aussitôt dérobée. Mais elle avait paru d'une gaieté extraordinaire pendant le reste du jour ; et depuis qu'elle était
rentrée au logis, cette humeur ne l'avait pas abandon-
3445 née. Je frémis, sans doute à chaque mot. Es-tu bien sûr,
dis-je tristement à mon valet, que tes yeux ne t'aient pas
trompé ? Il prit le Ciel à témoin de sa bonne foi. Je ne
sais à quoi les tourments de mon cœur m'auraient porté,
si Manon, qui m'avait entendu rentrer, ne fût venue au-
3450 devant de moi, avec un air d'impatience et des plaintes
de ma lenteur. Elle n'attendit point ma réponse pour
m'accabler de caresses ; et lorsqu'elle se vit seule avec
moi, elle me fit des reproches fort vifs de l'habitude que
je prenais de revenir si tard. Mon silence lui laissant la
3455 liberté de continuer, elle me dit que, depuis trois
semaines, je n'avais pas passé une journée entière avec
elle ; qu'elle ne pouvait soutenir de si longues absences ;
qu'elle me demandait du moins un jour, par intervalles ;
et que dès le lendemain, elle voulait me voir près d'elle
3460 du matin au soir. J'y serai, n'en doutez pas, lui répondis-je d'un ton assez brusque. Elle marqua peu d'attention pour mon chagrin ; et dans le mouvement de sa
joie, qui me parut en effet d'une vivacité singulière, elle
me fit mille peintures plaisantes de la manière dont elle
3465 avait passé le jour. Étrange fille ! me disais-je à moi-
même ; que dois-je attendre de ce prélude ? L'aventure
de notre première séparation me revint à l'esprit.
Cependant je croyais voir dans le fond de sa joie et de
ses caresses, un air de vérité qui s'accordait avec les
3470 apparences.

Il ne me fut pas difficile de rejeter la tristesse dont je
ne pus me défendre pendant notre souper, sur une perte
que je me plaignis d'avoir faite au jeu. J'avais regardé
comme un extrême avantage que l'idée de ne pas quitter
3475 Chaillot le jour suivant fût venue d'elle-même. C'était
gagner du temps pour mes délibérations. Ma présence
éloignait toutes sortes de craintes pour le lendemain ; et
si je ne remarquais rien qui m'obligeât de faire éclater

mes découvertes, j'étais déjà résolu de transporter, le
3480 jour d'après, mon établissement à la ville, dans un quartier où je n'eusse rien à démêler avec les Princes. Cet
arrangement me fit passer une nuit plus tranquille ; mais
il ne m'ôtait pas la douleur d'avoir à trembler pour une
nouvelle infidélité.

3485 À mon réveil, Manon me déclara que, pour passer le
jour dans notre appartement, elle ne prétendait pas que
j'en eusse l'air plus négligé, et qu'elle voulait que mes
cheveux fussent accommodés de ses propres mains. Je
les avais fort beaux. C'était un amusement qu'elle s'était
3490 donné plusieurs fois. Mais elle y apporta plus de soins
que je ne lui en avais jamais vu prendre. Je fus obligé,
pour la satisfaire, de m'asseoir devant sa toilette, et d'essuyer toutes les petites recherches qu'elle imagina pour
ma parure. Dans le cours de son travail, elle me faisait
3495 tourner souvent le visage vers elle, et s'appuyant des
deux mains sur mes épaules, elle me regardait avec une
curiosité avide. Ensuite, exprimant sa satisfaction par un
ou deux baisers, elle me faisait reprendre ma situation
pour continuer son ouvrage. Ce badinage nous occupa
3500 jusqu'à l'heure du dîner. Le goût qu'elle y avait pris
m'avait paru si naturel, et sa gaieté sentait si peu l'artifice, que ne pouvant concilier des apparences si
constantes avec le projet d'une noire trahison, je fus
tenté plusieurs fois de lui ouvrir mon cœur, et de me
3505 décharger d'un fardeau qui commençait à me peser.
Mais je me flattais, à chaque instant, que l'ouverture
viendrait d'elle ; et je m'en faisais d'avance un délicieux
triomphe.

Nous rentrâmes dans son cabinet. Elle se mit à rajus-
3510 ter mes cheveux, et ma complaisance me faisait céder à
toutes ses volontés, lorsqu'on vint l'avertir que le Prince
de... demandait à la voir. Ce nom m'échauffa jusqu'au
transport. Quoi donc ? m'écriai-je en la repoussant. Qui ?
Quel Prince ? Elle ne répondit point à mes questions.
3515 Faites-le monter, dit-elle froidement au valet ; et se tournant vers moi : Cher amant, toi que j'adore, reprit-elle
d'un ton enchanteur, je te demande un moment de
complaisance, un moment, un seul moment. Je t'en
aimerai mille fois plus. Je t'en saurai gré toute ma vie.

3520 L'indignation et la surprise me lièrent la langue. Elle répétait ses instances, et je cherchais des expressions pour les rejeter avec mépris. Mais, entendant ouvrir la porte de l'antichambre, elle empoigna d'une main mes cheveux, qui étaient flottants sur mes épaules, elle prit
3525 de l'autre son miroir de toilette ; elle employa toute sa force pour me traîner dans cet état jusqu'à la porte du cabinet ; et l'ouvrant du genou, elle offrit à l'étranger, que le bruit semblait avoir arrêté au milieu de la chambre, un spectacle qui ne dut pas lui causer peu
3530 d'étonnement. Je vis un homme fort bien mis, mais d'assez mauvaise mine. Dans l'embarras où le jetait cette scène, il ne laissa pas[1] de faire une profonde révérence. Manon ne lui donna pas le temps d'ouvrir la bouche. Elle lui présenta son miroir : Voyez, Monsieur, lui dit-
3535 elle, regardez-vous bien, et rendez-moi justice. Vous me demandez de l'amour. Voici l'homme que j'aime, et que j'ai juré d'aimer toute ma vie. Faites la comparaison vous-même. Si vous croyez lui pouvoir disputer mon cœur, apprenez-moi donc sur quel fondement ; car je
3540 vous déclare qu'aux yeux de votre servante très humble, tous les Princes d'Italie ne valent pas un des cheveux que je tiens.

Pendant cette folle harangue, qu'elle avait apparemment méditée, je faisais des efforts inutiles pour me
3545 dégager ; et prenant pitié d'un homme de considération, je me sentais porté à réparer ce petit outrage par mes politesses. Mais s'étant remis assez facilement, sa réponse, que je trouvai un peu grossière, me fit perdre cette disposition. Mademoiselle, Mademoiselle, lui dit-il
3550 avec un sourire forcé, j'ouvre en effet les yeux, et je vous trouve bien moins novice que je ne me l'étais figuré. Il se retira aussitôt, sans jeter les yeux sur elle, en ajoutant, d'une voix plus basse, que les femmes de France ne valaient pas mieux que celles d'Italie. Rien ne m'invitait,
3555 dans cette occasion, à lui faire prendre une meilleure idée du beau sexe.

---

1. *il ne laissa pas* : l'embarras ne l'empêcha pas.

Manon quitta mes cheveux, se jeta dans un fauteuil, et fit retentir la chambre de longs éclats de rire. Je ne dissimulai pas que je fus touché jusqu'au fond du cœur, d'un sacrifice que je ne pouvais attribuer qu'à l'amour. Cependant la plaisanterie me parut excessive. Je lui en fis des reproches. Elle me raconta que mon rival, après l'avoir obsédée pendant plusieurs jours au bois de Boulogne, et lui avoir fait deviner ses sentiments par des grimaces, avait pris le parti de lui en faire une déclaration ouverte, accompagnée de son nom et de tous ses titres, dans une lettre qu'il lui avait fait remettre par le cocher qui la conduisait avec ses compagnes ; qu'il lui promettait, au-delà des monts, une brillante fortune et des adorations éternelles ; qu'elle était revenue à Chaillot dans la résolution de me communiquer cette aventure ; mais qu'ayant conçu que nous en pouvions tirer de l'amusement, elle n'avait pu résister à son imagination ; qu'elle avait offert au Prince italien, par une réponse flatteuse, la liberté de la voir chez elle, et qu'elle s'était fait un second plaisir de me faire entrer dans son plan, sans m'en avoir fait naître le moindre soupçon. Je ne lui dis pas un mot des lumières qui m'étaient venues par une autre voie, et l'ivresse de l'amour triomphant me fit tout approuver.

Premier épisode : le prince italien.

Compréhension

1. *Quels sont les moments successifs de la progression du récit ?*

2. *Quelles raisons le chevalier trouve-t-il pour croire à un avenir possible et heureux avec Manon ?*

3. *En quoi consiste la fatalité de cette péripétie nouvelle ?*

4. *Comment apparaissent les mœurs du temps et dans quelle mesure celles-ci sont-elles liées au déroulement de l'action ?*

5. *Quelle est la fonction de cet épisode, ajouté en 1753 ?*

6. *De quelle façon le réel et le romanesque sont-ils imbriqués ?*

• Les personnages

7. *Quelles sont les caractérisations* du nouveau personnage du récit ? En quoi s'oppose-t-il à Des Grieux ?*

8. *Quelle conception de l'amour exprime-t-il ?*

9. *Comment Des Grieux réagit-il face au nouveau danger d'une infidélité de Manon ?*

10. *Quelles raisons peut avoir Manon pour renoncer aux avances du prince italien ?*

11. *Quelles caractérisations de Manon l'auteur tient-il à souligner dans cet épisode ?*

Écriture

12. *À quel genre littéraire appartient la scène de l'arrivée du prince italien dans la maison de Chaillot ?*

13. *Relevez dans la bouche de Des Grieux une expression qui appartient au style tragique.*

Recherche et mise en perspective

14. *Où se situe le bois de Boulogne par rapport à Paris. Quels divertissements offrait-il à la société de l'époque ?*

15. *En quoi la situation évoque-t-elle une situation précédente ? Précisez les ressemblances et les différences et justifiez cette analyse par rapport au projet narratif.*

Manon tenant la chevelure de Des Grieux, face au prince italien *(l. 3530).*
Tableau de Charles Hue (XIXᵉ siècle).

J'ai remarqué, dans toute ma vie, que le Ciel a toujours choisi, pour me frapper de ses plus rudes châtiments, le temps où ma fortune me semblait le mieux établie. Je me croyais si heureux, avec l'amitié de M. de T... et la tendresse de Manon, qu'on n'aurait pu me faire comprendre que j'eusse à craindre quelque nouveau malheur. Cependant, il s'en préparait un si funeste, qu'il m'a réduit à l'état où m'avez vu à Pacy, et par degrés à des extrémités si déplorables, que vous aurez peine à croire mon récit fidèle.

Un jour que nous avions M. de T... à souper, nous entendîmes le bruit d'un carrosse qui s'arrêtait à la porte de l'hôtellerie. La curiosité nous fit désirer de savoir qui pouvait arriver à cette heure. On nous dit que c'était le jeune G... M..., c'est-à-dire le fils de notre plus cruel ennemi, de ce vieux débauché qui m'avait mis à Saint-Lazare et Manon à l'Hôpital. Son nom me fit monter la rougeur au visage. C'est le Ciel qui me l'amène, dis-je à M. de T..., pour le punir de la lâcheté de son père. Il ne m'échappera pas que nous n'ayons mesuré nos épées. M. de T..., qui le connaissait et qui était même de ses meilleurs amis, s'efforça de me faire prendre d'autres sentiments pour lui. Il m'assura que c'était un jeune homme très aimable, et si peu capable d'avoir eu part à l'action de son père, que je ne le verrais pas moi-même un moment sans lui accorder mon estime et sans désirer la sienne. Après avoir ajouté mille choses à son avantage, il me pria de consentir qu'il allât lui proposer de venir prendre place avec nous, et de s'accommoder du reste de notre souper. Il prévint l'objection du péril où c'était exposer Manon, que de découvrir sa demeure au fils de notre ennemi, en protestant, sur son honneur et sur sa foi, que, lorsqu'il nous connaîtrait, nous n'aurions point de plus zélé défenseur. Je ne fis difficulté de rien, après de telles assurances. M. de T... ne nous l'amena point sans avoir pris un moment pour l'informer qui nous étions. Il entra d'un air qui nous prévint effectivement en sa faveur. Il m'embrassa. Nous nous assîmes. Il admira Manon, moi, tout ce qui nous appartenait, et il mangea d'un appétit qui fit honneur à notre souper. Lorsqu'on eut desservi, la conversation devint plus

sérieuse. Il baissa les yeux pour nous parler de l'excès où
son père s'était porté contre nous. Il nous fit les excuses
les plus soumises. Je les abrège, nous dit-il, pour ne pas
3625 renouveler un souvenir qui me cause trop de honte. Si
elles étaient sincères dès le commencement, elles le
devinrent bien plus dans la suite, car il n'eut pas passé
une demi-heure dans cet entretien, que je m'aperçus de
l'impression que les charmes de Manon faisaient sur lui.
3630 Ses regards et ses manières s'attendrirent par degrés. Il
ne laissa rien échapper néanmoins dans ses discours ;
mais, sans être aidé de la jalousie, j'avais trop d'expérience en amour pour ne pas discerner ce qui venait de
cette source. Il nous tint compagnie pendant une partie
3635 de la nuit, et il ne nous quitta qu'après s'être félicité de
notre connaissance, et nous avoir demandé la permission de venir nous renouveler quelquefois l'offre de ses
services. Il partit le matin avec M. de T..., qui se mit
avec lui dans son carrosse.
3640   Je ne me sentais, comme j'ai dit, aucun penchant à la
jalousie. J'avais plus de crédulité que jamais pour les
serments de Manon. Cette charmante créature était si
absolument maîtresse de mon âme, que je n'avais pas un
seul petit sentiment qui ne fût de l'estime et de l'amour.
3645 Loin de lui faire un crime d'avoir plu au jeune G... M...,
j'étais ravi de l'effet de ses charmes, et je m'applaudis-
sais d'être aimé d'une fille que tout le monde trouvait
aimable. Je ne jugeai pas même à propos de lui communiquer mes soupçons. Nous fûmes occupés, pendant
3650 quelques jours, du soin de faire ajuster ses habits, et à
délibérer si nous pouvions aller à la Comédie sans
appréhender d'être reconnus. M. de T... revint nous voir
avant la fin de la semaine. Nous le consultâmes là-dessus. Il vit bien qu'il fallait dire oui, pour faire plaisir à
3655 Manon. Nous résolûmes d'y aller le même soir avec lui.
    Cependant cette résolution ne put s'exécuter, car
m'ayant tiré aussitôt en particulier : Je suis, me dit-il,
dans le dernier embarras depuis que je vous ai vu, et la
visite que je vous fais aujourd'hui en est une suite. G...
3660 M... aime votre maîtresse. Il m'en a fait confidence. Je
suis son intime ami, et disposé en tout à le servir ; mais
je ne suis pas moins le vôtre. J'ai considéré que ses

intentions sont injustes, et je les ai condamnées. J'aurais gardé son secret, s'il n'avait dessein d'employer, pour plaire, que les voies communes ; mais il est bien informé de l'humeur de Manon. Il a su, je ne sais d'où, qu'elle aime l'abondance, et les plaisirs ; et comme il jouit déjà d'un bien considérable, il m'a déclaré qu'il veut la tenter d'abord par un très gros présent, et par l'offre de dix mille livres de pension. Toutes choses égales, j'aurais peut-être eu beaucoup plus de violence à me faire pour le trahir, mais la justice s'est jointe en votre faveur à l'amitié ; d'autant plus qu'ayant été la cause imprudente de sa passion, en l'introduisant ici, je suis obligé de prévenir les effets du mal que j'ai causé.

Je remerciai M. de T... d'un service de cette importance, et je lui avouai, avec un parfait retour de confiance, que le caractère de Manon était tel que G... M... se le figurait ; c'est-à-dire qu'elle ne pouvait supporter le nom de la pauvreté. Cependant, lui dis-je, lorsqu'il n'est question que du plus ou du moins, je ne la crois pas capable de m'abandonner pour un autre. Je suis en état de ne la laisser manquer de rien, et je compte que ma fortune va croître de jour en jour. Je ne crains qu'une chose, ajoutai-je, c'est que G... M... ne se serve de la connaissance qu'il a de notre demeure, pour nous rendre quelque mauvais office. M. de T... m'assura que je devais être sans appréhension de ce côté-là ; que G... M... était capable d'une folie amoureuse, mais qu'il ne l'était point d'une bassesse ; que s'il avait la lâcheté d'en commettre une, il serait le premier, lui qui parlait, à l'en punir, et à réparer par là le malheur qu'il avait eu d'y donner occasion. Je vous suis obligé de ce sentiment, repris-je, mais le mal serait fait, et le remède fort incertain. Ainsi le parti le plus sage est de le prévenir, en quittant Chaillot pour prendre une autre demeure. Oui, reprit M. de T... Mais vous aurez peine à le faire aussi promptement qu'il faudrait ; car G... M... doit être ici à midi ; il me le dit hier, et c'est ce qui m'a porté à venir si matin, pour vous informer de ses vues. Il peut arriver à tout moment.

Un avis si pressant me fit regarder cette affaire d'un œil plus sérieux. Comme il me semblait impossible

d'éviter la visite de G... M..., et qu'il me le serait aussi,
3705 sans doute, d'empêcher qu'il ne s'ouvrît à Manon, je pris
le parti de la prévenir moi-même sur le dessein de ce
nouveau rival. Je m'imaginai que me sachant instruit des
propositions qu'il lui ferait, et les recevant à mes yeux,
elle aurait assez de force pour les rejeter. Je découvris ma
3710 pensée à M. de T..., qui me répondit que cela était extrêmement délicat. Je l'avoue, lui dis-je, mais toutes les
raisons qu'on peut avoir d'être sûr d'une maîtresse, je les
ai de compter sur l'affection de la mienne. Il n'y aurait que
la grandeur des offres qui pût l'éblouir, et je vous ai dit
3715 qu'elle ne connaît point l'intérêt. Elle aime ses aises, mais
elle m'aime aussi ; et dans la situation où sont mes affaires,
je ne saurais croire qu'elle me préfère le fils d'un homme
qui l'a mise à l'Hôpital. En un mot, je persistai dans mon
dessein ; et m'étant retiré à l'écart avec Manon, je lui
3720 déclarai naturellement tout ce que je venais d'apprendre.
    Elle me remercia de la bonne opinion que j'avais d'elle,
et elle me promit de recevoir les offres de G... M... d'une
manière qui lui ôterait l'envie de les renouveler. Non, lui
dis-je, il ne faut pas l'irriter par une brusquerie. Il peut
3725 nous nuire. Mais tu sais assez, toi, friponne, ajoutai-je en
riant, comment te défaire d'un amant désagréable ou
incommode. Elle reprit, après avoir un peu rêvé : Il me
vient un dessein admirable, s'écria-t-elle, et je suis toute
glorieuse de l'invention. G... M... est le fils de notre plus
3730 cruel ennemi ; il faut nous venger du père, non pas sur le
fils, mais sur sa bourse. Je veux l'écouter, accepter ses
présents, et me moquer de lui. Le projet est joli, lui dis-je,
mais tu ne songes pas, mon pauvre enfant, que c'est le
chemin qui nous a conduits droit à l'Hôpital. J'eus beau
3735 lui représenter le péril de cette entreprise, elle me dit qu'il
ne s'agissait que de bien prendre nos mesures, et elle
répondit à toutes mes objections. Donnez-moi un amant
qui n'entre point aveuglément dans tous les caprices
d'une maîtresse adorée, et je conviendrai que j'eus tort de
3740 céder si facilement. La résolution fut prise de faire une
dupe de G... M..., et par un tour bizarre de mon sort, il
arriva que je devins la sienne.
    Nous vîmes paraître son carrosse vers les onze heures.
Il nous fit des compliments fort recherchés sur la liberté

3745 qu'il prenait de venir dîner avec nous. Il ne fut pas surpris de trouver M. de T..., qui lui avait promis la veille de
s'y rendre aussi, et qui avait feint quelques affaires pour
se dispenser de venir dans la même voiture. Quoiqu'il
n'y eût pas un seul de nous qui ne portât la trahison
3750 dans le cœur, nous nous mîmes à table avec un air de
confiance et d'amitié. G... M... trouva aisément l'occasion de déclarer ses sentiments à Manon. Je ne dus pas
lui paraître gênant, car je m'absentai exprès, pendant
quelques minutes. Je m'aperçus, à mon retour, qu'on ne
3755 l'avait pas désespéré par un excès de rigueur. Il était de
la meilleure humeur du monde. J'affectai de le paraître
aussi ; il riait intérieurement de ma simplicité, et moi de
la sienne. Pendant tout l'après-midi, nous fûmes l'un
pour l'autre une scène fort agréable. Je lui ménageai
3760 encore, avant son départ, un moment d'entretien particulier avec Manon ; de sorte qu'il eut lieu de s'applaudir
de ma complaisance autant que de la bonne chère.

Aussitôt qu'il fut monté en carrosse avec M. de T...,
Manon accourut à moi les bras ouverts, et m'embrassa
3765 en éclatant de rire. Elle me répéta ses discours et ses
propositions, sans y changer un mot. Ils se réduisaient à
ceci : il l'adorait. Il voulait partager avec elle quarante
mille livres de rente dont il jouissait déjà, sans compter
ce qu'il attendait après la mort de son père. Elle allait
3770 être maîtresse de son cœur et de sa fortune ; et pour gage
de ses bienfaits, il était prêt à lui donner un carrosse, un
hôtel meublé, une femme de chambre, trois laquais et
un cuisinier. Voilà un fils, dis-je à Manon, bien autrement généreux que son père. Parlons de bonne foi, ajou-
3775 tai-je ; cette offre ne vous tente-t-elle point ? Moi ?
répondit-elle, en ajustant à sa pensée deux vers de
Racine[1] :

---

1. *Racine* : Ériphile : «*Moi ? vous me soupçonnez de cette perfidie ?*
Moi, j'aimerais, Madame, un vainqueur furieux,
Qui toujours tout sanglant se présente à mes yeux...»
Iphigénie : «*... Ces morts, cette Lesbos, ces cendres, cette flamme,*
Sont les traits dont l'amour l'a gravé dans votre âme...»
(*Iphigénie*, II, 5.)

Moi! vous me soupçonnez de cette perfidie?
Moi! je pourrais souffrir un visage odieux,
3780 *Qui rappelle toujours l'Hôpital à mes yeux?*

Non, repris-je, en continuant la parodie :

J'aurais peine à penser que l'Hôpital, Madame,
Fût un trait dont l'Amour l'eût gravé dans votre
[*âme.*

3785 Mais c'en est un bien séduisant qu'un hôtel meublé
avec un carrosse et trois laquais ; et l'Amour en a peu
d'aussi forts. Elle me protesta que son cœur était à moi
pour toujours, et qu'il ne recevrait jamais d'autres traits
que les miens. Les promesses qu'il m'a faites, me dit-
3790 elle, sont un aiguillon de vengeance, plutôt qu'un trait
d'amour. Je lui demandai si elle était dans le dessein
d'accepter l'hôtel et le carrosse. Elle me répondit qu'elle
n'en voulait qu'à son argent. La difficulté était d'obtenir
l'un sans l'autre. Nous résolûmes d'attendre l'entière
3795 explication du projet de G... M..., dans une lettre qu'il
avait promis de lui écrire. Elle la reçut en effet le lendemain, par un laquais sans livrée, qui se procura fort
adroitement l'occasion de lui parler sans témoins. Elle
lui dit d'attendre sa réponse, et elle vint m'apporter aus-
3800 sitôt sa lettre. Nous l'ouvrîmes ensemble. Outre les lieux
communs de tendresse, elle contenait le détail des promesses de mon rival. Il ne bornait point sa dépense. Il
s'engageait à lui compter dix mille francs[1], en prenant
possession de l'hôtel, et à réparer tellement les diminu-
3805 tions de cette somme, qu'elle l'eût toujours devant elle
en argent comptant. Le jour de l'inauguration n'était pas
reculé trop loin. Il ne lui en demandait que deux pour
les préparatifs, et il lui marquait le nom de la rue et de
l'hôtel, où il lui promettait de l'attendre l'après-midi du
3810 second jour, si elle pouvait se dérober de mes mains.
C'était l'unique point sur lequel il la conjurait de le tirer
d'inquiétude ; il paraissait sûr de tout le reste ; mais il

---

1. *dix mille francs* (or) : environ 200 000 F.

151

ajoutait que si elle prévoyait de la difficulté à m'échapper, il trouverait le moyen de rendre sa fuite aisée.

3815 G... M... était plus fin que son père ; il voulait tenir sa proie avant que de compter ses espèces. Nous délibérâmes sur la conduite que Manon avait à tenir. Je fis encore des efforts pour lui ôter cette entreprise de la tête, et je lui en représentai tous les dangers. Rien ne fut 3820 capable d'ébranler sa résolution.

Elle fit une courte réponse à G... M..., pour l'assurer qu'elle ne trouverait pas de difficulté à se rendre à Paris le jour marqué, et qu'il pouvait l'attendre avec certitude. Nous réglâmes ensuite que je partirais sur-le-champ, 3825 pour aller louer un nouveau logement dans quelque village, de l'autre côté de Paris, et que je transporterais avec moi notre petit équipage ; que le lendemain après-midi, qui était le temps de son assignation, elle se rendrait de bonne heure à Paris ; qu'après avoir reçu les 3830 présents de G... M..., elle le prierait instamment de la conduire à la Comédie[1] ; qu'elle prendrait avec elle tout ce qu'elle pourrait porter de la somme, et qu'elle chargerait du reste mon valet, qu'elle voulait mener avec elle. C'était toujours le même qui l'avait délivrée de l'Hôpital, 3835 et qui nous était infiniment attaché. Je devais me trouver, avec un fiacre, à l'entrée de la rue Saint-André-des-Arcs[2], et l'y laisser vers les sept heures, pour m'avancer dans l'obscurité à la porte de la Comédie. Manon me promettait d'inventer des prétextes pour sortir un instant de sa loge, et de l'employer à descendre pour me 3840 rejoindre. L'exécution du reste était facile. Nous aurions regagné mon fiacre en un moment, et nous serions sortis de Paris par le faubourg Saint-Antoine, qui était le chemin de notre nouvelle demeure.

---

1. *la Comédie* : c'est la Comédie-Française, mais elle se trouvait alors dans la rue aujourd'hui appelée rue de l'Ancienne-Comédie.
2. *la rue Saint-André-des-Arcs* : aujourd'hui, des Arts.

Deuxième épisode : l'entrée en scène du fils de M. G... M...

Compréhension

1. *Par quelle analyse philosophique Des Grieux inaugure-t-il le récit de ce nouvel épisode ?*

2. *Identifiez les moments, les lieux et les temps de l'action. Quelle signification leur donnez-vous ?*

3. *À quel genre littéraire peut-on rattacher la scène du dîner, et dans quelle mesure reproduit-elle une scène précédente analogue ?*

4. *Quels sont l'intérêt et la fonction de la parodie de Racine et quelle analogie existe-t-il entre la situation du récit et celle de la tragédie de Racine ?*

5. *Quelles sont les précisions apportées par la lettre du nouveau « prétendant » ?*

6. *Quelles sont les fonctions habituelles de la lettre d'amour dans le roman galant* et en quoi celle du jeune G... M... souligne-t-elle la dégradation du langage amoureux ?*

7. *Analysez avec précision les étapes du plan des amants, destiné à berner le jeune G... M....*

• **Les personnages**

8. *Quel nouveau personnage intervient dans le récit ? Quel projet suscite-t-il dans l'esprit de Manon ? Comment Des Grieux réagit-il, et pourquoi ? Montrez en quoi Des Grieux est à la fois lucide et aveugle dans son analyse du projet de Manon.*

9. *Quelles sont les offres du jeune G... M... adressées à Manon ? En quoi diffèrent-elles de celles de son père ? Quels détails sont susceptibles de séduire particulièrement la jeune femme ?*

10. *Comment Des Grieux et Manon perçoivent-ils la nouvelle situation ?*

11. *La parodie de Racine : comment comprenez-vous le recours à ce procédé stylistique ?*

Portrait de Manon. *Tableau de Hippolyte Lucas.*

3845 Ce dessein, tout extravagant qu'il était, nous parut assez bien arrangé. Mais il y avait, dans le fond, une folle imprudence à s'imaginer que quand il eût réussi le plus heureusement du monde, nous eussions jamais pu nous mettre à couvert des suites. Cependant nous nous expo-
3850 sâmes avec la plus téméraire confiance. Manon partit avec Marcel : c'est ainsi que se nommait notre valet. Je la vis partir avec douleur. Je lui dis en l'embrassant : Manon, ne me trompez point ; me serez-vous fidèle ? Elle se plaignit tendrement de ma défiance, et elle me
3855 renouvela tous ses serments.

Son compte était d'arriver à Paris sur les trois heures. Je partis après elle. J'allais me morfondre, le reste de l'après-midi, dans le café de Féré au pont Saint-Michel ; j'y demeurai jusqu'à la nuit. J'en sortis alors pour
3860 prendre un fiacre, que je postai, suivant notre projet, à l'entrée de la rue Saint-André-des-Arcs ; ensuite je gagnai à pied la porte de la Comédie. Je fus surpris de n'y pas trouver Marcel, qui devait être à m'attendre. Je pris patience pendant une heure, confondu dans une
3865 foule de laquais, et l'œil ouvert sur tous les passants. Enfin, sept heures étant sonnées, sans que j'eusse rien aperçu qui eût rapport à nos desseins, je pris un billet de parterre, pour aller voir si je découvrirais Manon et G... M... dans les loges. Ils n'y étaient ni l'un ni l'autre.
3870 Je retournai à la porte, où je passai encore un quart d'heure, transporté d'impatience et d'inquiétude. N'ayant rien vu paraître, je rejoignis mon fiacre, sans pouvoir m'arrêter à la moindre résolution. Le cocher, m'ayant aperçu, vint quelques pas au-devant de moi
3875 pour me dire, d'un air mystérieux, qu'une jolie demoi- selle m'attendait depuis une heure dans le carrosse ; qu'elle m'avait demandé, à des signes qu'il avait bien reconnus, et qu'ayant appris que je devais revenir, elle avait dit qu'elle ne s'impatienterait point à m'attendre.
3880 Je me figurai aussitôt que c'était Manon. J'approchai. Mais je vis un joli petit visage qui n'était pas le sien. C'était une étrangère, qui me demanda d'abord si elle n'avait pas l'honneur de parler à M. le Chevalier Des Grieux. Je lui dis que c'était mon nom. J'ai une lettre à
3885 vous rendre, reprit-elle, qui vous instruira du sujet qui

m'amène, et par quel rapport j'ai l'avantage de
connaître votre nom. Je la priai de me donner le temps
de la lire dans un cabaret voisin. Elle voulut me suivre,
et elle me conseilla de demander une chambre à part.
3890 De qui vient cette lettre ? lui dis-je en montant : elle me
remit à la lecture[1].

Je reconnus la main de Manon. Voici à peu près ce
qu'elle me marquait : G... M... l'avait reçue avec une
politesse et une magnificence au-delà de toutes ses
3895 idées. Il l'avait comblée de présents. Il lui faisait envisager un sort de reine. Elle m'assurait néanmoins qu'elle
ne m'oubliait pas, dans cette nouvelle splendeur ; mais
que n'ayant pu faire consentir G... M... à la mener ce
soir à la Comédie, elle remettait à un autre jour le plaisir
3900 de me voir ; et que pour me consoler un peu de la peine
qu'elle prévoyait que cette nouvelle pouvait me causer,
elle avait trouvé le moyen de me procurer une des plus
jolies filles de Paris, qui serait la porteuse de son billet.
Signé, votre fidèle amante, MANON LESCAUT.
3905 Il y avait quelque chose de si cruel et de si insultant
pour moi dans cette lettre, que demeurant suspendu
quelque temps entre la colère et la douleur, j'entrepris
de faire un effort pour oublier éternellement mon ingrate
et parjure maîtresse. Je jetai les yeux sur la fille qui était
3910 devant moi : elle était extrêmement jolie, et j'aurais souhaité qu'elle l'eût été assez pour me rendre parjure et
infidèle à mon tour. Mais je n'y trouvai point ces yeux
fins et languissants, ce port divin, ce teint de la composition de l'Amour, enfin ce fonds inépuisable de charmes
3915 que la nature avait prodigués à la perfide Manon. Non,
non, lui dis-je en cessant de la regarder, l'ingrate qui
vous envoie savait fort bien qu'elle vous faisait faire une
démarche inutile. Retournez à elle, et dites-lui de ma
part qu'elle jouisse de son crime, et qu'elle en jouisse,
3920 s'il se peut, sans remords. Je l'abandonne sans retour, et
je renonce en même temps à toutes les femmes, qui ne
sauraient être aussi aimables qu'elle, et qui sont, sans

---

1. *elle me remit à la lecture* : signifie : « lisez-la d'abord ».

doute, aussi lâches et d'aussi mauvaise foi. Je fus alors sur le point de descendre et de me retirer, sans prétendre davantage à Manon ; et la jalousie mortelle qui me déchirait le cœur se déguisant en une morne et sombre tranquillité, je me crus d'autant plus proche de ma guérison, que je ne sentais nul de ces mouvements violents dont j'avais été agité dans les mêmes occasions. Hélas ! j'étais la dupe de l'amour autant que je croyais l'être de G... M... et de Manon.

Cette fille qui m'avait apporté la lettre, me voyant prêt à descendre l'escalier, me demanda ce que je voulais donc qu'elle rapportât à M. de G... M... et à la dame qui était avec lui. Je rentrai dans la chambre à cette question ; et par un changement incroyable à ceux qui n'ont jamais senti de passions violentes, je me trouvai, tout d'un coup, de la tranquillité où je croyais être, dans un transport terrible de fureur. Va, lui dis-je, rapporte au traître G... M... et à sa perfide maîtresse le désespoir où ta maudite lettre m'a jeté ; mais apprends-leur qu'ils n'en riront pas longtemps, et que je les poignarderai tous deux de ma propre main. Je me jetai sur une chaise. Mon chapeau tomba d'un côté, et ma canne de l'autre. Deux ruisseaux de larmes amères commencèrent à couler de mes yeux. L'accès de rage que je venais de sentir se changea dans une profonde douleur. Je ne fis plus que pleurer, en poussant des gémissements et des soupirs. Approche, mon enfant, approche, m'écriai-je en parlant à la jeune fille ; approche, puisque c'est toi qu'on envoie pour me consoler. Dis-moi si tu sais des consolations contre la rage et le désespoir, contre l'envie de se donner la mort à soi-même, après avoir tué deux perfides qui ne méritent pas de vivre. Oui, approche, continuai-je, en voyant qu'elle faisait vers moi quelques pas timides et incertains. Viens essuyer mes larmes, viens rendre la paix à mon cœur, viens me dire que tu m'aimes, afin que je m'accoutume à l'être d'une autre que de mon infidèle. Tu es jolie, je pourrai peut-être t'aimer à mon tour. Cette pauvre enfant, qui n'avait pas seize ou dix-sept ans, et qui paraissait avoir plus de pudeur que ses pareilles, était extraordinairement surprise d'une si étrange scène. Elle s'approcha néanmoins

pour me faire quelques caresses ; mais je l'écartai aussi-
3965 tôt, en la repoussant de mes mains. Que veux-tu de
moi ? lui dis-je. Ah ! tu es une femme, tu es d'un sexe que
je déteste et que je ne puis plus souffrir. La douceur de
ton visage me menace encore de quelque trahison. Va-
t'en et laisse-moi seul ici. Elle me fit une révérence, sans
3970 oser rien dire, et elle se tourna pour sortir. Je lui criai de
s'arrêter. Mais apprends-moi du moins, repris-je, pourquoi, comment, à quel dessein tu as été envoyée ici.
Comment as-tu découvert mon nom et le lieu où tu pouvais me trouver ?
3975   Elle me dit qu'elle connaissait de longue main M. de
G... M... ; qu'il l'avait envoyé chercher à cinq heures, et
qu'ayant suivi le laquais qui l'avait avertie, elle était allée
dans une grande maison, où elle l'avait trouvé qui jouait
au piquet avec une jolie dame, et qu'ils l'avaient chargée
3980 tous deux de me rendre la lettre qu'elle m'avait appor-
tée, après lui avoir appris qu'elle me trouverait dans un
carrosse au bout de la rue Saint-André. Je lui demandai
s'ils ne lui avaient rien dit de plus. Elle me répondit, en
rougissant, qu'ils lui avaient fait espérer que je la pren-
3985 drais pour me tenir compagnie. On t'a trompée, lui dis-
je ; ma pauvre fille, on t'a trompée. Tu es une femme, il
te faut un homme ; mais il t'en faut un qui soit riche et
heureux, et ce n'est pas ici que tu le peux trouver.
Retourne, retourne à M. de G... M... Il a tout ce qu'il faut
3990 pour être aimé des belles ; il a des hôtels meublés et des
équipages à donner. Pour moi, qui n'ai que de l'amour et
de la constance à offrir, les femmes méprisent ma
misère et font leur jouet de ma simplicité[1].
  J'ajoutai mille choses, ou tristes ou violentes, suivant
3995 que les passions qui m'agitaient tour à tour cédaient ou
emportaient le dessus. Cependant, à force de me tourmenter, mes transports diminuèrent assez pour faire
place à quelques réflexions. Je comparai cette dernière
infortune à celles que j'avais déjà essuyées dans le même
4000 genre, et je ne trouvai pas qu'il y eût plus à désespérer

1. *ma simplicité* : ma naïveté.

que dans les premières. Je connaissais Manon ; pourquoi m'affliger tant d'un malheur que j'avais dû prévoir ? Pourquoi ne pas m'employer plutôt à chercher du remède ? Il était encore temps. Je devais du moins n'y
4005 pas épargner mes soins, si je ne voulais avoir à me reprocher d'avoir contribué, par ma négligence, à mes propres peines. Je me mis là-dessus à considérer tous les moyens qui pouvaient m'ouvrir un chemin à l'espérance.

4010 Entreprendre de l'arracher avec violence des mains de G... M..., c'était un parti désespéré, qui n'était propre qu'à me perdre, et qui n'avait pas la moindre apparence de succès. Mais il me semblait que si j'eusse pu me procurer le moindre entretien avec elle, j'aurais gagné
4015 infailliblement quelque chose sur son cœur. J'en connaissais si bien tous les endroits sensibles ! J'étais si sûr d'être aimé d'elle ! Cette bizarrerie même, de m'avoir envoyé une jolie fille pour me consoler, j'aurais parié qu'elle venait de son invention, et que c'était un
4020 effet de sa compassion pour mes peines. Je résolus d'employer toute mon industrie[1] pour la voir. Parmi quantité de voies que j'examinai l'une après l'autre, je m'arrêtai à celle-ci. M. de T... avait commencé à me rendre service avec trop d'affection, pour me laisser le
4025 moindre doute de sa sincérité et de son zèle. Je me proposai d'aller chez lui sur-le-champ, et de l'engager à faire appeler G... M... sous le prétexte d'une affaire importante. Il ne me fallait qu'une demi-heure pour parler à Manon. Mon dessein était de me faire introduire
4030 dans sa chambre même, et je crus que cela me serait aisé dans l'absence de G... M... Cette résolution m'ayant rendu plus tranquille, je payai libéralement la jeune fille, qui était encore avec moi ; et pour lui ôter l'envie de retourner chez ceux qui me l'avaient envoyée, je pris
4035 son adresse, en lui faisant espérer que j'irais passer la nuit avec elle. Je montai dans mon fiacre, et je me fis conduire à grand train chez M. de T... Je fus assez heu-

---

1. *mon industrie* : habileté, ingéniosité.

reux pour l'y trouver. J'avais eu là-dessus de l'inquiétude
en chemin. Un mot le mit au fait de mes peines, et du
4040 service que je venais lui demander. Il fut si étonné d'apprendre que G... M... avait pu séduire Manon, qu'ignorant que j'avais eu part moi-même à mon malheur, il
m'offrit généreusement de rassembler tous ses amis,
pour employer leurs bras et leurs épées à la délivrance
4045 de ma maîtresse. Je lui fis comprendre que cet éclat
pouvait être pernicieux à Manon et à moi. Réservons
notre sang, lui dis-je, pour l'extrémité. Je médite une
voie plus douce, et dont je n'espère pas moins de succès. Il s'engagea, sans exception, à faire tout ce que je
4050 demanderais de lui ; et lui ayant répété qu'il ne s'agissait
que de faire avertir G... M... qu'il avait à lui parler, et de
le tenir dehors une heure ou deux, il partit aussitôt avec
moi pour me satisfaire.

Nous cherchâmes de quel expédient il pourrait se ser-
4055 vir, pour l'arrêter si longtemps. Je lui conseillai de lui
écrire d'abord un billet simple, daté d'un cabaret, par
lequel il le prierait de s'y rendre aussitôt, pour une
affaire si importante qu'elle ne pouvait souffrir de délai.
J'observerai, ajoutai-je, le moment de sa sortie, et je
4060 m'introduirai sans peine dans la maison, n'y étant
connu que de Manon et de Marcel, qui est mon valet.
Pour vous, qui serez pendant ce temps-là avec G... M...,
vous pourrez lui dire que cette affaire importante, pour
laquelle vous souhaitez lui parler, est un besoin
4065 d'argent ; que vous venez de perdre le vôtre au jeu, et
que vous avez joué beaucoup plus sur votre parole, avec
le même malheur. Il lui faudra du temps pour vous
mener à son coffre-fort, et j'en aurai suffisamment pour
exécuter mon dessein.

4070 M. de T... suivit cet arrangement de point en point. Je
le laissai dans un cabaret, où il écrivit promptement sa
lettre. J'allai me placer à quelques pas de la maison de
Manon. Je vis arriver le porteur du message, et G... M...
sortir à pied, un moment après, suivi d'un laquais. Lui
4075 ayant laissé le temps de s'éloigner de la rue, je m'avançai à la porte de mon infidèle ; et malgré toute ma
colère, je frappai avec le respect qu'on a pour un
temple. Heureusement, ce fut Marcel qui vint m'ouvrir.

Je lui fis signe de se taire. Quoique je n'eusse rien à
4080 craindre des autres domestiques, je lui demandai tout
bas s'il pouvait me conduire dans la chambre où était
Manon, sans que je fusse aperçu. Il me dit que cela était
aisé en montant doucement par le grand escalier. Allons
donc promptement, lui dis-je, et tâche d'empêcher,
4085 pendant que j'y serai, qu'il n'y monte personne. Je
pénétrai sans obstacle jusqu'à l'appartement.

Manon était occupée à lire. Ce fut là que j'eus lieu
d'admirer[1] le caractère de cette étrange fille. Loin d'être
effrayée et de paraître timide en m'apercevant, elle ne
4090 donna que ces marques légères de surprise dont on n'est
pas le maître à la vue d'une personne qu'on croit éloi-
gnée. Ah! c'est vous, mon amour, me dit-elle en venant
m'embrasser avec sa tendresse ordinaire. Bon Dieu! que
vous êtes hardi! Qui vous aurait attendu aujourd'hui en
4095 ce lieu? Je me dégageai de ses bras, et loin de répondre
à ses caresses, je la repoussai avec dédain, et je fis deux
ou trois pas en arrière pour m'éloigner d'elle. Ce mouvement ne laissa pas de la déconcerter. Elle demeura dans
la situation où elle était, et elle jeta les yeux sur moi, en
4100 changeant de couleur. J'étais dans le fond si charmé de
la revoir, qu'avec tant de justes sujets de colère, j'avais à
peine la force d'ouvrir la bouche pour la quereller.
Cependant mon cœur saignait du cruel outrage qu'elle
m'avait fait. Je le rappelais vivement à ma mémoire,
4105 pour exciter mon dépit, et je tâchais de faire briller dans
mes yeux un autre feu que celui de l'amour. Comme je
demeurai quelque temps en silence, et qu'elle remarqua
mon agitation, je la vis trembler, apparemment par un
effet de sa crainte.

4110 Je ne pus soutenir ce spectacle. Ah! Manon, lui dis-je
d'un ton tendre, infidèle et parjure Manon! par où
commencerai-je à me plaindre? Je vous vois pâle et
tremblante, et je suis encore si sensible à vos moindres
peines, que je crains de vous affliger trop par mes
4115 reproches. Mais, Manon, je vous le dis, j'ai le cœur percé

---

1. *admirer* : au sens latin de s'étonner.

de la douleur de votre trahison. Ce sont là des coups qu'on ne porte point à un amant, quand on n'a pas résolu sa mort. Voici la troisième fois, Manon ; je les ai bien comptées ; il est impossible que cela s'oublie. C'est
4120 à vous de considérer à l'heure même quel parti vous voulez prendre ; car mon triste cœur n'est plus à l'épreuve d'un si cruel traitement. Je sens qu'il succombe et qu'il est prêt à se fendre de douleur. Je n'en puis plus, ajoutai-je en m'asseyant sur une chaise ; j'ai à
4125 peine la force de parler et de me soutenir.

Elle ne répondit point ; mais lorsque je fus assis, elle se laissa tomber à genoux, et elle appuya sa tête sur les miens, en cachant son visage de mes mains. Je sentis en un instant qu'elle les mouillait de larmes. Dieux ! de
4130 quels mouvements n'étais-je point agité ! Ah ! Manon, Manon, repris-je avec un soupir, il est bien tard de me donner des larmes, lorsque vous avez causé ma mort. Vous affectez une tristesse que vous ne sauriez sentir. Le plus grand de vos maux est sans doute ma présence, qui
4135 a toujours été importune à vos plaisirs. Ouvrez les yeux, voyez qui je suis ; on ne verse pas des pleurs si tendres pour un malheureux qu'on a trahi, et qu'on abandonne cruellement. Elle baisait mes mains sans changer de posture. Inconstante Manon, repris-je encore, fille
4140 ingrate et sans foi, où sont vos promesses et vos serments ? Amante mille fois volage et cruelle, qu'as-tu fait de cet amour que tu me jurais encore aujourd'hui ? Juste Ciel, ajoutai-je, est-ce ainsi qu'une infidèle se rit de vous, après vous avoir attesté si saintement ? C'est donc
4145 le parjure qui est récompensé ! Le désespoir et l'abandon sont pour la constance et la fidélité.

Ces paroles furent accompagnées d'une réflexion si amère, que j'en laissai échapper malgré moi quelques larmes. Manon s'en aperçut au changement de ma voix.
4150 Elle rompit enfin le silence. Il faut bien que je sois coupable, me dit-elle tristement, puisque j'ai pu vous causer tant de douleur et d'émotion ; mais que le Ciel me punisse si j'ai cru l'être, ou si j'ai eu la pensée de le devenir ! Ce discours me parut si dépourvu de sens et de
4155 bonne foi, que je ne pus me défendre d'un vif mouvement de colère. Horrible dissimulation ! m'écriai-je. Je

vois mieux que jamais que tu n'es qu'une coquine et une perfide. C'est à présent que je connais ton misérable caractère. Adieu, lâche créature, continuai-je en me levant ; j'aime mieux mourir mille fois que d'avoir désormais le moindre commerce avec toi. Que le Ciel me punisse moi-même si je t'honore jamais du moindre regard ! Demeure avec ton nouvel amant, aime-le, déteste-moi, renonce à l'honneur, au bon sens ; je m'en ris, tout m'est égal.

Elle fut si épouvantée de ce transport, que demeurant à genoux près de la chaise d'où je m'étais levé, elle me regardait en tremblant et sans oser respirer. Je fis encore quelques pas vers la porte, en tournant la tête, et tenant les yeux fixés sur elle. Mais il aurait fallu que j'eusse perdu tous sentiments d'humanité, pour m'endurcir contre tant de charmes. J'étais si éloigné d'avoir cette force barbare que, passant tout d'un coup à l'extrémité opposée, je retournai vers elle, ou plutôt je m'y précipitai sans réflexion. Je la pris entre mes bras, je lui donnai mille tendres baisers. Je lui demandai pardon de mon emportement. Je confessai que j'étais un brutal, et que je ne méritais pas le bonheur d'être aimé d'une fille comme elle. Je la fis asseoir, et m'étant mis à genoux à mon tour, je la conjurai de m'écouter en cet état. Là, tout ce qu'un amant soumis et passionné peut imaginer de plus respectueux et de plus tendre, je le renfermai en peu de mots dans mes excuses. Je lui demandai en grâce de prononcer qu'elle me pardonnait. Elle laissa tomber ses bras sur mon cou, en disant que c'était elle-même qui avait besoin de ma bonté, pour me faire oublier les chagrins qu'elle me causait, et qu'elle commençait à craindre avec raison que je ne goûtasse point ce qu'elle avait à me dire pour se justifier. Moi ! interrompis-je aussitôt, ah ! je ne vous demande point de justification. J'approuve tout ce que vous avez fait. Ce n'est point à moi d'exiger des raisons de votre conduite ; trop content, trop heureux, si ma chère Manon ne m'ôte point la tendresse de son cœur ! Mais, continuai-je, en réfléchissant sur l'état de mon sort, toute-puissante Manon ! vous qui faites à votre gré mes joies et mes douleurs, après vous avoir satisfait par mes humiliations et par les marques de mon repentir, ne me sera-t-il point permis de vous parler de ma tristesse et de mes peines ? Apprendrai-je de vous ce qu'il faut que je devienne aujourd'hui, et si c'est sans retour que vous allez signer ma mort, en passant la nuit avec mon rival ?

Elle fut quelque temps à méditer sa réponse : Mon Chevalier, me dit-elle, en reprenant un air tranquille, si vous vous étiez d'abord expliqué si nettement, vous vous seriez épargné bien du trouble et à moi une scène bien affligeante. Puisque votre peine ne vient que de votre jalousie, je l'aurais guérie en m'offrant à vous suivre sur-le-champ au bout du monde. Mais je me suis figuré que c'était la lettre que je vous ai écrite sous les yeux de M. de G... M... et la fille que nous vous avons envoyée, qui causaient votre chagrin. J'ai cru que vous auriez pu regarder ma lettre comme une raillerie, et cette fille, en vous imaginant qu'elle était allée vous trouver de ma part, comme une déclaration que je renonçais à vous pour m'attacher à G... M... C'est cette pensée qui m'a jetée tout d'un coup dans la consternation ; car, quelque innocente que je fusse, je trouvais, en y pensant, que les apparences ne m'étaient pas favorables. Cependant, continua-t-elle, je veux que vous soyez mon juge, après que je vous aurai expliqué la vérité du fait.

Elle m'apprit alors tout ce qui lui était arrivé, depuis qu'elle avait trouvé G... M..., qui l'attendait dans le lieu où nous étions. Il l'avait reçue effectivement comme la première Princesse du monde. Il lui avait montré tous les appartements, qui étaient d'un goût et d'une propreté admirables. Il lui avait compté dix mille livres dans son cabinet, et il y avait ajouté quelques bijoux, parmi lesquels étaient le collier et les bracelets de perles qu'elle avait déjà eus de son père. Il l'avait menée de là dans un salon qu'elle n'avait pas encore vu, où elle avait trouvé une collation exquise. Il l'avait fait servir par les nouveaux domestiques qu'il avait pris pour elle, en leur ordonnant de la regarder désormais comme leur maîtresse ; enfin il lui avait fait voir le carrosse, les chevaux et tout le reste de ses présents ; après quoi il lui avait proposé une partie de jeu, pour attendre le souper. Je vous avoue, continua-t-elle, que j'ai été frappée de cette

magnificence. J'ai fait réflexion que ce serait dommage
4240 de nous priver tout d'un coup de tant de biens, en me
contentant d'emporter les dix mille francs et les bijoux ;
que c'était une fortune toute faite pour vous et pour moi,
et que nous pourrions vivre agréablement aux dépens de
G... M... Au lieu de lui proposer la Comédie, je me suis
4245 mis dans la tête de le sonder sur votre sujet, pour pres-
sentir quelles facilités nous aurions à nous voir, en suppo-
sant l'exécution de mon système. Je l'ai trouvé d'un
caractère fort traitable. Il m'a demandé ce que je pensais
de vous, et si je n'avais pas eu quelque regret à vous
4250 quitter. Je lui ai dit que vous étiez si aimable et que vous
en aviez toujours usé si honnêtement avec moi, qu'il
n'était pas naturel que je pusse vous haïr. Il a confessé
que vous aviez du mérite, et qu'il s'était senti porté à
désirer votre amitié. Il a voulu savoir de quelle manière je
4255 croyais que vous prendriez mon départ, surtout lorsque
vous viendriez à savoir que j'étais entre ses mains. Je lui ai
répondu que la date de notre amour était déjà si
ancienne, qu'il avait eu le temps de se refroidir un peu ;
que vous n'étiez pas d'ailleurs fort à votre aise, et que
4260 vous ne regarderiez peut-être pas ma perte comme un
grand malheur, parce qu'elle vous déchargerait d'un fardeau qui vous pesait sur les bras. J'ai ajouté qu'étant tout
à fait convaincue que vous agiriez pacifiquement, je
n'avais pas fait difficulté de vous dire que je venais à Paris
4265 pour quelques affaires ; que vous y aviez consenti, et qu'y
étant venu vous-même, vous n'aviez pas paru extrêmement inquiet, lorsque je vous avais quitté. Si je croyais,
m'a-t-il dit, qu'il fût d'humeur à bien vivre avec moi, je
serais le premier à lui offrir mes services et mes civilités.
4270 Je l'ai assuré que du caractère dont je vous connaissais, je
ne doutais point que vous n'y répondissiez honnêtement ;
surtout, lui ai-je dit, s'il pouvait vous servir dans vos
affaires, qui étaient fort dérangées depuis que vous étiez
mal avec votre famille. Il m'a interrompue, pour me pro-
4275 tester qu'il vous rendrait tous les services qui dépen-
draient de lui ; et que si vous vouliez même vous embarquer dans un autre amour, il vous procurerait une jolie
maîtresse, qu'il avait quittée pour s'attacher à moi. J'ai
applaudi à son idée, ajouta-t-elle, pour prévenir plus par-

4280 faitement tous ses soupçons ; et me confirmant de plus en plus dans mon projet, je ne souhaitais que de pouvoir trouver le moyen de vous en informer, de peur que vous ne fussiez trop alarmé lorsque vous me verriez manquer à notre assignation. C'est dans cette vue que je lui ai pro-
4285 posé de vous envoyer cette nouvelle maîtresse dès le soir même, afin d'avoir une occasion de vous écrire ; j'étais obligée d'avoir recours à cette adresse, parce que je ne pouvais espérer qu'il me laissât libre un moment. Il a ri de ma proposition. Il a appelé son laquais, et lui ayant
4290 demandé s'il pourrait retrouver sur-le-champ son ancienne maîtresse, il l'a envoyé de côté et d'autre pour la chercher. Il s'imaginait que c'était à Chaillot qu'il fallait qu'elle allât vous trouver ; mais je lui ai appris qu'en vous quittant, je vous avais promis de vous rejoindre à la
4295 Comédie ; ou que si quelque raison m'empêchait d'y aller, vous vous étiez engagé à m'attendre dans un carrosse au bout de la rue Saint-André ; qu'il valait mieux par conséquent vous envoyer là votre nouvelle amante, ne fût-ce que pour vous empêcher de vous y morfondre
4300 pendant toute la nuit. Je lui ai dit encore qu'il était à propos de vous écrire un mot, pour vous avertir de cet échange, que vous auriez peine à comprendre sans cela. Il y a consenti ; mais j'ai été obligée d'écrire en sa présence, et je me suis bien gardée de m'expliquer trop ouverte-
4305 ment dans ma lettre. Voilà, ajouta Manon, de quelle manière les choses se sont passées. Je ne vous déguise rien, ni de ma conduite, ni de mes desseins. La jeune fille est venue, je l'ai trouvée jolie ; et comme je ne doutais point que mon absence ne vous causât de la peine, c'était
4310 sincèrement que je souhaitais qu'elle pût servir à vous désennuyer quelques moments, car la fidélité que je sou-haite de vous est celle du cœur. J'aurais été ravie de pouvoir vous envoyer Marcel ; mais je n'ai pu me procurer un moment pour l'instruire de ce que j'avais à vous faire
4315 savoir. Elle conclut enfin son récit, en m'apprenant l'em-barras où G... M... s'était trouvé en recevant le billet de M. de T... Il a balancé, me dit-elle, s'il devait me quitter, et il m'a assuré que son retour ne tarderait point. C'est ce qui fait que je ne vous vois point ici sans inquiétude, et que j'ai
4320 marqué de la surprise à votre arrivée.

Troisième épisode : troisième trahison de Manon.

Compréhension

1. *Pourquoi Manon a-t-elle cédé aux offres du jeune G... M... alors qu'elle a éconduit le vieux G... M... et le prince italien ? Quels espoirs nourrit-elle pour elle et pour son chevalier ?*

2. *Comment expliquez-vous le comportement de Manon ? Pourquoi la première intervention de la jeune femme plonge-t-elle le chevalier dans l'étonnement ?*

3. *Quelles sont les situations précédentes évoquées dans l'expression «voici la troisième fois» ?*

4. *À quels arguments Manon fait-elle appel pour répondre aux accusations de son amant ?*

5. *Analysez la composition des plaintes de Des Grieux et relevez les éléments qui en scandent les parties.*

6. *Qu'est-ce qui provoque le brusque changement d'attitude du chevalier et que traduit ce retournement ? Quel est le seul reproche qu'il adresse à son amante à la fin du dialogue ?*

7. *Relevez et analysez les éléments du projet envisagé par le couple pour échapper à la reddition de Manon et, à la lumière d'une situation analogue antérieure, dites quelles en sont les faiblesses et les risques ?*

8. *Quel est le rôle joué par le jeune M. de T. ?*

9. *Quels sont les signes de la réalité de l'époque dans cette séquence narrative ?*

• Les personnages

10. *Quels sentiments la lettre de Manon inspire-t-elle au chevalier ?*

11. *Quelle conception de l'amour cette lettre révèle-t-elle ?*

Écriture

12. *En quoi le style de chaque personnage évoque-t-il l'opposition de leur caractère et de leur vision du monde ?*

13. *Quelle signification tirez-vous des types de phrase et du registre des vocabulaires ?*

14. *Quels sont les éléments descriptifs qui font de la séquence narrative un tableau animé ?*

15. *À quel registre de vocabulaire appartient le langage du chevalier ?*

16. *Relevez les éléments du champ lexical du désespoir et de la douleur et celui de la trahison amoureuse.*

17. *Quel effet esthétique et sémantique* produit le changement de personne dans le dialogue ?*

18. *Quelles sont les marques du lyrisme* dans la dernière intervention du chevalier ?*

19. *Au sein des monologues du chevalier, comment se manifeste la présence d'une tonalité racinienne ?*

20. *Comment analysez-vous l'expression, « car la fidélité que je souhaite de vous est celle du cœur » (ll. 4310 à 4312) ?*

L'enlèvement du fils du vieux G... M... *(l. 4426).*
Dessin de Maurice Leloir, 1885.

4320 J'écoutai ce discours avec beaucoup de patience. J'y trouvais assurément quantité de traits cruels et mortifiants pour moi, car le dessein de son infidélité était si clair, qu'elle n'avait pas même eu le soin de me le déguiser. Elle ne pouvait espérer que G... M... la laissât, toute

4325 la nuit, comme une vestale. C'était donc avec lui qu'elle comptait de la passer. Quel aveu pour un amant ! Cependant je considérai que j'étais cause en partie de sa faute, par la connaissance que je lui avais donnée d'abord des sentiments que G... M... avait pour elle, et par la

4330 complaisance que j'avais eue d'entrer aveuglément dans le plan téméraire de son aventure. D'ailleurs, par un tour naturel de génie qui m'est particulier, je fus touché de l'ingénuité de son récit, et de cette manière bonne et ouverte avec laquelle elle me racontait jusqu'aux cir-

4335 constances dont j'étais le plus offensé. Elle pèche sans malice, disais-je en moi-même. Elle est légère et imprudente ; mais elle est droite et sincère. Ajoutez que l'amour suffisait seul pour me fermer les yeux sur toutes ses fautes. J'étais trop satisfait de l'espérance de l'en-

4340 lever le soir même à mon rival. Je lui dis néanmoins : Et la nuit, avec qui l'auriez-vous passée ? Cette question, que je lui fis tristement, l'embarrassa. Elle ne me répondit que par des mais et des si interrompus. J'eus pitié de sa peine ; et rompant ce discours, je lui déclarai naturel-

4345 lement que j'attendais d'elle qu'elle me suivît à l'heure même. Je le veux bien, me dit-elle ; mais vous n'approuvez donc pas mon projet ? Ah ! n'est-ce pas assez, repartis-je, que j'approuve tout ce que vous avez fait jusqu'à présent ? Quoi ! nous n'emporterons pas même les dix

4350 mille francs[1] ? répliqua-t-elle. Il me les a donnés. Ils sont à moi. Je lui conseillai d'abandonner tout, et de ne penser qu'à nous éloigner promptement ; car quoiqu'il y eût à peine une demi-heure que j'étais avec elle, je craignais le retour de G... M... Cependant elle me fit de si pres-

4355 santes instances, pour me faire consentir à ne pas sortir

---

1. *dix mille francs* (or) : environ 200 000 F.

les mains vides, que je crus lui devoir accorder quelque chose, après avoir tant obtenu d'elle.

Dans le temps que nous nous préparions au départ, j'entendis frapper à la porte de la rue. Je ne doutai nulle- ment que ce ne fût G... M...; et dans le trouble où cette pensée me jeta, je dis à Manon que c'était un homme mort s'il paraissait. Effectivement je n'étais pas assez revenu de mes transports, pour me modérer à sa vue. Marcel finit ma peine, en m'apportant un billet qu'il avait reçu pour moi à la porte. Il était de M. de T... Il me marquait que G... M... étant allé lui chercher de l'argent à sa maison, il profitait de son absence pour me commu- niquer une pensée fort plaisante : qu'il lui semblait que je ne pouvais me venger plus agréablement de mon rival, qu'en mangeant son souper et en couchant, cette nuit même, dans le lit qu'il espérait d'occuper avec ma maîtresse ; que cela lui paraissait assez facile, si je pou- vais m'assurer de trois ou quatre hommes qui eussent assez de résolution pour l'arrêter dans la rue, et de fidé- lité pour le garder à vue jusqu'au lendemain ; que pour lui, il promettait de l'amuser encore une heure pour le moins, par des raisons qu'il tenait prêtes pour son retour. Je montrai ce billet à Manon, et je lui appris de quelle ruse je m'étais servi pour m'introduire librement chez elle. Mon invention et celle de M. de T... lui parurent admirables. Nous en rîmes à notre aise pen- dant quelques moments. Mais lorsque je lui parlai de la dernière comme d'un badinage, je fus surpris qu'elle insistât sérieusement à me la proposer comme une chose dont l'idée la ravissait. En vain lui demandai-je où elle voulait que je trouvasse, tout d'un coup, des gens propres à arrêter G... M... et à le garder fidèlement. Elle me dit qu'il fallait du moins tenter, puisque M. de T... nous garantissait encore une heure ; et pour réponse à mes autres objections, elle me dit que je faisais le tyran et que je n'avais pas de complaisance pour elle. Elle ne trouvait rien de si joli que ce projet. Vous aurez son couvert à souper, me répétait-elle, vous coucherez dans ses draps, et demain de grand matin vous enlèverez sa maîtresse et son argent. Vous serez bien vengé du père et du fils.

Je cédai à ses instances, malgré les mouvements secrets de mon cœur, qui semblaient me présager une catastrophe malheureuse. Je sortis, dans le dessein de prier deux ou trois gardes du corps avec lesquels Lescaut m'avait mis en liaison, de se charger du soin d'arrêter G... M... Je n'en trouvai qu'un au logis ; mais c'était un homme entreprenant, qui n'eut pas plus tôt su de quoi il était question, qu'il m'assura du succès ; il me demanda seulement dix pistoles, pour récompenser trois soldats aux gardes, qu'il prit la résolution d'employer, en se mettant à leur tête. Je le priai de ne pas perdre de temps. Il les assembla en moins d'un quart d'heure. Je l'attendais à sa maison ; et lorsqu'il fut de retour avec ses associés, je le conduisis moi-même au coin d'une rue par laquelle G... M... devait nécessairement rentrer dans celle de Manon. Je lui recommandai de ne le pas maltraiter, mais de le garder si étroitement jusqu'à sept heures du matin, que je pusse être assuré qu'il ne lui échapperait pas. Il me dit que son dessein était de le conduire à sa chambre et de l'obliger à se déshabiller, ou même à se coucher dans son lit, tandis que lui et ses trois braves passeraient la nuit à boire et à jouer. Je demeurai avec eux jusqu'au moment où je vis paraître G... M... ; et je me retirai alors quelques pas au-dessous, dans un endroit obscur, pour être témoin d'une scène si extraordinaire. Le garde du corps l'aborda, le pistolet au poing, et lui expliqua civilement qu'il n'en voulait ni à sa vie ni à son argent ; mais que s'il faisait la moindre difficulté de le suivre, ou s'il jetait le moindre cri, il allait lui brûler la cervelle. G... M..., le voyant soutenu par trois soldats, et craignant sans doute la bourre[1] du pistolet, ne fit pas de résistance. Je le vis emmener comme un mouton. Je retournai aussitôt chez Manon ; et pour ôter tout soupçon aux domestiques, je lui dis, en entrant, qu'il ne fallait pas attendre M. de G... M... pour souper ; qu'il lui était survenu des affaires qui le retenaient malgré lui, et

---

1. *la bourre* : la bourre retenait la poudre dans toutes les armes qui se chargeaient par le canon. C'est une manière de dire que le pistolet était chargé à blanc.

qu'il m'avait prié de venir lui en faire ses excuses et souper avec elle, ce que je regardais comme une grande
4435 faveur, auprès d'une si belle dame. Elle seconda fort adroitement mon dessein. Nous nous mîmes à table. Nous y prîmes un air grave, pendant que les laquais demeurèrent à nous servir. Enfin, les ayant congédiés, nous passâmes une des plus charmantes soirées de notre
4440 vie. J'ordonnai en secret à Marcel de chercher un fiacre, et de l'avertir de se trouver le lendemain à la porte, avant six heures du matin. Je feignis de quitter Manon vers minuit ; mais étant rentré doucement, par le secours de Marcel, je me préparai à occuper le lit de G... M...,
4445 comme j'avais rempli sa place à table. Pendant ce temps-là, notre mauvais génie travaillait à nous perdre. Nous étions dans le délire du plaisir, et le glaive était suspendu sur nos têtes. Le fil qui le soutenait allait se rompre. Mais pour faire mieux entendre toutes les cir-
4450 constances de notre ruine, il faut en éclaircir la cause.

G... M... était suivi d'un laquais, lorsqu'il avait été arrêté par le garde du corps. Ce garçon, effrayé de l'aventure de son maître, retourna en fuyant sur ses pas ; et la première démarche qu'il fit pour le secourir, fut
4455 d'aller avertir le vieux G... M... de ce qui venait d'arriver. Une si fâcheuse nouvelle ne pouvait manquer de l'alarmer beaucoup. Il n'avait que ce fils, et sa vivacité était extrême pour son âge. Il voulut savoir d'abord du laquais tout ce que son fils avait fait l'après-midi ; s'il s'était
4460 querellé avec quelqu'un, s'il avait pris part au démêlé d'un autre, s'il s'était trouvé dans quelque maison suspecte. Celui-ci, qui croyait son maître dans le dernier danger, et qui s'imaginait ne devoir plus rien ménager pour lui procurer du secours, découvrit tout ce qu'il
4465 savait de son amour pour Manon et de la dépense qu'il avait faite pour elle ; la manière dont il avait passé l'après-midi dans sa maison jusqu'aux environs de neuf heures, sa sortie et le malheur de son retour. C'en fut assez pour faire soupçonner au vieillard que l'affaire de
4470 son fils était une querelle d'amour. Quoiqu'il fût au moins dix heures et demie du soir, il ne balança point à se rendre aussitôt chez M. le Lieutenant de Police. Il le pria de faire donner des ordres particuliers à toutes les

escouades du guet[1] ; et lui en ayant demandé une pour se
faire accompagner, il courut lui-même vers la rue où son
fils avait été arrêté ; il visita tous les endroits de la ville
où il espérait de le pouvoir trouver ; et n'ayant pu découvrir ses traces, il se fit conduire enfin à la maison de sa
maîtresse, où il se figura qu'il pouvait être retourné.

J'allais me mettre au lit, lorsqu'il arriva. La porte de la
chambre étant fermée, je n'entendis point frapper à
celle de la rue ; mais il entra, suivi de deux archers, et
s'étant informé inutilement de ce qu'était devenu son
fils, il lui prit envie de voir sa maîtresse, pour tirer d'elle
quelque lumière. Il monte à l'appartement, toujours
accompagné de ses archers. Nous étions prêts à nous
mettre au lit ; il ouvre la porte, et il nous glace le sang
par sa vue. Ô Dieu ! c'est le vieux G... M..., dis-je à
Manon. Je saute sur mon épée ; elle était malheureusement embarrassée dans mon ceinturon. Les archers, qui
virent mon mouvement, s'approchèrent aussitôt pour
me la saisir. Un homme en chemise est sans résistance.
Ils m'ôtèrent tous les moyens de me défendre.

G... M..., quoique troublé par ce spectacle, ne tarda
point à me reconnaître. Il remit encore plus aisément
Manon. Est-ce une illusion ? nous dit-il gravement ; ne
vois-je point le Chevalier Des Grieux et Manon Lescaut ?
J'étais si enragé de honte et de douleur, que je ne lui fis
pas de réponse. Il parut rouler, pendant quelque temps,
diverses pensées dans sa tête ; et comme si elles eussent
allumé tout d'un coup sa colère, il s'écria en s'adressant
à moi : Ah ! malheureux, je suis sûr que tu as tué mon
fils ! Cette injure me piqua vivement. Vieux scélérat, lui
répondis-je avec fierté, si j'avais eu à tuer quelqu'un de
ta famille, c'est par toi que j'aurais commencé. Tenez-le
bien, dit-il aux archers. Il faut qu'il me dise des nouvelles de mon fils ; je le ferai pendre demain, s'il ne
m'apprend tout à l'heure[2] ce qu'il en a fait. Tu me feras
pendre ? repris-je. Infâme ! ce sont tes pareils qu'il faut

---

1. *les escouades du guet* : ancien nom des patrouilles de police.
2. *tout à l'heure* : tout de suite.

Manon et Des Grieux surpris par le vieux G... M...
Gravure de J. J. Coiny, d'après L. J. Lefèvre. B. N.

4510 chercher au gibet. Apprends que je suis d'un sang plus
noble et plus pur que le tien. Oui, ajoutai-je, je sais ce
qui est arrivé à ton fils ; et si tu m'irrites davantage, je le
ferai étrangler avant qu'il soit demain, et je te promets le
même sort après lui.

4515 Je commis une imprudence, en lui confessant que je
savais où était son fils ; mais l'excès de ma colère me fit
faire cette indiscrétion. Il appela aussitôt cinq ou six
autres archers, qui l'attendaient à la porte, et il leur
ordonna de s'assurer de tous les domestiques de la mai-
4520 son. Ah ! Monsieur le Chevalier, reprit-il d'un ton rail-
leur, vous savez où est mon fils et vous le ferez étrangler,
dites-vous ? Comptez que nous y mettrons bon ordre. Je
sentis aussitôt la faute que j'avais commise. Il s'approcha
de Manon, qui était assise sur le lit en pleurant ; il lui dit
4525 quelques galanteries ironiques sur l'empire qu'elle avait
sur le père et sur le fils, et sur le bon usage qu'elle en
faisait. Ce vieux monstre d'incontinence voulut prendre
quelques familiarités avec elle. Garde-toi de la toucher !
m'écriai-je, il n'y aurait rien de sacré qui te pût sauver
4530 de mes mains. Il sortit en laissant trois archers dans la
chambre, auxquels il ordonna de nous faire prendre
promptement nos habits.

Je ne sais quels étaient alors ses desseins sur nous.
Peut-être eussions-nous obtenu la liberté en lui appre-
4535 nant où était son fils. Je méditais, en m'habillant, si ce
n'était pas le meilleur parti. Mais s'il était dans cette
disposition en quittant notre chambre, elle était bien
changée lorsqu'il y revint. Il était allé interroger les
domestiques de Manon, que les archers avaient arrêtés.
4540 Il ne put rien apprendre de ceux qu'elle avait reçus de
son fils ; mais lorsqu'il sut que Marcel nous avait servis
auparavant, il résolut de le faire parler, en l'intimidant
par des menaces.

C'était un garçon fidèle, mais simple et grossier. Le
4545 souvenir de ce qu'il avait fait à l'Hôpital pour délivrer
Manon, joint à la terreur que G... M... lui inspirait, fit
tant d'impression sur son esprit faible, qu'il s'imagina
qu'on allait le conduire à la potence ou sur la roue. Il
promit de découvrir tout ce qui était venu à sa connais-
4550 sance, si l'on voulait lui sauver la vie. G... M... se per-

suada là-dessus qu'il y avait quelque chose, dans nos
affaires, de plus sérieux et de plus criminel qu'il n'avait
eu lieu jusque-là de se le figurer. Il offrit à Marcel, non
seulement la vie, mais des récompenses pour sa confes-
4555 sion. Ce malheureux lui apprit une partie de notre dessein, sur lequel nous n'avions pas fait difficulté de nous
entretenir devant lui, parce qu'il devait y entrer pour
quelque chose. Il est vrai qu'il ignorait entièrement les
changements que nous y avions faits à Paris ; mais il
4560 avait été informé, en partant de Chaillot, du plan de
l'entreprise et du rôle qu'il y devait jouer. Il lui déclara
donc que notre vue était de duper son fils, et que Manon
devait recevoir ou avait déjà reçu dix mille francs, qui
selon notre projet ne retourneraient jamais aux héritiers
4565 de la maison de G... M...

Après cette découverte, le vieillard emporté remonta
brusquement dans notre chambre. Il passa, sans parler,
dans le cabinet, où il n'eut pas de peine à trouver la
somme et les bijoux. Il revint avec un visage
4570 enflammé ; et nous montrant ce qu'il lui plut de nommer
notre larcin, il nous accabla de reproches outrageants. Il
fit voir de près, à Manon, le collier de perles et les bracelets : Les reconnaissez-vous ? lui dit-il avec un sourire
moqueur. Ce n'était pas la première fois que vous les
4575 eussiez vus. Les mêmes, sur ma foi. Ils étaient de votre
goût, ma belle ; je me le persuade aisément. Les pauvres
enfants ! ajouta-t-il. Ils sont bien aimables en effet l'un et
l'autre ; mais ils sont un peu fripons. Mon cœur crevait
de rage, à ce discours insultant. J'aurais donné, pour être
4580 libre un moment... Juste Ciel ! que n'aurais-je pas
donné ! Enfin, je me fis violence pour lui dire, avec une
modération qui n'était qu'un raffinement de fureur :
Finissons, Monsieur, ces insolentes railleries. De quoi
est-il question ? Voyons, que prétendez-vous faire de
4585 nous ? Il est question, Monsieur le Chevalier, me répondit-il, d'aller de ce pas au Châtelet. Il fera jour demain ;
nous verrons plus clair dans nos affaires, et j'espère que
vous me ferez la grâce, à la fin, de m'apprendre où est
mon fils.

4590 Je compris, sans beaucoup de réflexions, que c'était
une chose d'une terrible conséquence pour nous d'être

une fois renfermés au Châtelet[1]. J'en prévis, en tremblant, tous les dangers. Malgré toute ma fierté, je
reconnus qu'il fallait plier sous le poids de ma fortune, et
4595 flatter mon plus cruel ennemi pour en obtenir quelque
chose par la soumission. Je le priai, d'un ton honnête,
de m'écouter un moment. Je me rends justice, Monsieur, lui dis-je. Je confesse que la jeunesse m'a fait
commettre de grandes fautes, et que vous en êtes assez
4600 blessé pour vous plaindre. Mais, si vous connaissez la
force de l'amour, si vous pouvez juger de ce que souffre
un malheureux jeune homme à qui l'on enlève tout ce
qu'il aime, vous me trouverez peut-être pardonnable
d'avoir cherché le plaisir d'une petite vengeance, ou du
4605 moins vous me croirez assez puni par l'affront que je
viens de recevoir. Il n'est besoin, ni de prison, ni de
supplice pour me forcer de vous découvrir où est Monsieur votre fils. Il est en sûreté. Mon dessein n'a pas été
de lui nuire, ni de vous offenser. Je suis prêt à vous
4610 nommer le lieu où il passe tranquillement la nuit, si vous
me faites la grâce de nous accorder la liberté. Ce vieux
tigre, loin d'être touché de ma prière, me tourna le dos
en riant. Il lâcha seulement quelques mots, pour me
faire comprendre qu'il savait notre dessein jusqu'à l'ori-
4615 gine. Pour ce qui regardait son fils, il ajouta brutalement
qu'il se retrouverait assez, puisque je ne l'avais pas
assassiné. Conduisez-les au Petit-Châtelet, dit-il aux
archers, et prenez garde que le Chevalier ne vous
échappe. C'est un rusé, qui s'est déjà sauvé de Saint-
4620 Lazare.

---

1. *Châtelet* : il s'agit du Petit-Châtelet qui se trouvait sur la rive gauche, en face du
Châtelet.

Questions

Quatrième épisode : en route vers le Petit-Châtelet.

Compréhension

1. *Dans la mise en scène prévue par Manon, le chevalier et M. de T., quel est le rôle joué par chaque personnage ?*

2. *En quoi leur réaction au cours de la réalisation du projet est-elle différente et pourquoi ?*

3. *Quels sont les faits qui créent le climat de l'aventure ?*

4. *En quoi peut-on rattacher cette scène au vaudeville* ? De quelle façon le malheur des amants et le piège dans lequel ils vont se jeter sont-ils présentés, et comment y contribuent-ils eux-mêmes, avec l'aide de M. de T. ?*

• **Les personnages**

5. *Montrez que le contenu du discours de G... M... rappelle ce que nous connaissions du personnage.*

6. *Que pensez-vous du comportement du chevalier dans une telle situation ?*

7. *Pourquoi Manon reste-t-elle silencieuse au cours de cette scène ?*

8. *Comment expliquez-vous l'appel à l'aide du chevalier à G... M... ? Quels arguments emploie-t-il pour le fléchir ?*

9. *Quel jugement moral porte Des Grieux sur ce dernier épisode ?*

Écriture

10. *Sur quel ton le chevalier invite-t-il Manon à le suivre et quel effet suscite le contraste entre le ton adopté et la lamentable situation ?*

Il sortit, et me laissa dans l'état que vous pouvez vous imaginer. Ô Ciel ! m'écriai-je, je recevrai avec soumission tous les coups qui viennent de ta main ; mais qu'un malheureux coquin ait le pouvoir de me traiter avec cette tyrannie, c'est ce qui me réduit au dernier désespoir. Les archers nous prièrent de ne pas les faire attendre plus longtemps. Ils avaient un carrosse à la porte. Je tendis la main à Manon pour descendre. Venez, ma chère reine, lui dis-je, venez vous soumettre à toute la rigueur de notre sort. Il plaira peut-être au Ciel de nous rendre quelque jour plus heureux.

Nous partîmes dans le même carrosse. Elle se mit dans mes bras. Je ne lui avais pas entendu prononcer un mot depuis le premier moment de l'arrivée de G... M... ; mais se trouvant seule alors avec moi, elle me dit mille tendresses en se reprochant d'être la cause de mon malheur. Je l'assurai que je ne me plaindrais jamais de mon sort, tant qu'elle ne cesserait pas de m'aimer. Ce n'est pas moi qui suis à plaindre, continuai-je. Quelques mois de prison ne m'effraient nullement, et je préférerai toujours le Châtelet à Saint-Lazare. Mais c'est pour toi, ma chère âme, que mon cœur s'intéresse. Quel sort pour une créature si charmante ! Ciel, comment traitez-vous avec tant de rigueur le plus parfait de vos ouvrages ? Pourquoi ne sommes-nous pas nés l'un et l'autre avec des qualités conformes à notre misère ? Nous avons reçu de l'esprit, du goût, des sentiments. Hélas ! quel triste usage en faisons-nous, tandis que tant d'âmes basses et dignes de notre sort jouissent de toutes les faveurs de la fortune ! Ces réflexions me pénétraient de douleur ; mais ce n'était rien en comparaison de celles qui regardaient l'avenir ; car je séchais[1] de crainte pour Manon. Elle avait déjà été à l'Hôpital ; et quand elle en fût sortie[2] par la bonne porte, je savais que les rechutes en ce genre étaient d'une conséquence extrêmement dangereuse. J'aurais voulu lui exprimer mes frayeurs. J'appréhendais

---

1. *je séchais* : au sens de dépérir ; on dit encore sécher d'envie, de dépit.
2. *quand elle en fût sortie* : même si elle en était sortie.

de lui en causer trop. Je tremblais pour elle, sans oser l'avertir du danger, et je l'embrassais en soupirant, pour l'assurer du moins de mon amour, qui était presque le
4660 seul sentiment que j'osasse exprimer. Manon, lui dis-je, parlez sincèrement ; m'aimerez-vous toujours ? Elle me répondit qu'elle était bien malheureuse que j'en pusse douter. Hé bien, repris-je, je n'en doute point, et je veux braver tous nos ennemis avec cette assurance. J'em-
4665 ploierai ma famille pour sortir du Châtelet ; et tout mon sang ne sera utile à rien, si je ne vous en tire pas aussitôt que je serai libre.

Nous arrivâmes à la prison. On nous mit chacun dans un lieu séparé. Ce coup me fut moins rude, parce que je
4670 l'avais prévu. Je recommandai Manon au concierge, en lui apprenant que j'étais un homme de quelque distinction, et lui promettant une récompense considérable. J'embrassai ma chère maîtresse, avant que de la quitter. Je la conjurai de ne pas s'affliger excessivement, et de ne
4675 rien craindre tant que je serais au monde. Je n'étais pas sans argent ; je lui en donnai une partie, et je payai au concierge, sur ce qui me restait, un mois de grosse pension d'avance pour elle et pour moi.

Mon argent eut un fort bon effet. On me mit dans une
4680 chambre proprement meublée, et l'on m'assura que Manon en avait une pareille. Je m'occupai aussitôt des moyens de hâter ma liberté. Il était clair qu'il n'y avait rien d'absolument criminel dans mon affaire ; et suppo-sant même que le dessein de notre vol fût prouvé par la
4685 déposition de Marcel, je savais fort bien qu'on ne punit point les simples volontés. Je résolus d'écrire prompte-ment à mon père, pour le prier de venir en personne à Paris. J'avais bien moins de honte, comme je l'ai dit, d'être au Châtelet qu'à Saint-Lazare. D'ailleurs, quoique
4690 je conservasse tout le respect dû à l'autorité paternelle, l'âge et l'expérience avaient diminué beaucoup ma timi-dité. J'écrivis donc, et l'on ne fit pas difficulté au Châte-let de laisser sortir ma lettre. Mais c'était une peine que j'aurais pu m'épargner, si j'avais su que mon père devait
4695 arriver le lendemain à Paris.

Il avait reçu celle que je lui avais écrite huit jours auparavant. Il en avait ressenti une joie extrême ; mais

de quelque espérance que je l'eusse flatté au sujet de ma conversion, il n'avait pas cru devoir s'arrêter tout à fait à
4700 mes promesses. Il avait pris le parti de venir s'assurer de mon changement par ses yeux, et de régler sa conduite sur la sincérité de mon repentir. Il arriva le lendemain de mon emprisonnement. Sa première visite fut celle qu'il rendit à Tiberge, à qui je l'avais prié d'adresser sa
4705 réponse. Il ne put savoir de lui ni ma demeure, ni ma condition présente ; il en apprit seulement mes principales aventures, depuis que je m'étais échappé de Saint-Sulpice. Tiberge lui parla fort avantageusement des dispositions que je lui avais marquées pour le bien, dans
4710 notre dernière entrevue. Il ajouta qu'il me croyait entièrement dégagé de Manon ; mais qu'il était surpris, néanmoins, que je ne lui eusse pas donné de mes nouvelles depuis huit jours. Mon père n'était pas dupe. Il comprit qu'il y avait quelque chose qui échappait à la pénétra-
4715 tion de Tiberge, dans le silence dont il se plaignait, et il employa tant de soins pour découvrir mes traces, que deux jours après son arrivée, il apprit que j'étais au Châtelet.

Avant que de recevoir sa visite, à laquelle j'étais fort
4720 éloigné de m'attendre si tôt, je reçus celle de M. le Lieutenant général de Police ; ou, pour expliquer les choses par leur nom, je subis l'interrogatoire. Il me fit quelques reproches ; mais ils n'étaient ni durs ni désobligeants. Il me dit, avec douceur, qu'il plaignait ma mauvaise
4725 conduite ; que j'avais manqué de sagesse en me faisant un ennemi tel que M. de G... M... ; qu'à la vérité il était aisé de remarquer qu'il y avait dans mon affaire plus d'imprudence et de légèreté que de malice ; mais que c'était néanmoins la seconde fois que je me trouvais
4730 sujet à son tribunal, et qu'il avait espéré que je fusse devenu plus sage, après avoir pris deux ou trois mois de leçons à Saint-Lazare. Charmé d'avoir affaire à un juge raisonnable, je m'expliquai avec lui d'une manière si respectueuse et si modérée, qu'il parut extrêmement
4735 satisfait de mes réponses. Il me dit que je ne devais pas me livrer trop au chagrin, et qu'il se sentait disposé à me rendre service, en faveur de ma naissance et de ma jeunesse. Je me hasardai à lui recommander Manon, et à lui

faire l'éloge de sa douceur et de son bon naturel. Il me
4740 répondit, en riant, qu'il ne l'avait point encore vue ;
mais qu'on la représentait comme une dangereuse personne. Ce mot excita tellement ma tendresse, que je lui
dis mille choses passionnées pour la défense de ma
pauvre maîtresse ; et je ne pus m'empêcher de répandre
4745 quelques larmes. Il ordonna qu'on me reconduisît à ma
chambre. Amour, Amour ! s'écria ce grave magistrat en
me voyant sortir, ne te réconcilieras-tu jamais avec la
sagesse ?

J'étais à m'entretenir tristement de mes idées, et à
4750 réfléchir sur la conversation que j'avais eue avec M. le
Lieutenant général de Police, lorsque j'entendis ouvrir la
porte de ma chambre : c'était mon père. Quoique je
dusse être à demi préparé à cette vue, puisque je m'y
attendais quelques jours plus tard, je ne laissai pas d'en
4755 être frappé si vivement, que je me serais précipité au
fond de la terre, si elle s'était entrouverte à mes pieds.
J'allai l'embrasser, avec toutes les marques d'une
extrême confusion. Il s'assit sans que ni lui ni moi eussions encore ouvert la bouche.

4760 Comme je demeurais debout, les yeux baissés et la
tête découverte : Asseyez-vous, Monsieur, me dit-il gravement, asseyez-vous. Grâce au scandale de votre libertinage et de vos friponneries, j'ai découvert le lieu de
votre demeure. C'est l'avantage d'un mérite tel que le
4765 vôtre, de ne pouvoir demeurer caché. Vous allez à la
renommée par un chemin infaillible. J'espère que le
terme en sera bientôt la Grève[1], et que vous aurez effectivement la gloire d'y être exposé à l'admiration de tout
le monde.

4770 Je ne répondis rien. Il continua : Qu'un père est malheureux, lorsqu'après avoir aimé tendrement un fils, et
n'avoir rien épargné pour en faire un honnête homme, il
n'y trouve à la fin qu'un fripon qui le déshonore ! On se
console d'un malheur de fortune ; le temps l'efface et le

---

1. *la Grève* : la place de Grève, où avaient lieu les exécutions ; maintenant place de
l'Hôtel-de-Ville, depuis 1806.

4775 chagrin diminue ; mais quel remède contre un mal qui
augmente tous les jours, tel que les désordres d'un fils
vicieux, qui a perdu tous sentiments d'honneur ? Tu ne
dis rien, malheureux, ajouta-t-il ; voyez cette modestie
contrefaite et cet air de douceur hypocrite : ne le pren-
4780 drait-on pas pour le plus honnête homme de sa race ?

Quoique je fusse obligé de reconnaître que je méritais
une partie de ces outrages, il me parut néanmoins que
c'était les porter à l'excès. Je crus qu'il m'était permis
d'expliquer naturellement ma pensée. Je vous assure,
4785 Monsieur, lui dis-je, que la modestie où vous me voyez
devant vous, n'est nullement affectée : c'est la situation
naturelle d'un fils bien né, qui respecte infiniment son
père, et surtout un père irrité. Je ne prétends par non
plus passer pour l'homme le plus réglé de notre race. Je
4790 me connais digne de vos reproches ; mais je vous
conjure d'y mettre un peu plus de bonté, et de ne pas
me traiter comme le plus infâme de tous les hommes. Je
ne mérite pas des noms si durs. C'est l'amour, vous le
savez, qui a causé toutes mes fautes. Fatale passion !
4795 Hélas ! n'en connaissez-vous pas la force, et se peut-il
que votre sang, qui est la source du mien, n'ait jamais
ressenti les mêmes ardeurs ? L'amour m'a rendu trop
tendre, trop passionné, trop fidèle, et peut-être trop
complaisant pour les désirs d'une maîtresse toute char-
4800 mante ; voilà mes crimes. En voyez-vous là quelqu'un
qui vous déshonore ? Allons, mon cher père, ajoutai-je
tendrement, un peu de pitié pour un fils qui a toujours
été plein de respect et d'affection pour vous, qui n'a pas
renoncé comme vous pensez à l'honneur et au devoir, et
4805 qui est mille fois plus à plaindre que vous ne sauriez
vous l'imaginer. Je laissai tomber quelques larmes en
finissant ces paroles.

Un cœur de père est le chef-d'œuvre de la nature ; elle
y règne, pour ainsi parler, avec complaisance, et elle en
4810 règle elle-même tous les ressorts. Le mien, qui était avec
cela homme d'esprit et de goût, fut si touché du tour que
j'avais donné à mes excuses, qu'il ne fut pas le maître de
me cacher ce changement. Viens, mon pauvre Chevalier, me dit-il, viens m'embrasser ; tu me fais pitié. Je
4815 l'embrassai. Il me serra d'une manière qui me fit juger

de ce qui se passait dans son cœur. Mais quel moyen prendrons-nous donc, reprit-il, pour te tirer d'ici? Explique-moi toutes tes affaires sans déguisement. Comme il n'y avait rien, après tout, dans le gros de ma
4820 conduite, qui pût me déshonorer absolument, du moins en la mesurant sur celle des jeunes gens d'un certain monde, et qu'une maîtresse ne passe point pour une infamie dans le siècle où nous sommes, non plus qu'un peu d'adresse à s'attirer la fortune du jeu, je fis sincère-
4825 ment à mon père le détail de la vie que j'avais menée. À chaque faute dont je lui faisais l'aveu, j'avais soin de joindre des exemples célèbres, pour en diminuer la honte. Je vis avec une maîtresse[1], lui disais-je, sans être lié par les cérémonies du mariage : M. le Duc de... en
4830 entretient deux, aux yeux de tout Paris; M. de... en a une depuis dix ans, qu'il aime avec une fidélité qu'il n'a jamais eue pour sa femme. Les deux tiers des honnêtes gens de France se font honneur d'en avoir. J'ai usé de quelque supercherie au jeu : M. le Marquis de... et le
4835 Comte de... n'ont point d'autres revenus; M. le Prince de... et M. le Duc de... sont les chefs d'une bande de chevaliers du même Ordre. Pour ce qui regardait mes desseins sur la bourse des deux G... M..., j'aurais pu prouver aussi facilement que je n'étais pas sans
4840 modèles; mais il me restait trop d'honneur pour ne pas me condamner moi-même, avec tous ceux dont j'aurais pu me proposer l'exemple, de sorte que je priai mon père de pardonner cette faiblesse aux deux violentes passions qui m'avaient agité, la vengeance et l'amour. Il
4845 me demanda si je pouvais lui donner quelques ouver-tures sur les plus courts moyens d'obtenir ma liberté, et d'une manière qui pût lui faire éviter l'éclat. Je lui appris les sentiments de bonté que le Lieutenant général de Police avait pour moi. Si vous trouvez quelques diffi-
4850 cultés, lui dis-je, elles ne peuvent venir que de la part des G... M...; ainsi je crois qu'il serait à propos que vous

---

1. *une maîtresse* : le sens, ici, est le sens moderne : femme aimée qui n'est pas l'épouse.

prissiez la peine de les voir. Il me le promit. Je n'osai le prier de solliciter pour Manon. Ce ne fut point un défaut de hardiesse, mais un effet de la crainte où j'étais de le
4855 révolter par cette proposition, et de lui faire naître quelque dessein funeste à elle et à moi. Je suis encore à savoir si cette crainte n'a pas causé mes plus grandes infortunes, en m'empêchant de tenter les dispositions de mon père, et de faire des efforts pour lui en inspirer
4860 de favorables à ma malheureuse maîtresse. J'aurais peut-être excité encore une fois sa pitié. Je l'aurais mis en garde contre les impressions qu'il allait recevoir trop facilement du vieux G... M... Que sais-je ? Ma mauvaise destinée l'aurait peut-être emporté sur tous mes efforts ;
4865 mais je n'aurais eu qu'elle du moins et la cruauté de mes ennemis à accuser de mon malheur.

En me quittant, mon père alla faire une visite à M. de G... M... Il le trouva avec son fils, à qui le garde du corps avait honnêtement rendu la liberté. Je n'ai jamais su les
4870 particularités de leur conversation ; mais il ne m'a été que trop facile d'en juger par ses mortels effets. Ils allèrent ensemble, je dis les deux pères, chez M. le Lieutenant général de Police, auquel ils demandèrent deux grâces : l'une, de me faire sortir sur-le-champ du Châte-
4875 let, l'autre, d'enfermer Manon pour le reste de ses jours, ou de l'envoyer en Amérique. On commençait, dans le même temps, à embarquer quantité de gens sans aveu[1], pour le Mississippi[2]. M. le Lieutenant général de Police leur donna sa parole de faire partir Manon par le pre-
4880 mier vaisseau. M. de G... M... et mon père vinrent aussitôt m'apporter ensemble la nouvelle de ma liberté. M. de G... M... me fit un compliment civil sur le passé, et m'ayant félicité sur le bonheur que j'avais d'avoir un tel père, il m'exhorta à profiter désormais de ses leçons et
4885 de ses exemples. Mon père m'ordonna de lui faire des excuses de l'injure prétendue que j'avais faite à sa

---

1. *sans aveu* : sens ancien : n'appartenant à aucun seigneur ; par extension, « sans foi ni loi ».
2. *le Mississippi* : comprendre ici le delta où se trouvait la Nouvelle-Orléans.

famille, et de le remercier de s'être employé avec lui pour mon élargissement. Nous sortîmes ensemble, sans avoir dit un mot de ma maîtresse. Je n'osai même parler
4890 d'elle aux guichetiers en leur présence. Hélas! mes tristes recommandations eussent été bien inutiles! L'ordre cruel était venu, en même temps que celui de ma délivrance. Cette fille infortunée fut conduite une heure après à l'Hôpital, pour y être associée à quelques
4895 malheureuses qui étaient condamnées à subir le même sort. Mon père m'ayant obligé de le suivre à la maison où il avait pris sa demeure, il était presque six heures du soir lorsque je trouvai le moment de me dérober de ses yeux pour retourner au Châtelet. Je n'avais dessein que
4900 de faire tenir quelques rafraîchissements à Manon, et de la recommander au concierge ; car je ne me promettais pas que la liberté de la voir me fût accordée. Je n'avais point encore eu le temps, non plus, de réfléchir aux moyens de la délivrer.

Le petit Châtelet.

Questions

Cinquième épisode : la libération du Châtelet.

Compréhension

1. *Quels sont les sentiments du chevalier pendant son trajet à la prison ? Comment se présente-t-il dans son récit à Renoncour ?*

2. *Pourquoi se décide-t-il à écrire à son père et dans quel sens rédige-t-il sa lettre ? Quel était le contenu de la lettre précédente et pourquoi le père du chevalier rend-il d'abord visite à Tiberge ?*

3. *Quelles visites le chevalier reçoit-il en prison ? Dans quelles occasions était déjà intervenu le personnage du Lieutenant de Police ? Quelle réalité sociale révèle la présence récurrente de ce personnage et son discours ?*

4. *Quel est le dénouement provisoire de la situation tragique des amants et comment expliquez-vous la différence du sort réservé aux deux coupables ?*

• La rencontre du père et du fils

5. *En rappelant la visite de son père à Renoncour, quelle analyse en fait le chevalier au moment de la narration* ?*

6. *Comment expliquez-vous le silence observé par le père et le fils ?*

7. *Quelle évolution peut-on percevoir dans les deux premières interventions du père ?*

8. *Quels reproches le père adresse-t-il à son fils et comment les justifie-t-il ?*

9. *Relevez les moments successifs du plaidoyer de Des Grieux.*

10. *Quelle stratégie choisit-il et dans quel but ?*

11. *Sur quel argument essentiel se fonde sa défense ?*

12. *À quels sentiments cède le père ?*

13. *Pourquoi le chevalier ne peut-il se résoudre à demander la grâce de Manon ?*

14. *Dans quelle mesure Des Grieux est-il, en cet instant, un héros tragique ?*

Écriture

15. *Pourquoi le chevalier choisit-il le style indirect pour rapporter les propos du Lieutenant de Police ?*

16. *En quels termes le magistrat présente-t-il Des Grieux et Manon ?*

17. *Pourquoi le narrateur choisit-il de rapporter au style direct la conversation qu'il a avec son père ?*

18. *Quelle est la figure de style qui marque la première intervention du père ?*

19. *Relevez les signes textuels du ton oratoire du deuxième discours du père.*

Mise en perspective

20. *Comparez le comportement du père, son ton, avec celui qui avait été le sien dans les deux précédentes confrontations avec son fils.*

21. *La représentation de l'affrontement du père et du fils est une scène classique, dans la littérature française. Quels exemples d'une telle scène pouvez-vous proposer et comment caractérisez-vous celle du chevalier et de son père ?*

Le rendez-vous des Des Grieux père et fils, au jardin du Luxembourg.
Dessin de Maurice Leloir, 1885.

4905   Je demandai à parler au concierge. Il avait été content
de ma libéralité et de ma douceur ; de sorte qu'ayant
quelque disposition à me rendre service, il me parla du
sort de Manon comme d'un malheur dont il avait beaucoup de regret, parce qu'il pouvait m'affliger. Je ne
4910 compris point ce langage. Nous nous entretînmes quelques moments sans nous entendre. À la fin, s'apercevant
que j'avais besoin d'une explication, il me la donna, telle
que j'ai déjà eu horreur de vous la dire, et que j'ai encore de
la répéter. Jamais apoplexie violente ne causa d'effet plus
4915 subit et plus terrible. Je tombai avec une palpitation de
cœur si douloureuse, qu'à l'instant que je perdis la
connaissance, je me crus délivré de la vie pour toujours. Il
me resta même quelque chose de cette pensée, lorsque je
revins à moi. Je tournai mes regards vers toutes les parties
4920 de la chambre et sur moi-même, pour m'assurer si je
portais encore la malheureuse qualité d'homme vivant. Il
est certain qu'en ne suivant que le mouvement naturel qui
fait chercher à se délivrer de ses peines, rien ne pouvait me
paraître plus doux que la mort, dans ce moment de déses-
4925 poir et de consternation. La religion même ne pouvait me
faire envisager rien de plus insupportable après la vie, que
les convulsions cruelles dont j'étais tourmenté. Cependant, par un miracle propre à l'amour, je retrouvai bientôt
assez de force pour remercier le Ciel de m'avoir rendu la
4930 connaissance et la raison. Ma mort n'eût été utile qu'à
moi. Manon avait besoin de ma vie pour la délivrer, pour la
secourir, pour la venger. Je jurai de m'y employer sans
ménagement.
    Le concierge me donna toute l'assistance que j'eusse pu
4935 attendre du meilleur de mes amis. Je reçus ses services
avec une vive reconnaissance. Hélas ! lui dis-je, vous êtes
donc touché de mes peines ? Tout le monde m'abandonne. Mon père même est sans doute un de mes plus
cruels persécuteurs. Personne n'a pitié de moi. Vous seul,
4940 dans le séjour de la dureté et de la barbarie, vous marquez
de la compassion pour le plus misérable de tous les
hommes ! Il me conseillait de ne point paraître dans la rue
sans être un peu remis du trouble où j'étais. Laissez,
laissez, répondis-je en sortant ; je vous reverrai plus tôt
4945 que vous ne pensez. Préparez-moi le plus noir de vos

189

cachots ; je vais travailler à le mériter. En effet, mes premières résolutions n'allaient à rien moins qu'à me défaire des deux G... M... et du Lieutenant général de Police, et fondre ensuite à main armée sur l'Hôpital, avec tous ceux que je pourrais engager dans ma querelle. Mon père lui-même eût à peine été respecté, dans une vengeance qui me paraissait si juste ; car le concierge ne m'avait pas caché que lui et G... M... étaient les auteurs de ma perte. Mais lorsque j'eus fait quelques pas dans les rues, et que l'air eut un peu rafraîchi mon sang et mes humeurs, ma fureur fit place peu à peu à des sentiments plus raisonnables. La mort de nos ennemis eût été d'une faible utilité pour Manon, et elle m'eût exposé sans doute à me voir ôter tous les moyens de la secourir. D'ailleurs aurais-je eu recours à un lâche assassinat ? Quelle autre voie pouvais-je m'ouvrir à la vengeance ? Je recueillis toutes mes forces et tous mes esprits pour travailler d'abord à la délivrance de Manon, remettant tout le reste après le succès de cette importante entreprise. Il me restait peu d'argent. C'était néanmoins un fondement nécessaire par lequel il fallait commencer. Je ne voyais que trois personnes de qui j'en pusse attendre : M. de T..., mon père et Tiberge. Il y avait peu d'apparence d'obtenir quelque chose des deux derniers, et j'avais honte de fatiguer l'autre par mes importunités. Mais ce n'est point dans le désespoir qu'on garde des ménagements. J'allai sur-le-champ au Séminaire de Saint-Sulpice, sans m'embarrasser si j'y serais reconnu. Je fis appeler Tiberge. Ses premières paroles me firent comprendre qu'il ignorait encore mes dernières aventures. Cette idée me fit changer le dessein que j'avais, de l'attendrir par la compassion. Je lui parlai, en général, du plaisir que j'avais eu de revoir mon père ; et je le priai ensuite de me prêter quelque argent, sous prétexte de payer, avant mon départ de Paris, quelques dettes que je souhaitais de tenir inconnues. Il me présenta aussitôt sa bourse. Je pris cinq cents francs[1], sur six cents que j'y trouvai. Je lui

_4950_

_4955_

_4960_

_4965_

_4970_

_4975_

_4980_

---

1. *cinq cents francs* (or) : environ 10 000 F.

offris mon billet ; il était trop généreux pour l'accepter.

4985 Je tournai de là chez M. de T... Je n'eus point de réserve avec lui. Je lui fis l'exposition de mes malheurs et de mes peines : il en savait déjà jusqu'aux moindres circonstances, par le soin qu'il avait eu de suivre l'aventure du jeune G... M... Il m'écouta néanmoins, et il me

4990 plaignit beaucoup. Lorsque je lui demandai ses conseils sur les moyens de délivrer Manon, il me répondit tristement qu'il y voyait si peu de jour, qu'à moins d'un secours extraordinaire du Ciel, il fallait renoncer à l'espérance ; qu'il avait passé exprès à l'Hôpital, depuis

4995 qu'elle y était renfermée ; qu'il n'avait pu obtenir luimême la liberté de la voir ; que les ordres du Lieutenant général de Police étaient de la dernière rigueur, et que pour comble d'infortune, la malheureuse bande où elle devait entrer, était destinée à partir le surlendemain du

5000 jour où nous étions. J'étais si consterné de son discours, qu'il eût pu parler une heure sans que j'eusse pensé à l'interrompre. Il continua de me dire qu'il ne m'était point allé voir au Châtelet, pour se donner plus de facilité à me servir, lorsqu'on le croirait sans liaison avec

5005 moi ; que depuis quelques heures que j'en étais sorti, il avait eu le chagrin d'ignorer où je m'étais retiré, et qu'il avait souhaité de me voir promptement, pour me donner le seul conseil dont il semblait que je pusse espérer du changement dans le sort de Manon ; mais un conseil

5010 dangereux, auquel il me priait de cacher éternellement qu'il eût part : c'était de choisir quelques braves, qui eussent le courage d'attaquer les gardes de Manon, lorsqu'ils seraient sortis de Paris avec elle. Il n'attendit point que je lui parlasse de mon indigence. Voilà cent pistoles,

5015 me dit-il, en me présentant une bourse, qui pourront vous être de quelque usage. Vous me les remettrez, lorsque la fortune aura rétabli vos affaires. Il ajouta que si le soin de sa réputation lui eût permis d'entreprendre lui-même la délivrance de ma maîtresse, il m'eût offert

5020 son bras et son épée.

Cette excessive générosité me toucha jusqu'aux larmes. J'employai, pour lui marquer ma reconnaissance, toute la vivacité que mon affliction me laissait de

reste. Je lui demandai s'il n'y avait rien à espérer par la
5025 voie des intercessions, auprès du Lieutenant général de
Police. Il me dit qu'il y avait pensé ; mais qu'il croyait
cette ressource inutile, parce qu'une grâce de cette
nature ne pouvait se demander sans motif, et qu'il ne
voyait pas bien quel motif on pouvait employer pour se
5030 faire un intercesseur d'une personne grave et puissante ;
que si l'on pouvait se flatter de quelque chose de ce
côté-là, ce ne pouvait être qu'en faisant changer de sentiment à M. de G... M... et à mon père, et en les engageant à prier eux-mêmes M. le Lieutenant général de
5035 Police de révoquer sa sentence. Il m'offrit de faire tous
ses efforts pour gagner le jeune G... M..., quoiqu'il le crût
un peu refroidi à son égard par quelques soupçons qu'il
avait conçus de lui à l'occasion de notre affaire ; et il
m'exhorta à ne rien omettre de mon côté, pour fléchir
5040 l'esprit de mon père.

Ce n'était pas une légère entreprise pour moi ; je ne
dis pas seulement par la difficulté que je devais naturellement trouver à le vaincre, mais par une autre raison,
qui me faisait même redouter ses approches : je m'étais
5045 dérobé de son logement contre ses ordres, et j'étais fort
résolu de n'y pas retourner, depuis que j'avais appris la
triste destinée de Manon. J'appréhendais avec sujet qu'il
ne me fît retenir malgré moi, et qu'il ne me reconduisît
de même en province. Mon frère aîné avait usé autrefois
5050 de cette méthode. Il est vrai que j'étais devenu plus âgé ;
mais l'âge était une faible raison contre la force. Cependant je trouvai une voie qui me sauvait du danger ; c'était
de le faire appeler dans un endroit public, et de m'annoncer à lui sous un autre nom. Je pris aussitôt ce parti.
5055 M. de T... s'en alla chez G... M... et moi au Luxembourg,
d'où j'envoyai avertir mon père qu'un gentilhomme de
ses serviteurs était à l'attendre. Je craignais qu'il n'eût
quelque peine à venir, parce que la nuit approchait. Il
parut néanmoins peu après, suivi de son laquais. Je le
5060 priai de prendre une allée où nous puissions être seuls.
Nous fîmes cent pas, pour le moins, sans parler. Il s'imaginait bien, sans doute, que tant de préparations ne
s'étaient pas faites sans un dessein d'importance. Il
attendait ma harangue, et je la méditais.

5065   Enfin j'ouvris la bouche. Monsieur, lui dis-je en tremblant, vous êtes un bon père. Vous m'avez comblé de
grâces, et vous m'avez pardonné un nombre infini de
fautes. Aussi le Ciel m'est-il témoin que j'ai pour vous
tous les sentiments du fils le plus tendre et le plus res-
5070 pectueux. Mais il me semble... que votre rigueur... Hé
bien, ma rigueur ? interrompit mon père, qui trouvait
sans doute que je parlais lentement pour son impatience. Ah ! Monsieur, repris-je, il me semble que votre
rigueur est extrême, dans le traitement que vous avez
5075 fait à la malheureuse Manon. Vous vous en êtes rapporté
à M. de G... M... Sa haine vous l'a représentée sous les
plus noires couleurs. Vous vous êtes formé d'elle une
affreuse idée. Cependant c'est la plus douce et la plus
aimable créature qui fût jamais. Que n'a-t-il plu au Ciel
5080 de vous inspirer l'envie de la voir un moment ! Je ne suis
pas plus sûr qu'elle est charmante, que je le suis qu'elle
vous l'aurait paru. Vous auriez pris parti pour elle ; vous
auriez détesté les noirs artifices de G... M... ; vous auriez
eu compassion d'elle et de moi. Hélas ! J'en suis sûr.
5085 Votre cœur n'est pas insensible ; vous vous seriez laissé
attendrir. Il m'interrompit encore, voyant que je parlais
avec une ardeur qui ne m'aurait pas permis de finir sitôt.
Il voulut savoir à quoi j'avais dessein d'en venir, par un
discours si passionné. À vous demander la vie, répon-
5090 dis-je, que je ne puis conserver un moment, si Manon
part une fois pour l'Amérique. Non, non, me dit-il d'un
ton sévère ; j'aime mieux te voir sans vie que sans
sagesse et sans honneur. N'allons donc pas plus loin !
m'écriai-je en l'arrêtant par le bras. Ôtez-la-moi, cette
5095 vie odieuse et insupportable ; car dans le désespoir où
vous me jetez, la mort sera une faveur pour moi. C'est
un présent digne de la main d'un père.

    Je ne te donnerais que ce que tu mérites, répliqua-t-il.
Je connais bien des pères qui n'auraient pas attendu si
5100 longtemps pour être eux-mêmes tes bourreaux ; mais
c'est ma bonté excessive qui t'a perdu.

    Je me jetai à ses genoux : Ah ! s'il vous en reste
encore, lui dis-je en les embrassant, ne vous endurcissez
donc pas contre mes pleurs. Songez que je suis votre
5105 fils... Hélas ! souvenez-vous de ma mère. Vous l'aimiez si

tendrement ! Auriez-vous souffert qu'on l'eût arrachée de vos bras ? Vous l'auriez défendue jusqu'à la mort. Les autres n'ont-ils pas un cœur comme vous ? Peut-on être barbare, après avoir une fois éprouvé ce que c'est que la
5110 tendresse et la douleur ?

Ne me parle pas davantage de ta mère, reprit-il d'une voix irritée ; ce souvenir échauffe mon indignation. Tes désordres la feraient mourir de douleur, si elle eût assez vécu pour les voir. Finissons cet entretien, ajouta-t-il ; il
5115 m'importune, et ne me fera point changer de résolution. Je retourne au logis ; je t'ordonne de me suivre. Le ton sec et dur avec lequel il m'intima cet ordre, me fit trop comprendre que son cœur était inflexible. Je m'éloignai de quelques pas, dans la crainte qu'il ne lui prît envie de
5120 m'arrêter de ses propres mains. N'augmentez pas mon désespoir, lui dis-je, en me forçant de vous désobéir. Il est impossible que je vous suive. Il ne l'est pas moins que je le vive, après la dureté avec laquelle vous me traitez. Ainsi je vous dis un éternel adieu. Ma mort, que vous
5125 apprendrez bientôt, ajoutai-je tristement, vous fera peut-être reprendre pour moi des sentiments de père. Comme je me tournais pour le quitter : Tu refuses donc de me suivre ? s'écria-t-il avec une vive colère. Va, cours à ta perte. Adieu, fils ingrat et rebelle. Adieu, lui dis-je
5130 dans mon transport, adieu, père barbare et dénaturé.

Je sortis aussitôt du Luxembourg. Je marchai dans les rues comme un furieux jusqu'à la maison de M. de T... Je levais, en marchant, les yeux et les mains pour invoquer toutes les puissances célestes. Ô Ciel ! disais-je, serez-
5135 vous aussi impitoyable que les hommes ? Je n'ai plus de secours à attendre que de vous. M. de T... n'était point encore retourné chez lui ; mais il revint, après que je l'y eus attendu quelques moments. Sa négociation n'avait pas réussi mieux que la mienne. Il me le dit d'un visage
5140 abattu. Le jeune G... M..., quoique moins irrité que son père contre Manon et contre moi, n'avait pas voulu entreprendre de le solliciter en notre faveur. Il s'en était défendu par la crainte qu'il avait lui-même de ce vieillard vindicatif, qui s'était déjà fort emporté contre lui, en
5145 lui reprochant ses desseins de commerce avec Manon. Il ne me restait donc que la voie de la violence, telle que

M. de T... m'en avait tracé le plan ; j'y réduisis toutes mes espérances. Elles sont bien incertaines, lui dis-je ; mais la plus solide et la plus consolante pour moi est
5150 celle de périr du moins dans l'entreprise. Je le quittai en le priant de me secourir par ses vœux ; et je ne pensai plus qu'à m'associer des camarades à qui je pusse communiquer une étincelle de mon courage et de ma résolution.
5155 Le premier qui s'offrit à mon esprit, fut le même garde du corps que j'avais employé pour arrêter G... M... J'avais dessein aussi d'aller passer la nuit dans sa chambre, n'ayant pas eu l'esprit assez libre, pendant l'après-midi, pour me procurer un logement. Je le trou-
5160 vai seul. Il eut de la joie de me voir sorti du Châtelet. Il m'offrit affectueusement ses services. Je lui expliquai ceux qu'il pouvait me rendre. Il avait assez de bon sens pour en apercevoir toutes les difficultés ; mais il fut assez généreux pour entreprendre de les surmonter. Nous
5165 employâmes une partie de la nuit à raisonner sur mon dessein. Il me parla des trois soldats aux gardes dont il s'était servi dans la dernière occasion, comme de trois braves à l'épreuve. M. de T... m'avait informé exacte-ment du nombre des archers qui devaient conduire
5170 Manon : ils n'étaient que six. Cinq hommes hardis et résolus suffisaient pour donner l'épouvante à ces misé-rables, qui ne sont point capables de se défendre hono-rablement, lorsqu'ils peuvent éviter le péril du combat par une lâcheté. Comme je ne manquais point d'argent,
5175 le garde du corps me conseilla de ne rien épargner pour assurer le succès de notre attaque. Il nous faut des che-vaux, me dit-il, avec des pistolets, et chacun notre mousqueton. Je me charge de prendre demain le soin de ces préparatifs. Il faudra aussi trois habits communs
5180 pour nos soldats, qui n'oseraient paraître dans une affaire de cette nature avec l'uniforme du régiment. Je lui mis entre les mains les cent pistoles[1] que j'avais reçues de M. de T... Elles furent employées, le lende-

---

1. *cent pistoles* : environ 20 000 F.

main, jusqu'au dernier sol. Les trois soldats passèrent en
5185 revue devant moi. Je les animai par de grandes promesses, et pour leur ôter toute défiance, je commençai
par leur faire présent, à chacun, de dix pistoles[1]. Le jour
de l'exécution étant venu, j'en envoyai un de grand
matin à l'Hôpital, pour s'instruire par ses propres yeux,
5190 du moment auquel les archers partiraient avec leur
proie. Quoique je n'eusse pris cette précaution que par
un excès d'inquiétude et de prévoyance, il se trouva
qu'elle avait été absolument nécessaire. J'avais compté
sur quelques fausses informations qu'on m'avait don-
5195 nées de leur route, et m'étant persuadé que c'était à La
Rochelle que cette déplorable troupe devait être embar-
quée, j'aurais perdu mes peines à l'attendre sur le chemin d'Orléans. Cependant je fus informé, par le rapport
du soldat aux gardes, qu'elle prenait le chemin de Nor-
5200 mandie, et que c'était du Havre-de-Grâce qu'elle devait
partir pour l'Amérique.
Nous nous rendîmes aussitôt à la porte Saint-Honoré[2],
observant de marcher par des rues différentes. Nous
nous réunîmes au bout du faubourg. Nos chevaux étaient
5205 frais. Nous ne tardâmes point à découvrir les six gardes,
et les deux misérables voitures que vous vîtes à Pacy, il y
a deux ans. Ce spectacle faillit de m'ôter la force et la
connaissance. Ô Fortune, m'écriai-je, Fortune cruelle !
accorde-moi ici du moins, la mort ou la victoire. Nous
5210 tînmes conseil un moment sur la manière dont nous
ferions notre attaque. Les archers n'étaient guère plus de
quatre cents pas devant nous, et nous pouvions les couper en passant au travers d'un petit champ, autour
duquel le grand chemin tournait. Le garde du corps fut
5215 d'avis de prendre cette voie, pour les surprendre en fon-
dant tout d'un coup sur eux. J'approuvai sa pensée et je
fus le premier à piquer mon cheval. Mais la Fortune
avait rejeté impitoyablement mes vœux. Les archers,
voyant cinq cavaliers accourir vers eux, ne doutèrent

---

1. *dix pistoles* : 2 000 F environ.
2. *la porte Saint-Honoré* : elle se trouvait place du Théâtre-Français.

5220 point que ce ne fût pour les attaquer. Ils se mirent en
défense, en préparant leurs baïonnettes et leurs fusils,
d'un air assez résolu. Cette vue, qui ne fit que nous ani-
mer, le garde du corps et moi, ôta tout d'un coup le
courage à nos trois lâches compagnons. Ils s'arrêtèrent
5225 comme de concert, et, s'étant dit entre eux quelques
mots que je n'entendis point, ils tournèrent la tête de
leurs chevaux, pour reprendre le chemin de Paris à bride
abattue. Dieux! me dit le garde du corps, qui paraissait
aussi éperdu que moi de cette infâme désertion,
5230 qu'allons-nous faire? Nous ne sommes que deux. J'avais
perdu la voix, de fureur et d'étonnement. Je m'arrêtai,
incertain si ma première vengeance ne devait pas s'employer à la poursuite et au châtiment des lâches qui
m'abandonnaient. Je les regardais fuir, et je jetais les
5235 yeux de l'autre côté sur les archers. S'il m'eût été possible de me partager, j'aurais fondu tout à la fois sur ces
deux objets de ma rage; je les dévorais tous ensemble.
Le garde du corps, qui jugeait de mon incertitude par le
mouvement égaré de mes yeux, me pria d'écouter son
5240 conseil. N'étant que deux, me dit-il, il y aurait de la folie
à attaquer six hommes aussi bien armés que nous, et qui
paraissent nous attendre de pied ferme. Il faut retourner
à Paris et tâcher de réussir mieux dans le choix de nos
braves. Les archers ne sauraient faire de grandes jour-
5245 nées avec deux pesantes voitures; nous les rejoindrons
demain sans peine.

Je fis un moment de réflexion sur ce parti; mais ne
voyant de tous côtés que des sujets de désespoir, je pris
une résolution véritablement désespérée. Ce fut de
5250 remercier mon compagnon de ses services; et loin d'attaquer les archers, je résolus d'aller, avec soumission, les
prier de me recevoir dans leur troupe, pour accompagner Manon avec eux jusqu'au Havre-de-Grâce, et passer ensuite au-delà des mers avec elle. Tout le monde
5255 me persécute ou me trahit, dis-je au garde du corps. Je
n'ai plus de fond[1] à faire sur personne. Je n'attends plus

---

1. *Je n'ai plus de fond à faire sur personne* : je ne peux plus compter sur personne.

197

rien, ni de la Fortune, ni du secours des hommes. Mes malheurs sont au comble ; il ne me reste plus que de m'y soumettre. Ainsi je ferme les yeux à toute espérance.
5260 Puisse le Ciel récompenser votre générosité ! Adieu, je vais aider mon mauvais sort à consommer ma ruine, en y courant moi-même volontairement. Il fit inutilement ses efforts pour m'engager à retourner à Paris. Je le priai de me laisser suivre mes résolutions et de me quitter
5265 sur-le-champ, de peur que les archers ne continuassent de croire que notre dessein était de les attaquer.

J'allai seul vers eux d'un pas lent, et le visage si consterné, qu'ils ne durent rien trouver d'effrayant dans mes approches. Ils se tenaient néanmoins en défense.
5270 Rassurez-vous, Messieurs, leur dis-je, en les abordant ; je ne vous apporte point la guerre, je viens vous demander des grâces. Je les priai de continuer leur chemin sans défiance et je leur appris, en marchant, les faveurs que j'attendais d'eux. Ils consultèrent ensemble de quelle
5275 manière ils devaient recevoir cette ouverture. Le chef de la bande prit la parole pour les autres. Il me répondit que les ordres qu'ils avaient de veiller sur leurs captives étaient d'une extrême rigueur ; que je lui paraissais néanmoins si joli homme, que lui et ses compagnons se
5280 relâcheraient un peu de leur devoir ; mais que je devais comprendre qu'il fallait qu'il m'en coûtât quelque chose. Il me restait environ quinze pistoles[1] ; je leur dis naturellement en quoi consistait le fond de ma bourse. Hé bien ! me dit l'archer, nous en userons généreusement. Il
5285 ne vous coûtera qu'un écu[2] par heure pour entretenir celle de nos filles qui vous plaira le plus ; c'est le prix courant de Paris. Je ne leur avais pas parlé de Manon en particulier, parce que je n'avais pas dessein qu'ils connussent ma passion. Ils s'imaginèrent d'abord que ce
5290 n'était qu'une fantaisie de jeune homme, qui me faisait chercher un peu de passe-temps avec ces créatures ; mais lorsqu'ils crurent s'être aperçus que j'étais amou-

1. *quinze pistoles* : environ 3 000 F.
2. *un écu* : environ 120 F.

reux, ils augmentèrent tellement le tribut, que ma bourse se trouva épuisée en partant de Mantes, où nous
5295 avions couché, le jour que nous arrivâmes à Pacy.

Vous dirai-je quel fut le déplorable sujet de mes entretiens avec Manon pendant cette route, ou quelle impression sa vue fit sur moi, lorsque j'eus obtenu des gardes la liberté d'approcher de son chariot ? Ah ! les expressions
5300 ne rendent jamais qu'à demi les sentiments du cœur ; mais figurez-vous ma pauvre maîtresse enchaînée par le milieu du corps, assise sur quelques poignées de paille, la tête appuyée languissamment sur un côté de la voiture, le visage pâle et mouillé d'un ruisseau de larmes
5305 qui se faisaient un passage au travers de ses paupières, quoiqu'elle eût continuellement les yeux fermés. Elle n'avait pas même eu la curiosité de les ouvrir, lorsqu'elle avait entendu le bruit de ses gardes, qui craignaient d'être attaqués. Son linge était sale et dérangé, ses mains
5310 délicates exposées à l'injure de l'air ; enfin, tout ce composé charmant, cette figure capable de ramener l'univers à l'idolâtrie, paraissait dans un désordre et un abattement inexprimables. J'employai quelque temps à la considérer, en allant à cheval à côté du chariot. J'étais
5315 si peu à moi-même que je fus sur le point plusieurs fois de tomber dangereusement. Mes soupirs et mes exclamations fréquentes m'attirèrent d'elle quelques regards. Elle me reconnut, et je remarquai que, dans le premier mouvement, elle tenta de se précipiter hors de la voiture
5320 pour venir à moi ; mais, étant retenue par sa chaîne, elle retomba dans sa première attitude. Je priai les archers d'arrêter un moment par compassion ; ils y consentirent par avarice. Je quittai mon cheval pour m'asseoir auprès d'elle. Elle était si languissante et si affaiblie, qu'elle fut
5325 longtemps sans pouvoir se servir de sa langue, ni remuer ses mains. Je les mouillais pendant ce temps-là de mes pleurs ; et ne pouvant proférer moi-même une seule parole, nous étions l'un et l'autre dans une des plus tristes situations dont il y ait jamais eu d'exemple. Nos
5330 expressions ne le furent pas moins, lorsque nous eûmes retrouvé la liberté de parler. Manon parla peu ; il semblait que la honte et la douleur eussent altéré les organes de sa voix ; le son en était faible et tremblant. Elle me

remercia de ne l'avoir pas oubliée, et de la satisfaction
5335 que je lui accordais, dit-elle en soupirant, de me voir du
moins encore une fois, et de me dire le dernier adieu.
Mais lorsque je l'eus assurée que rien n'était capable de
me séparer d'elle, et que j'étais disposé à la suivre jusqu'à l'extrémité du monde, pour prendre soin d'elle,
5340 pour la servir, pour l'aimer et pour attacher inséparable-
ment ma misérable destinée à la sienne, cette pauvre
fille se livra à des sentiments si tendres et si douloureux,
que j'appréhendai quelque chose pour sa vie, d'une si
violente émotion. Tous les mouvements de son âme
5345 semblaient se réunir dans ses yeux. Elle les tenait fixés
sur moi. Quelquefois elle ouvrait la bouche, sans avoir la
force d'achever quelques mots qu'elle commençait. Il lui
en échappait néanmoins quelques-uns. C'était des
marques d'admiration sur mon amour, de tendres
5350 plaintes de son excès, des doutes qu'elle pût être assez
heureuse pour m'avoir inspiré une passion si parfaite,
des instances pour me faire renoncer au dessein de la
suivre, et chercher ailleurs un bonheur digne de moi,
qu'elle me disait que je ne pouvais espérer avec elle.
5355   En dépit du plus cruel de tous les sorts, je trouvais ma
félicité dans ses regards et dans la certitude que j'avais
de son affection. J'avais perdu, à la vérité, tout ce que le
reste des hommes estime ; mais j'étais maître du cœur
de Manon, le seul bien que j'estimais. Vivre en Europe,
5360 vivre en Amérique, que m'importait-il en quel endroit
vivre, si j'étais sûr d'y être heureux en y vivant avec ma
maîtresse ? Tout l'univers n'est-il pas la patrie de deux
amants fidèles ? Ne trouvent-ils pas l'un dans l'autre,
père, mère, parents, amis, richesses et félicité ? Si quel-
5365 que chose me causait de l'inquiétude, c'était la crainte
de voir Manon exposée aux besoins de l'indigence. Je
me supposais déjà, avec elle, dans une région inculte et
habitée par des sauvages. Je suis bien sûr, disais-je, qu'il
ne saurait y en avoir d'aussi cruels que G... M... et mon
5370 père. Ils nous laisseront du moins vivre en paix. Si les
relations qu'on en fait sont fidèles, ils suivent les lois de
la nature. Ils ne connaissent ni les fureurs de l'avarice,
qui possèdent G... M..., ni les idées fantastiques de
l'honneur, qui m'ont fait un ennemi de mon père. Ils ne

5375 troubleront point deux amants qu'ils verront vivre avec autant de simplicité qu'eux. J'étais donc tranquille de ce côté-là. Mais je ne me formais point des idées romanesques par rapport aux besoins communs de la vie. J'avais éprouvé trop souvent qu'il y a des nécessités
5380 insupportables, surtout pour une fille délicate qui est accoutumée à une vie commode et abondante. J'étais au désespoir d'avoir épuisé inutilement ma bourse, et que le peu d'argent qui me restait, fût encore sur le point de m'être ravi par la friponnerie des archers. Je concevais
5385 qu'avec une petite somme j'aurais pu espérer, non seulement de me soutenir quelque temps contre la misère en Amérique, où l'argent était rare, mais d'y former même quelque entreprise pour un établissement durable. Cette considération me fit naître la pensée d'écrire à Tiberge,
5390 que j'avais toujours trouvé si prompt à m'offrir les secours de l'amitié. J'écrivis dès la première ville où nous passâmes. Je ne lui apportai point d'autre motif que le pressant besoin dans lequel je prévoyais que je me trouverais au Havre-de-Grâce, où je lui confessais
5395 que j'étais allé conduire Manon. Je lui demandais cent pistoles[1]. Faites-les-moi tenir au Havre, lui disais-je, par le maître de la poste. Vous voyez bien que c'est la dernière fois que j'importune votre affection, et que ma malheureuse maîtresse m'étant enlevée pour toujours, je
5400 ne puis la laisser partir sans quelques soulagements qui adoucissent son sort et mes mortels regrets.

Les archers devinrent si intraitables, lorsqu'ils eurent découvert la violence de ma passion, que redoublant continuellement le prix de leurs moindres faveurs, ils
5405 me réduisirent bientôt à la dernière indigence. L'amour, d'ailleurs, ne me permettait guère de ménager ma bourse. Je m'oubliais du matin au soir près de Manon ; et ce n'était plus par heure que le temps m'était mesuré, c'était par la longueur entière des jours. Enfin, ma
5410 bourse étant tout à fait vide, je me trouvai exposé aux caprices et à la brutalité de six misérables, qui me trai-

---

1. *cent pistoles* : environ 20 000 F.

taient avec une hauteur insupportable. Vous en fûtes témoin à Pacy. Votre rencontre fut un heureux moment de relâche, qui me fut accordé par la Fortune. Votre
5415 pitié, à la vue de mes peines, fut ma seule recommandation auprès de votre cœur généreux. Le secours que vous m'accordâtes libéralement, servit à me faire gagner Le Havre, et les archers tinrent leur promesse avec plus de fidélité que je ne l'espérais.

5420 Nous arrivâmes au Havre. J'allai d'abord à la poste. Tiberge n'avait point encore eu le temps de me répondre. Je m'informai exactement quel jour je pouvais attendre sa lettre. Elle ne pouvait arriver que deux jours après ; et par une étrange disposition de mon mauvais
5425 sort, il se trouva que notre vaisseau devait partir le matin de celui auquel j'attendais l'ordinaire[1]. Je ne puis vous représenter mon désespoir. Quoi ! m'écriai-je, dans le malheur même, il faudra toujours que je sois distingué par des excès ! Manon répondit : Hélas ! une vie si mal-
5430 heureuse mérite-t-elle le soin que nous en prenons ? Mourons au Havre, mon cher Chevalier. Que la mort finisse tout d'un coup nos misères ! Irons-nous les traîner dans un pays inconnu, où nous devons nous attendre sans doute à d'horribles extrémités, puisqu'on a
5435 voulu m'en faire un supplice ? Mourons, me répéta-t-elle ; ou du moins, donne-moi la mort, et va chercher un autre sort dans les bras d'une amante plus heureuse. Non, non, lui dis-je, c'est pour moi un sort digne d'envie, que d'être malheureux avec vous. Son discours me
5440 fit trembler. Je jugeai qu'elle était accablée de ses maux. Je m'efforçai de prendre un air plus tranquille, pour lui ôter ces funestes pensées de mort et de désespoir. Je résolus de tenir la même conduite à l'avenir ; et j'ai éprouvé, dans la suite, que rien n'est plus capable d'ins-
5445 pirer du courage à une femme, que l'intrépidité d'un homme qu'elle aime.

Lorsque j'eus perdu l'espérance de recevoir du secours de Tiberge, je vendis mon cheval. L'argent que

---

1. *l'ordinaire* : le service ordinaire de la poste.

j'en tirai, joint à ce que me restait encore de vos libéralités, me composa la petite somme de dix-sept pistoles[1].
J'en employai sept à l'achat de quelques soulagements
nécessaires à Manon; et je serrai les dix autres avec
soin, comme le fondement de notre fortune et de nos
espérances en Amérique. Je n'eus point de peine à me
faire recevoir dans le vaisseau. On cherchait alors des
jeunes gens qui fussent disposés à se joindre volontairement à la colonie. Le passage et la nourriture me furent
accordés gratis. La poste de Paris devant partir le lendemain, j'y laissai une lettre pour Tiberge. Elle était tou-
chante, et capable de l'attendrir sans doute au dernier
point, puisqu'elle lui fit prendre une résolution qui ne
pouvait venir que d'un fonds infini de tendresse et de
générosité pour un ami malheureux.

---

1. *dix-sept pistoles* : environ 3 400 F.

Sixième épisode : sur la route de la déportation.

Compréhension

1. *Délimitez les séquences narratives à partir de la sortie de prison du chevalier jusqu'au départ pour la déportation.*

2. *Quels sont les projets qui se présentent à l'esprit du chevalier ? Lequel retient-il et pour quelle raison ?*

3. *Par quel moyen obtient-il l'aide de Tiberge ?*

4. *Que lui propose M. de T... ?*

5. *Pourquoi le chevalier redoute-t-il, à ce point, d'aller voir son père et dans quelles conditions organise-t-il l'entrevue ?*

6. *Quels sont les prémisses*, les arguments et la conclusion du plaidoyer de Des Grieux ?*

7. *Quelle évocation déclenchent la colère et le refus du père ? Dès lors, quelle unique solution reste-t-il pour le chevalier ?*

8. *À quels moments Des Grieux invoque-t-il le ciel ? Comment expliquez-vous l'appel à la puissance divine ?*

9. *Quel ultime projet met-il en œuvre ? À qui et comment distribue-t-il les tâches pour le réaliser ?*

10. *Pourquoi le narrateur prend-il soin de donner les détails dans tous les domaines des préparatifs ?*
Comment se déroule la première phase de l'action et quelle est la cause de l'échec ?

11. *Quels sont les responsables du malheur du chevalier ?*

12. *Quelle décision prend finalement Des Grieux ? En quoi souligne-t-elle les traits déjà connus de son caractère, et dans quelle mesure concourt-elle au sens pris par le destin du personnage ?*

13. *Quelle image du peuple l'auteur donne-t-il dans ce passage ? En quoi celui-ci se distingue-t-il de la classe sociale de Des Grieux ?*

• **Les retrouvailles**

14. *Quand cette scène a-t-elle déjà été présentée et en quoi, vue sous deux angles différents, la place qu'elle occupe est-elle privilégiée dans l'économie du roman ?*

15. *Quelle image de Manon le chevalier a-t-il choisi de présenter à Renoncour et pourquoi ? Comment cette présentation permet-elle d'approfondir la connaissance de Manon ?*

16. *Relevez les traits significatifs de cette description et dégagez leur signification (l. 5301 à 5314). Comment cette scène place-t-elle le roman sous le signe du réalisme ?*

17. *Comment expliquez-vous le silence de Manon ?*

18. *Que veut signifier le chevalier dans son insistance à évoquer l'impossible communication verbale ?*

19. *Analysez le sentiment de bonheur du chevalier à cet instant précis et la conception de l'amour qui s'en dégage (l. 5356).*

20. *Quelle durée a couvert le récit de Des Grieux depuis la première scène du roman ?*

21. *Que lui reste-t-il à raconter ?*

Écriture

22. *Relevez les indications de lieux, donnez leur signification et leur valeur symbolique.*

23. *Par quelles répliques se clôt le dialogue du père et du fils ? En quoi évoquent-elles les sentiments et le langage tragiques ?*

24. *Par quels termes le chevalier justifie-t-il son insolence envers son père aux yeux de Renoncour ?*

25. *Quelle est la fonction du choix des adjectifs qualificatifs qui parcourent le récit de la tentative manquée ?*

26. *Relevez, dans le vocabulaire du récit des retrouvailles, les champs lexicaux du sentiment et de la beauté, et en contraste, celui du réalisme précis et sordide. Quel effet produit cet entrelacement ?*

27. *Par quels procédés stylistiques l'histoire racontée tend-elle au pathétique ?*

Bilan

L'action

• Ce que nous savons

Le récit des jours de bonheur reste bref. Un événement inattendu fait irruption : alors que les deux amants vivent une période de paix et de bonheur après leur évasion de prison, un nouveau hasard met sur le chemin de Manon un prince italien riche ; prémisses analogues et nouvel enchaînement des faits.

Séduit par Manon, il lui offre de partager sa vie dans le luxe et l'abondance. Pour la première fois, Manon refuse cette offre et choisit le chemin de la fidélité.

Mais la fatalité, seul ressort de l'action, la fait de nouveau avancer : une fois encore, le hasard introduit dans l'intimité du couple, par l'entremise de M. de T., le fils G... M..., très riche, séduit par le charme de Manon : le schéma habituel se reproduit : pour se venger du père, Manon décide de céder au fils, mais en le dupant avec l'accord du chevalier et l'aide de M. de T.. Le père découvre la machination et fait de nouveau arrêter le couple.

Avec l'aide du Lieutenant de Police et l'accord du père de Des Grieux, il obtient la libération du chevalier et en même temps la déportation de Manon, ce qui semble réduire à néant la réunion du couple.

Des Grieux ne renonce pas et tente d'enlever Manon ; après l'échec de son entreprise, il se décide à suivre le convoi des déportées jusqu'en Amérique. C'est alors qu'il rencontre Renoncour à Pacy.

Les aventures, invraisemblables, se succèdent, mais le rythme du récit emporte l'adhésion du lecteur et fait passer l'invraisemblable pour des aventures extraordinaires. La progression linéaire du récit suit la succession chronologique des péripéties qui bouleversent l'état de paix : le hasard suscite l'irruption du malheur et malgré une tentative de solution provisoire – duper le jeune G... M... – le couple s'enfonce de nouveau dans un danger qui s'accroît, selon une progression cette fois-ci circulaire, qui rejoint, comme dans une spirale, la situation d'échec et de malheur ; le point de non-retour semble atteint.

• À quoi nous attendre ?

Quel sera le sort du couple à la Nouvelle-Orléans ?

Les personnages

• Ce que nous savons

*Dans les épisodes de la page 149 à 170, Manon participe active-
ment à l'action ; c'est elle qui prend la décision d'accepter l'offre
de G... M... et de s'en servir pour se venger de son père ; c'est elle
encore qui imagine le projet et la conduite de la duperie ; son
comportement révèle son attirance pour l'amusement, un goût du
jeu, et une audace inconsciente. Incapable d'envisager un échec,
elle ne pense qu'à récupérer la fortune qui lui avait échappé une
première fois.*

*Sa conduite dans cette séquence souligne, une fois encore, à quel
point elle méconnaît la nature de l'amour que lui porte le chevalier
et la souffrance que sa conduite lui inflige. Insouciante et frivole,
elle ne peut choisir et suit sa fantaisie et l'amour du luxe que lui
dicte « son penchant au plaisir ».*

*Des Grieux ne comprend rien au « mystère féminin » de son
amante et choisit de céder à la fatalité que sa passion fait peser sur
lui : il semble aimer Manon comme il a aimé Dieu avec la même
confiance et le même engagement ; à la fois lucide un instant et
fidèle à un sentiment inaltérable, il ne peut renoncer et revenir en
arrière : « toute-puissante Manon ».*

*La scène de réconciliation dévoile radicalement l'opposition entre
les valeurs sentimentales et morales des deux personnages : Des
Grieux attend de Manon amour et fidélité. Manon ne demande à
son chevalier qu'une « fidélité de cœur ».*

Les personnages secondaires *sont nombreux dans cette séquence
narrative.*

*Image et symbole d'une société datée, celle du début de la
Régence, ils en offrent les deux visages ; le père du chevalier vit
encore sous les lois du code social aristocratique ancien, fidèle aux
valeurs patriarcales, à l'honneur, mais indulgent pour les faiblesses
de la jeunesse de sa classe sociale.*

*Le jeune G... M... fait partie d'une société de nouveaux riches
occupés à satisfaire tous leurs désirs par le pouvoir que leur donne
l'argent : l'amour s'achète, se négocie, comme une marchandise
coûteuse.*

*M. de T., aristocrate oisif et fortuné, s'amuse de toute situation
mais reste fidèle à ceux qui appartiennent à sa classe sociale.*

*Le peuple est représenté dans le personnage sympathique du valet,
Marcel, qui cède cependant à la pression de M. de G... M... ; dans
ceux des hommes de main, lâches, ainsi que dans ceux des
archers, cruels et vénaux.*

- **À quoi nous attendre ?**

Comment Manon supportera-t-elle une vie sordide ?
Que peut faire Des Grieux sans argent, sans relation, loin de son
pays et de sa famille ?

Manon et Des Grieux en chemin vers le Havre-de-Grâce. *B. N.*

Le Havre ancien : vue prise des fortifications.

Nous mîmes à la voile. Le vent ne cessa point de nous
5465 être favorable. J'obtins du capitaine un lieu à part pour
Manon et pour moi. Il eut la bonté de nous regarder
d'un autre œil que le commun de nos misérables associés. Je l'avais pris en particulier dès le premier jour ; et
pour m'attirer de lui quelque considération, je lui avais
5470 découvert une partie de mes infortunes. Je ne crus pas
me rendre coupable d'un mensonge honteux, en lui
disant que j'étais marié à Manon. Il feignit de le croire,
et il m'accorda sa protection. Nous en reçûmes des
marques pendant toute la navigation. Il eut soin de nous
5475 faire nourrir honnêtement ; et les égards qu'il eut pour
nous, servirent à nous faire respecter des compagnons
de notre misère. J'avais une attention continuelle à ne
pas laisser souffrir la moindre incommodité à Manon.
Elle le remarquait bien ; et cette vue, jointe au vif ressen-
5480 timent de l'étrange extrémité où je m'étais réduit pour
elle, la rendait si tendre et si passionnée, si attentive
aussi à mes plus légers besoins, que c'était entre elle et
moi une perpétuelle émulation de services et d'amour.
Je ne regrettais point l'Europe. Au contraire, plus nous
5485 avancions vers l'Amérique, plus je sentais mon cœur
s'élargir et devenir tranquille. Si j'eusse pu m'assurer de
n'y pas manquer des nécessités absolues de la vie, j'aurais remercié la Fortune d'avoir donné un tour si favorable à nos malheurs.
5490 Après une navigation de deux mois, nous abordâmes
enfin au rivage désiré. Le pays ne nous offrit rien
d'agréable à la première vue. C'étaient des campagnes
stériles et inhabitées, où l'on voyait à peine quelques
roseaux et quelques arbres dépouillés par le vent. Nulle
5495 trace d'hommes, ni d'animaux. Cependant, le capitaine
ayant fait tirer quelques pièces de notre artillerie, nous
ne fûmes pas longtemps sans apercevoir une troupe de
citoyens du Nouvel Orléans[1], qui s'approchèrent de
nous avec de vives marques de joie. Nous n'avions pas
5500 découvert la ville. Elle est cachée, de ce côté-là, par une

---

1. *Nouvel Orléans* : d'abord au masculin, puis très vite ensuite, au féminin.

petite colline. Nous fûmes reçus comme des gens descendus du ciel. Ces pauvres habitants s'empressaient pour nous faire mille questions sur l'état de la France et sur les différentes provinces où ils étaient nés. Ils nous embrassaient comme leurs frères, et comme de chers compagnons qui venaient partager leur misère et leur solitude. Nous prîmes le chemin de la ville avec eux ; mais nous fûmes surpris de découvrir, en avançant, que ce qu'on nous avait vanté jusqu'alors comme une bonne ville, n'était qu'un assemblage de quelques pauvres cabanes. Elles étaient habitées par cinq ou six cents personnes. La maison du Gouverneur nous parut un peu distinguée par sa hauteur et par sa situation. Elle est défendue par quelques ouvrages de terre, autour desquels règne un large fossé.

Nous fûmes d'abord présentés à lui. Il s'entretint longtemps en secret avec le capitaine ; et revenant ensuite à nous, il considéra, l'une après l'autre, toutes les filles qui étaient arrivées par le vaisseau. Elles étaient au nombre de trente, car nous en avions trouvé au Havre une autre bande, qui s'était jointe à la nôtre. Le Gouverneur, les ayant longtemps examinées, fit appeler divers jeunes gens de la ville, qui languissaient dans l'attente d'une épouse. Il donna les plus jolies aux principaux, et le reste fut tiré au sort. Il n'avait point encore parlé à Manon ; mais lorsqu'il eut ordonné aux autres de se retirer, il nous fit demeurer, elle et moi. J'apprends du capitaine, nous dit-il, que vous êtes mariés, et qu'il vous a reconnus sur la route pour deux personnes d'esprit et de mérite. Je n'entre point dans les raisons qui ont causé votre malheur ; mais s'il est vrai que vous ayez autant de savoir-vivre que votre figure me le promet, je n'épargnerai rien pour adoucir votre sort, et vous contribuerez vous-mêmes à me faire trouver quelque agrément dans ce lieu sauvage et désert. Je lui répondis de la manière que je crus la plus propre à confirmer l'idée qu'il avait de nous. Il donna quelques ordres pour nous faire préparer un logement dans la ville, et il nous retint à souper avec lui. Je lui trouvai beaucoup de politesse, pour un chef de malheureux bannis. Il ne nous fit point de questions en public, sur le fond de nos aventures. La conversion fut générale ; et malgré notre tristesse, nous nous efforçâmes, Manon et moi, de contribuer à la rendre agréable.

5545 Le soir, il nous fit conduire au logement qu'on nous avait préparé. Nous trouvâmes une misérable cabane, composée de planches et de boue, qui consistait en deux ou trois chambres de plain-pied, avec un grenier au-dessus. Il y avait fait mettre cinq ou six chaises, et quel-
5550 ques commodités nécessaires à la vie. Manon parut effrayée à la vue d'une si triste demeure. C'était pour moi qu'elle s'affligeait, beaucoup plus que pour elle-même. Elle s'assit, lorsque nous fûmes seuls, et elle se mit à pleurer amèrement. J'entrepris d'abord de la
5555 consoler. Mais lorsqu'elle m'eut fait entendre que c'était moi seul qu'elle plaignait, et qu'elle ne considérait dans nos malheurs communs que ce que j'avais à souffrir, j'affectai de montrer assez de courage, et même assez de joie pour lui en inspirer. De quoi me plaindrais-je ? lui
5560 dis-je. Je possède tout ce que je désire. Vous m'aimez, n'est-ce pas ? Quel autre bonheur me suis-je jamais pro-posé ? Laissons au Ciel le soin de notre fortune. Je ne la trouve pas si désespérée. Le Gouverneur est un homme civil : il nous a marqué de la considération ; il ne per-
5565 mettra pas que nous manquions du nécessaire. Pour ce qui regarde la pauvreté de notre cabane et la grossièreté de nos meubles, vous avez pu remarquer qu'il y a eu peu de personnes ici qui paraissaient mieux logées et mieux meublées que nous ; et puis tu es une chimiste admi-
5570 rable, ajoutai-je en l'embrassant, tu transformes tout en or.

Vous serez donc la plus riche personne de l'univers, me répondit-elle ; car s'il n'y eut jamais d'amour tel que le vôtre, il est impossible aussi d'être aimé plus tendre-
5575 ment que vous l'êtes. Je me rends justice, continua-t-elle. Je sens bien que je n'ai jamais mérité ce prodi-gieux attachement que vous avez pour moi. Je vous ai causé des chagrins, que vous n'avez pu me pardonner sans une bonté extrême. J'ai été légère et volage ; et
5580 même en vous aimant éperdument, comme j'ai toujours fait, je n'étais qu'une ingrate. Mais vous ne sauriez croire combien je suis changée. Mes larmes, que vous avez

vues couler si souvent depuis notre départ de France,
n'ont pas eu une seule fois mes malheurs pour objet. J'ai
5585 cessé de les sentir, aussitôt que vous avez commencé à
les partager. Je n'ai pleuré que de tendresse et de
compassion pour vous. Je ne me console point d'avoir
pu vous chagriner un moment dans ma vie. Je ne cesse
point de me reprocher mes inconstances, et de m'atten-
5590 drir, en admirant de quoi l'amour vous a rendu capable,
pour une malheureuse qui n'en était pas digne, et qui ne
payerait pas bien de tout mon sang, ajouta-t-elle avec
une abondance de larmes, la moitié des peines qu'elle
vous a causées.
5595 Ses pleurs, son discours, et le ton dont elle le pro-
nonça, firent sur moi une impression si étonnante, que
je crus sentir une espèce de division dans mon âme.
Prends garde, lui dis-je, prends garde ma chère Manon.
Je n'ai point assez de force pour supporter des marques
5600 si vives de ton affection ; je ne suis point accoutumé à
ces excès de joie. Ô Dieu ! m'écriai-je, je ne vous
demande plus rien. Je suis assuré du cœur de Manon ; il
est tel que je l'ai souhaité pour être heureux : je ne puis
plus cesser de l'être à présent. Voilà ma félicité bien
5605 établie. Elle l'est, reprit-elle, si vous la faites dépendre
de moi, et je sais où je puis compter aussi de trouver
toujours la mienne. Je me couchai avec ces charmantes
idées, qui changèrent ma cabane en un palais digne du
premier roi du monde. L'Amérique me parut un lieu de
5610 délices après cela. C'est au Nouvel Orléans qu'il faut
venir, disais-je souvent à Manon, quand on veut goûter
les vraies douceurs de l'amour. C'est ici qu'on s'aime
sans intérêt, sans jalousie, sans inconstance. Nos
compatriotes y viennent chercher de l'or ; ils ne s'ima-
5615 ginent pas que nous y avons trouvé des trésors bien plus
estimables.
Nous cultivâmes soigneusement l'amitié du Gouverneur. Il eut la bonté, quelques semaines après notre arrivée, de me donner un petit emploi qui vint à vaquer
5620 dans le fort. Quoiqu'il ne fût pas bien distingué, je l'acceptai comme une faveur du Ciel. Il me mettait en état
de vivre sans être à charge à personne. Je pris un valet
pour moi, et une servante pour Manon. Notre petite for-

tune s'arrangea. J'étais réglé dans ma conduite. Manon
5625 ne l'était pas moins. Nous ne laissions point échapper
l'occasion de rendre service et de faire du bien à nos
voisins. Cette disposition officieuse et la douceur de nos
manières nous attirèrent la confiance et l'affection de
toute la colonie. Nous fûmes en peu de temps si consi-
5630 dérés, que nous passions pour les premières personnes
de la ville après le Gouverneur.

L'innocence de nos occupations, et la tranquillité où
nous étions continuellement, servirent à nous faire rappeler insensiblement des idées de religion. Manon
5635 n'avait jamais été une fille impie. Je n'étais pas non plus
de ces libertins outrés, qui font gloire d'ajouter l'irréligion à la dépravation des mœurs. L'amour et la jeunesse
avaient causé tous nos désordres. L'expérience
commençait à nous tenir lieu d'âge ; elle fit sur nous le
5640 même effet que les années. Nos conversations, qui
étaient toujours réfléchies, nous mirent insensiblement
dans le goût d'un amour vertueux. Je fus le premier qui
proposai ce changement à Manon. Je connaissais les
principes de son cœur. Elle était droite, et naturelle
5645 dans tous ses sentiments, qualité qui dispose toujours à
la vertu. Je lui fis comprendre qu'il manquait une chose
à notre bonheur : C'est, lui dis-je, de le faire approuver
du Ciel. Nous avons l'âme trop belle, et le cœur trop
bien fait l'un et l'autre, pour vivre volontairement dans
5650 l'oubli du devoir. Passe d'y avoir vécu en France, où il
nous était également impossible de cesser de nous
aimer, et de nous satisfaire par une voie légitime ; mais
en Amérique, où nous ne dépendons que de nous-
mêmes, où nous n'avons plus à ménager les lois arbi-
5655 traires du rang et de la bienséance, où l'on nous croit
même mariés, qui empêche que nous ne le soyons bientôt effectivement, et que nous n'anoblissions notre
amour par des serments que la religion autorise ? Pour
moi, ajoutai-je, je ne vous offre rien de nouveau en vous
5660 offrant mon cœur et ma main ; mais je suis prêt à vous
en renouveler le don au pied d'un autel. Il me parut que
ce discours la pénétrait de joie. Croiriez-vous, me répondit-elle, que j'y ai pensé mille fois, depuis que nous
sommes en Amérique ? La crainte de vous déplaire m'a

5665 fait renfermer ce désir dans mon cœur. Je n'ai point la présomption d'aspirer à la qualité de votre épouse. Ah! Manon, répliquai-je, tu serais bientôt celle d'un roi, si le Ciel m'avait fait naître avec une couronne. Ne balançons plus. Nous n'avons nul obstacle à redouter. J'en veux
5670 parler dès aujourd'hui au Gouverneur, et lui avouer que nous l'avons trompé jusqu'à ce jour. Laissons craindre aux amants vulgaires, ajoutai-je, les chaînes indissolubles du mariage. Ils ne les craindraient pas s'ils étaient sûrs, comme nous, de porter toujours celles de l'Amour.
5675 Je laissai Manon au comble de la joie, après cette résolution.

Je suis persuadé qu'il n'y a point d'honnête homme au monde qui n'eût approuvé mes vues dans les circonstances où j'étais; c'est-à-dire asservi fatalement à
5680 une passion que je ne pouvais vaincre, et combattu par des remords que je ne devais point étouffer. Mais se trouvera-t-il quelqu'un qui accuse mes plaintes d'injustice, si je gémis de la rigueur du Ciel à rejeter un dessein que je n'avais formé que pour lui plaire? Hélas! que
5685 dis-je, à le rejeter? Il l'a puni comme un crime. Il m'avait souffert avec patience, tandis que je marchais aveuglément dans la route du vice; et ses plus rudes châtiments m'étaient réservés, lorsque je commençais à retourner à la vertu. Je crains de manquer de force, pour
5690 achever le récit du plus funeste événement qui fût jamais.

J'allai chez le Gouverneur, comme j'en étais convenu avec Manon, pour le prier de consentir à la cérémonie de notre mariage. Je me serais bien gardé d'en parler, à
5695 lui ni à personne, si j'eusse pu me promettre que son aumônier, qui était alors le seul prêtre de la ville, m'eût rendu ce service sans sa participation; mais, n'osant espérer qu'il voulût s'engager au silence, j'avais pris le parti d'agir ouvertement. Le Gouverneur avait un neveu,
5700 nommé Synnelet, qui lui était extrêmement cher. C'était un homme de trente ans, brave, mais emporté et violent. Il n'était point marié. La beauté de Manon l'avait touché, dès le jour de notre arrivée; et les occasions sans nombre qu'il avait eues de la voir, pendant neuf ou dix
5705 mois, avaient tellement enflammé sa passion, qu'il se

consumait en secret pour elle. Cependant, comme il était persuadé, avec son oncle et toute la ville, que j'étais réellement marié, il s'était rendu maître de son amour jusqu'au point de n'en laisser rien éclater ; et son zèle
5710 s'était même déclaré pour moi, dans plusieurs occasions de me rendre service. Je le trouvai avec son oncle, lorsque j'arrivai au fort. Je n'avais nulle raison qui m'obligeât de lui faire un secret de mon dessein ; de sorte que je ne fis point difficulté de m'expliquer en sa
5715 présence. Le Gouverneur m'écouta avec sa bonté ordinaire. Je lui racontai une partie de mon histoire, qu'il entendit avec plaisir ; et lorsque je le priai d'assister à la cérémonie que je méditais, il eut la générosité de s'engager à faire toute la dépense de la fête. Je me retirai fort
5720 content.

Une heure après, je vis entrer l'aumônier chez moi. Je m'imaginai qu'il venait me donner quelques instructions sur mon mariage ; mais, après m'avoir salué froidement, il me déclara, en deux mots, que M. le Gouverneur me
5725 défendait d'y penser, et qu'il avait d'autres vues sur Manon. D'autres vues sur Manon ! lui dis-je avec un mortel saisissement de cœur ; et quelles vues donc, Monsieur l'aumônier ? Il me répondit que je n'ignorais pas que M. le Gouverneur était le maître ; que Manon
5730 ayant été envoyée de France pour la colonie, c'était à lui à disposer d'elle ; qu'il ne l'avait pas fait jusqu'alors, parce qu'il la croyait mariée ; mais qu'ayant appris de moi-même qu'elle ne l'était point, il jugeait à propos de la donner à M. Synnelet, qui en était amoureux. Ma viva-
5735 cité l'emporta sur ma prudence. J'ordonnai fièrement à l'aumônier de sortir de ma maison, en jurant que le Gouverneur, Synnelet et toute la ville ensemble n'oseraient porter la main sur ma femme, ou ma maîtresse, comme ils voudraient l'appeler.

5740 Je fis part aussitôt à Manon du funeste message que je venais de recevoir. Nous jugeâmes que Synnelet avait séduit l'esprit de son oncle, depuis mon retour, et que c'était l'effet de quelque dessein médité depuis longtemps. Ils étaient les plus forts. Nous nous trouvions
5745 dans le Nouvel Orléans comme au milieu de la mer ; c'est-à-dire séparés du reste du monde par des espaces

immenses. Où fuir ? dans un pays inconnu, désert, ou habité par des bêtes féroces, et par des sauvages aussi barbares qu'elles ? J'étais estimé dans la ville ; mais je ne
5750 pouvais espérer d'émouvoir assez le peuple en ma faveur, pour en espérer un secours proportionné au mal. Il eût fallu de l'argent ; j'étais pauvre. D'ailleurs le succès d'une émotion populaire était incertain ; et si la fortune nous eût manqué, notre malheur serait devenu sans
5755 remède. Je roulais toutes ces pensées dans ma tête. J'en communiquais une partie à Manon. J'en formais de nouvelles, sans écouter sa réponse. Je prenais un parti ; je le rejetais pour en prendre un autre. Je parlais seul, je répondais tout haut à mes pensées ; enfin j'étais dans
5760 une agitation que je ne saurais comparer à rien, parce qu'il n'y en eut jamais d'égale. Manon avait les yeux sur moi. Elle jugeait, par mon trouble, de la grandeur du péril ; et tremblant pour moi plus que pour elle-même, cette tendre fille n'osait pas même ouvrir la bouche pour
5765 m'exprimer ses craintes. Après une infinité de réflexions, je m'arrêtai à la résolution d'aller trouver le Gouverneur, pour m'efforcer de le toucher par des considérations d'honneur, et par le souvenir de mon respect et de son affection. Manon voulut s'opposer à
5770 ma sortie. Elle me disait, les larmes aux yeux : Vous allez à la mort. Ils vont vous tuer. Je ne vous reverrai plus. Je veux mourir avant vous. Il fallut beaucoup d'efforts pour la persuader de la nécessité où j'étais de sortir, et de celle qu'il y avait que pour elle de demeurer au logis. Je
5775 lui promis qu'elle me reverrait dans un instant. Elle ignorait, et moi aussi, que c'était sur elle-même que devait tomber toute la colère du Ciel, et la rage de nos ennemis.

Je me rendis au fort. Le Gouverneur était avec son
5780 aumônier. Je m'abaissai, pour le toucher, à des soumissions qui m'auraient fait mourir de honte, si je les eusse faites pour toute autre cause. Je le pris par tous les motifs qui doivent faire une impression certaine sur un cœur qui n'est pas celui d'un tigre féroce et cruel. Ce
5785 barbare ne fit à mes plaintes que deux réponses, qu'il répéta cent fois : Manon, me dit-il, dépendait de lui. Il avait donné sa parole à son neveu. J'étais résolu de me

modérer jusqu'à l'extrémité. Je me contentai de lui dire
que je le croyais trop de mes amis pour vouloir ma mort,
5790 à laquelle je consentirais plutôt qu'à la perte de ma maîtresse.

Je fus trop persuadé, en sortant, que je n'avais rien à
espérer de cet opiniâtre vieillard, qui se serait damné
mille fois pour son neveu. Cependant je persistai dans le
5795 dessein de conserver jusqu'à la fin un air de modération,
résolu, si l'on en venait aux excès d'injustice, de donner
à l'Amérique une des plus sanglantes et des plus horribles scènes que l'amour ait jamais produites. Je retour-
nais chez moi, en méditant sur ce projet, lorsque le sort,
5800 qui voulait hâter ma ruine, me fit rencontrer Synnelet. Il
lut dans mes yeux une partie de mes pensées. J'ai dit
qu'il était brave ; il vint à moi. Ne me cherchez-vous
pas ? me dit-il. Je connais que mes desseins vous
offensent, et j'ai bien prévu qu'il faudrait se couper la
5805 gorge avec vous. Allons voir qui sera le plus heureux. Je
lui répondis qu'il avait raison, et qu'il n'y avait que ma
mort qui pût finir nos différends. Nous nous écartâmes
d'une centaine de pas hors de la ville. Nos épées se
croisèrent ; je le blessai, et je le désarmai presque en
5810 même temps. Il fut si enragé de son malheur, qu'il refusa
de me demander la vie et de renoncer à Manon. J'avais
peut-être le droit de lui ôter tout d'un coup l'un et
l'autre ; mais un sang généreux ne se dément jamais. Je
lui jetai son épée. Recommençons, lui dis-je, et songez
5815 que c'est sans quartier. Il m'attaqua avec une furie inexprimable. Je dois confesser que je n'étais pas fort dans
les armes, n'ayant eu que trois mois de salle à Paris.
L'Amour conduisait mon épée. Synnelet ne laissa pas de
me percer le bras d'outre en outre ; mais je le pris sur le
5820 temps[1], et je lui fournis un coup si vigoureux, qu'il
tomba à mes pieds sans mouvement.

Malgré la joie que donne la victoire après un combat
mortel, je réfléchis aussitôt sur les conséquences de

---

1. *je le pris sur le temps* : terme d'escrime ; c'est porter une botte au moment où
l'attention de l'adversaire est occupée.

cette mort. Il n'y avait pour moi, ni grâce ni délai de
5825 supplice à espérer. Connaissant, comme je faisais, la
passion du Gouverneur pour son neveu, j'étais certain
que ma mort ne serait pas différée d'une heure après la
connaissance de la sienne. Quelque pressante que fût
cette crainte, elle n'était pas la plus forte cause de mon
5830 inquiétude. Manon, l'intérêt de Manon, son péril et la
nécessité de la perdre, me troublaient jusqu'à répandre
de l'obscurité sur mes yeux, et à m'empêcher de
reconnaître le lieu où j'étais. Je regrettai le sort de Synnelet. Une prompte mort me semblait le seul remède de
5835 mes peines. Cependant ce fut cette pensée même qui
me fit rappeler vivement mes esprits, et qui me rendit
capable de prendre une résolution. Quoi ! je veux mourir, m'écriai-je, pour finir mes peines ? Il y en a donc que
j'appréhende plus que la perte de ce que j'aime ? Ah !
5840 souffrons jusqu'aux plus cruelles extrémités pour secourir ma maîtresse ; et remettons à mourir après les avoir
souffertes inutilement. Je repris le chemin de la ville.
J'entrai chez moi. J'y trouvai Manon à demi morte de
frayeur et d'inquiétude. Ma présence la ranima. Je ne
5845 pouvais lui déguiser le terrible accident qui venait de
m'arriver. Elle tomba sans connaissance entre mes bras,
au récit de la mort de Synnelet et de ma blessure. J'employai plus d'un quart d'heure à lui faire retrouver le
sentiment.
5850   J'étais à demi mort moi-même. Je ne voyais pas le
moindre jour à sa sûreté, ni à la mienne. Manon, que
ferons-nous ? lui dis-je, lorsqu'elle eut repris un peu de
force. Hélas ! qu'allons-nous faire ? Il faut nécessairement que je m'éloigne. Voulez-vous demeurer dans la
5855 ville ? Oui, demeurez-y. Vous pouvez encore y être heureuse ; et moi, je vais, loin de vous, chercher la mort
parmi les sauvages, ou entre les griffes des bêtes féroces.
Elle se leva malgré sa faiblesse ; elle me prit par la main
pour me conduire vers la porte. Fuyons ensemble, me
5860 dit-elle ; ne perdons pas un instant. Le corps de Synnelet peut avoir été trouvé par hasard, et nous n'aurions
pas le temps de nous éloigner. Mais, chère Manon !
repris-je tout éperdu, dites-moi donc où nous pouvons
aller. Voyez-vous quelque ressource ? Ne vaut-il pas

5865 mieux que vous tâchiez de vivre ici sans moi, et que je porte volontairement ma tête au Gouverneur ? Cette proposition ne fit qu'augmenter son ardeur à partir. Il fallut la suivre. J'eus encore assez de présence d'esprit, en sortant, pour prendre quelques liqueurs fortes que
5870 j'avais dans ma chambre, et toutes les provisions que je pus faire entrer dans mes poches. Nous dîmes à nos domestiques, qui étaient dans la chambre voisine, que nous partions pour la promenade du soir ; nous avions cette coutume tous les jours, et nous nous éloignâmes de
5875 la ville, plus promptement que la délicatesse de Manon ne semblait le permettre.

Quoique je ne fusse pas sorti de mon irrésolution sur le lieu de notre retraite, je ne laissais pas d'avoir deux espérances, sans lesquelles j'aurais préféré la mort à l'in-
5880 certitude de ce qui pouvait arriver à Manon. J'avais acquis assez de connaissance du pays, depuis près de dix mois que j'étais en Amérique, pour ne pas ignorer de quelle manière on apprivoisait les sauvages. On pouvait se mettre entre leurs mains, sans courir à une mort cer-
5885 taine. J'avais même appris quelques mots de leur langue, et quelques-unes de leurs coutumes, dans les diverses occasions que j'avais eues de les voir. Avec cette triste ressource, j'en avais une autre du côté des Anglais[1] qui ont, comme nous, des établissements dans cette partie
5890 du Nouveau Monde. Mais j'étais effrayé de l'éloignement. Nous avions à traverser, jusqu'à leurs colonies, de stériles campagnes de plusieurs journées de largeur, et quelques montagnes si hautes et si escarpées, que le chemin en paraissait difficile aux hommes les plus gros-
5895 siers et les plus vigoureux. Je me flattais néanmoins que nous pourrions tirer parti de ces deux ressources : des sauvages pour aider à nous conduire, et des Anglais pour nous recevoir dans leurs habitations.

---

1. *Anglais* : le plus proche territoire, déjà colonisé par les Anglais, était alors la Géorgie, à environ 800 km.

Septième épisode : quatrième « chute », imméritée.

Compréhension

1. *Relevez tous les éléments descriptifs du nouveau continent et précisez l'impression que les amants en retirent. Comment expliquez-vous l'absence de pittoresque de la description ?*

2. *Dans quelle mesure l'accueil des habitants présente-t-il un double aspect ?*

3. *Comment le couple perçoit-il la maison du gouverneur, et en quoi Des Grieux peut-il être déçu dans son attente de l'Amérique ?*

4. *Quel est le projet didactique* du roman, souligné par le comportement du gouverneur à l'égard du couple ?*

5. *Comment se manifeste le changement qui apparaît chez Manon, et comment l'expliquez-vous ? Quels indices l'annonçaient ?*

6. *Quelles sont les réactions du chevalier face au discours de Manon ?*

7. *Comment comprenez-vous la conclusion de Des Grieux ?*

8. *Quels sont les nouveaux éléments du comportement du couple et que signifie cette évolution par rapport au projet du roman ?*

9. *Dans quelle mesure cet épisode pourrait-il servir de conclusion au roman, à la fois dans la signification de l'ensemble et dans l'analyse de l'action des personnages ?*

10. *Pourquoi le chevalier veut-il épouser Manon, et en quoi cette décision est-elle différente du projet du début de leur liaison ?*

11. *Comment Manon répond-elle à cette demande et pourquoi hésite-t-elle ?*

12. *À quelle exigence répond ce projet ?*

13. *Comment ce projet prend-il forme ?*

14. *Comment le narrateur présente-t-il les deux adversaires et comment le chevalier explique-t-il sa victoire ? Quels univers littéraires colorent cette scène ?*

15. *Quelle conséquence entraîne ce duel ?*

Écriture

16. *Quelle phrase constitue l'essentiel de la description et quels en sont les éléments stylistiques caractéristiques ?*

17. *Constituez le champ lexical par lequel Manon analyse sa vie passée.*

18. *Quel effet suscite le passage du « vous » au « tu » ?*

19. *Appréciez le choix des métaphores* utilisées par le chevalier et l'effet esthétique et sémantique* qu'elles produisent.*

Dans le désert : Manon pansant la blessure de Des Grieux (l. 5906).
Dessin de Maurice Leloir, 1885.

Nous marchâmes aussi longtemps que le courage de
Manon put la soutenir, c'est-à-dire environ deux lieues[1] ;
car cette amante incomparable refusa constamment de
s'arrêter plus tôt. Accablée enfin de lassitude, elle me
confessa qu'il lui était impossible d'avancer davantage. Il
était déjà nuit. Nous nous assîmes au milieu d'une vaste
plaine, sans avoir pu trouver un arbre pour nous mettre
à couvert. Son premier soin fut de changer le linge de
ma blessure, qu'elle avait pansée elle-même avant notre
départ. Je m'opposai en vain à ses volontés. J'aurais
achevé de l'accabler mortellement, si je lui eusse refusé
la satisfaction de me croire à mon aise et sans danger,
avant que de penser à sa propre conservation. Je me
soumis durant quelques moments à ses désirs. Je reçus
ses soins en silence et avec honte. Mais lorsqu'elle eut
satisfait sa tendresse, avec quelle ardeur la mienne ne
prit-elle pas son tour ! Je me dépouillai de tous mes
habits, pour lui faire trouver la terre moins dure, en les
étendant sous elle. Je la fis consentir, malgré elle, à me
voir employer à son usage tout ce que je pus imaginer de
moins incommode. J'échauffai ses mains par mes baisers ardents, et par la chaleur de mes soupirs. Je passai
la nuit entière à veiller près d'elle, et à prier le Ciel de lui
accorder un sommeil doux et paisible. Ô Dieu ! que mes
vœux étaient vifs et sincères ! et par quel rigoureux jugement aviez-vous résolu de ne les pas exaucer ?

Pardonnez, si j'achève en peu de mots un récit qui
me tue. Je vous raconte un malheur qui n'eut jamais
d'exemple. Toute ma vie est destinée à le pleurer. Mais
quoique je le porte sans cesse dans ma mémoire, mon
âme semble reculer d'horreur, chaque fois que j'entre-
prends de l'exprimer.

Nous avions passé tranquillement une partie de la
nuit. Je croyais ma chère maîtresse endormie, et je
n'osais pousser le moindre souffle, dans la crainte de
troubler son sommeil. Je m'aperçus dès le point du jour,
en touchant ses mains, qu'elle les avait froides et trem-

---

1. *deux lieues* : environ 8 km.

blantes. Je les approchai de mon sein, pour les échauffer. Elle sentit ce mouvement ; et faisant un effort pour saisir les miennes, elle me dit, d'une voix faible, qu'elle se croyait à sa dernière heure. Je ne pris d'abord ce
5940 discours que pour un langage ordinaire dans l'infortune, et je n'y répondis que par les tendres consolations de l'amour. Mais ses soupirs fréquents, son silence à mes interrogations, le serrement de ses mains, dans lesquelles elle continuait de tenir les miennes, me firent
5945 connaître que la fin de ses malheurs approchait. N'exigez point de moi que je vous décrive mes sentiments, ni que je vous rapporte ses dernières expressions. Je la perdis ; je reçus d'elle des marques d'amour, au moment même qu'elle expirait ; c'est tout ce que j'ai la force de
5950 vous apprendre, de ce fatal et déplorable événement.

Mon âme ne suivit pas la sienne. Le Ciel ne me trouva point sans doute assez rigoureusement puni. Il a voulu que j'aie traîné, depuis, une vie languissante et misérable. Je renonce volontairement à la mener jamais plus
5955 heureuse.

Je demeurai, plus de vingt-quatre heures, la bouche attachée sur le visage et sur les mains de ma chère Manon. Mon dessein était d'y mourir ; mais je fis réflexion, au commencement du second jour, que son
5960 corps serait exposé, après mon trépas, à devenir la pâture des bêtes sauvages. Je formai la résolution de l'enterrer et d'attendre la mort sur sa fosse. J'étais déjà si proche de ma fin, par l'affaiblissement que le jeûne et la douleur m'avaient causé, que j'eus besoin de quantité
5965 d'efforts pour me tenir debout. Je fus obligé de recourir aux liqueurs que j'avais apportées. Elles me rendirent autant de force qu'il en fallait pour le triste office que j'allais exécuter. Il ne m'était pas difficile d'ouvrir la terre, dans le lieu où je me trouvais. C'était une cam-
5970 pagne couverte de sable. Je rompis mon épée, pour m'en servir à creuser ; mais j'en tirai moins de secours que de mes mains. J'ouvris une large fosse. J'y plaçai l'idole de mon cœur, après avoir pris soin de l'envelopper de tous mes habits, pour empêcher le sable de la
5975 toucher. Je ne la mis dans cet état qu'après l'avoir embrassée mille fois, avec toute l'ardeur du plus parfait

amour. Je m'assis encore près d'elle. Je la considérai longtemps. Je ne pouvais me résoudre à fermer la fosse. Enfin, mes forces recommençant à s'affaiblir, et craignant d'en manquer tout à fait avant la fin de mon entreprise, j'ensevelis pour toujours dans le sein de la terre, ce qu'elle avait porté de plus parfait et de plus aimable. Je me couchai ensuite sur la fosse, le visage tourné vers le sable ; et fermant les yeux, avec le dessein de ne les ouvrir jamais, j'invoquai le secours du Ciel, et j'attendis la mort avec impatience. Ce qui vous paraîtra difficile à croire, c'est que pendant tout l'exercice de ce lugubre ministère, il ne sortit point une larme de mes yeux ni un soupir de ma bouche. La consternation profonde où j'étais, et le dessein déterminé de mourir, avaient coupé le cours à toutes les expressions du désespoir et de la douleur. Aussi, ne demeurai-je pas longtemps dans la posture où j'étais sur la fosse, sans perdre le peu de connaissance et de sentiment qui me restait.

Questions

Huitième épisode : la mort de Manon.

Compréhension

1. *Situez les moments successifs de la scène de l'ensevelissement de Manon.*

2. *Comment sont présentés le lieu de la scène et le comportement du chevalier ?*

3. *Comment expliquez-vous le désir « d'enterrer » Manon ?*

4. *Comment le narrateur présente-t-il son personnage dans l'accomplissement de son projet ?*

5. *Dans quelle mesure le narrateur ne se confond-il pas avec le jeune homme exalté, au moment de la narration ?*

6. *Que signifie la cassure de l'épée ? Montrez comment Prévost a évoqué les dangers de la représentation littéraire du suicide par amour sur un corps aimé.*

7. *À quels désirs du narrateur/personnage répond le récit de l'ensevelissement de Manon ?*

8. *Caractérisez l'évolution de Manon au moment de sa mort.*

9. *Par rapport à l'Avis de l'Auteur, comment justifiez-vous le comportement du chevalier à la mort de Manon ?*

Écriture

10. *Quels éléments textuels suppléent au dépouillement de la narration ?*

11. *Relevez les éléments textuels qui s'insèrent dans le langage de la spiritualité chrétienne et quelle signification donnent-ils aux paroles du chevalier ?*

12. *Quelle est la valeur du présent de l'indicatif, « je renonce » ?*

13. *Comment le destinataire comprend-il le recours au vocabulaire du corps (bouche, visage, mains) ?*

14. *Que signifient le passage au passé simple et l'emploi de l'adjectif possessif « **ma** chère Manon » ?*

15. *À quel registre de langue le terme « trépas » rattache-t-il le passage et dans quelle intention est-il employé ?*

16. *Quels effets sémantiques* et esthétiques suscite la construction en parataxe*?*

17. *Quels signes textuels soulignent le caractère pathétique de la scène?*

18. *Relevez les marques de la concision dans le récit, justifiez-les et analysez les effets sémantiques et esthétiques.*

19. *Comment se manifeste l'art de Prévost dans la représentation littéraire de la mort de son héroïne?*

La mort de Manon. *B. N. Impr.*

Bilan

L'action

• Ce que nous savons

Le destin a frappé une dernière fois mais le sort tragique du couple n'a pas la même origine que dans les épisodes antérieurs : précédemment, Manon et Des Grieux avaient attiré les foudres du destin en refusant les règles du code social de leur époque ; dans l'ici-maintenant de leur nouvelle vie, le sort semble les avoir choisis comme des victimes de son arbitraire pouvoir.

L'art de Prévost atteint une intensité saisissante par l'extrême dépouillement stylistique d'une scène pathétique et douloureuse. La construction en parataxe* suscite l'enchaînement continu du récit. L'absence du pittoresque et la rareté des éléments descriptifs accentuent l'expression de l'intense douleur, dans l'évocation de cette heure tragique.

• À quoi nous attendre ?

Le chevalier, narrateur du pathétique récit de la mort et de l'ensevelissement de Manon, a survécu à son amante ; comment aura-t-il échappé à la mort ?
Comment supportera-t-il la solitude ?
Comment acceptera-t-il cette ironie du sort qui le frappe au moment où il veut «régler» sa conduite ?

Les personnages

Tourné non pas vers le futur mais vers la réalité présente d'un sort irrévocable, le narrateur est habité par le souvenir de la catastrophe vécue récemment, attendue depuis le début du roman et qu'il sous-entend à chaque instant. «Le génie de Prévost est d'avoir fait entendre son narrateur à l'heure de la vérité» (Sgard, p. 301).

Mise en perspective

La représentation littéraire de la mort de l'héroïne est une scène répandue dans le genre romanesque. La mort d'Atala, de Julie, de Virginie, de Madame Bovary prend une place de choix dans la littérature (cf. Parcours thématique).

5995 Après ce que vous venez d'entendre, la conclusion de mon histoire est de si peu d'importance, qu'elle ne mérite pas la peine que vous voulez bien prendre à l'écouter. Le corps de Synnelet ayant été rapporté à la ville, et ses plaies visitées avec soin, il se trouva, non 6000 seulement qu'il n'était pas mort, mais qu'il n'avait pas même reçu de blessure dangereuse. Il apprit à son oncle de quelle manière les choses s'étaient passées entre nous, et sa générosité le porta sur-le-champ à publier les effets de la mienne. On me fit chercher ; et mon 6005 absence, avec Manon, me fit soupçonner d'avoir pris le parti de la fuite. Il était trop tard pour envoyer sur mes traces ; mais le lendemain et le jour suivant furent employés à me poursuivre. On me trouva, sans apparence de vie, sur la fosse de Manon ; et ceux qui me 6010 découvrirent en cet état, me voyant presque nu et sanglant de ma blessure, ne doutèrent point que je n'eusse été volé et assassiné. Ils me portèrent à la ville. Le mouvement du transport réveilla mes sens. Les soupirs que je poussai, en ouvrant les yeux et en gémissant de me 6015 retrouver parmi les vivants, firent connaître que j'étais encore en état de recevoir du secours. On m'en donna de trop heureux. Je ne laissai pas d'être renfermé dans une étroite prison. Mon procès fut instruit ; et comme Manon ne paraissait point, on m'accusa de m'être défait 6020 d'elle par un mouvement de rage et de jalousie. Je racontai naturellement ma pitoyable aventure. Synnelet, malgré les transports de douleur où ce récit le jeta, eut la générosité de solliciter ma grâce. Il l'obtint. J'étais si faible qu'on fut obligé de me transporter de la prison 6025 dans mon lit, où je fus retenu pendant trois mois par une violente maladie. Ma haine pour la vie ne diminuait point. J'invoquais continuellement la mort, et je m'obstinai longtemps à rejeter tous les remèdes. Mais le Ciel, après m'avoir puni avec tant de rigueur, avait dessein de 6030 me rendre utiles mes malheurs et ses châtiments. Il m'éclaira de ses lumières, qui me firent rappeler des idées dignes de ma naissance et de mon éducation. La tranquillité ayant commencé à renaître un peu dans mon âme, ce changement fut suivi de près par ma guéri- 6035 son. Je me livrai entièrement aux inspirations de l'honneur, et je continuai de remplir mon petit emploi, en attendant les vaisseaux de France, qui vont une fois chaque année dans cette partie de l'Amérique. J'étais résolu de retourner dans ma patrie, pour y réparer, par une vie sage et réglée, le scandale de ma conduite. Synnelet avait pris soin de faire transporter le corps de ma chère maîtresse dans un lieu honorable.

Ce fut environ six semaines après mon rétablissement, que me promenant seul un jour sur le rivage, je vis arriver un vaisseau, que des affaires de commerce amenaient au Nouvel Orléans. J'étais attentif au débarquement de l'équipage. Je fus frappé d'une surprise extrême, en reconnaissant Tiberge parmi ceux qui s'avançaient vers la ville. Ce fidèle ami me remit de loin, malgré les changements que la tristesse avait faits sur mon visage. Il m'apprit que l'unique motif de son voyage avait été le désir de me voir, et de m'engager à retourner en France ; qu'ayant reçu la lettre que je lui avais écrite au Havre, il s'y était rendu en personne pour me porter les secours que je lui demandais ; qu'il avait ressenti la plus vive douleur en apprenant mon départ, et qu'il serait parti sur-le-champ pour me suivre, s'il eût trouvé un vaisseau prêt à faire voile ; qu'il en avait cherché pendant plusieurs mois dans divers ports, et qu'en ayant enfin rencontré un à Saint-Malo, qui levait l'ancre pour la Martinique, il s'y était embarqué, dans l'espérance de se procurer de là un passage facile au Nouvel Orléans ; que le vaisseau malouin ayant été pris en chemin par des corsaires espagnols, et conduit dans une de leurs îles, il s'était échappé par adresse ; et qu'après diverses courses, il avait trouvé l'occasion du petit bâtiment qui venait d'arriver, pour se rendre heureusement près de moi.

Je ne pouvais marquer trop de reconnaissance pour un ami si généreux et si constant. Je le conduisis chez moi. Je le rendis le maître de tout ce que je possédais. Je lui appris tout ce qui m'était arrivé depuis mon départ de France ; et pour lui causer une joie à laquelle il ne s'attendait pas, je lui déclarai que les semences de vertu qu'il avait jetées autrefois dans mon cœur commençaient à produire des fruits dont il allait être satisfait. Il me protesta qu'une si douce assurance le dédommageait de toutes les fatigues de son voyage.

6080 Nous avons passé deux mois ensemble au Nouvel Orléans, pour attendre l'arrivée des vaisseaux de France ; et nous étant enfin mis en mer, nous prîmes terre, il y a quinze jours, au Havre-de-Grâce. J'écrivis à ma famille en arrivant. J'ai appris, par la réponse de mon frère aîné, la triste nouvelle de la mort de mon 6085 père, à laquelle je tremble, avec trop de raison, que mes égarements n'aient contribué. Le vent étant favorable pour Calais, je me suis embarqué aussitôt, dans le dessein de me rendre, à quelques lieues de cette ville, chez un gentilhomme de mes parents, où mon frère m'écrit 6090 qu'il doit attendre mon arrivée.

FIN DE LA SECONDE PARTIE

Questions

Épilogue

Compréhension

1. *Quels événements clôturent le roman ?*

2. *Pourquoi le chevalier ne peut-il plus échapper à ce nouveau coup du sort ?*

3. *Pourquoi le chevalier ne retourne-t-il pas à l'état ecclésiastique ? Y voyez-vous une intention didactique* de l'auteur ?*

- **Les personnages**

4. *Quelle est la qualité principale de Tiberge ?*

5. *En quoi consiste la victoire de ce dernier et dans quelle mesure représente-t-il un personnage essentiel au projet narratif de l'auteur ?*

6. *Pourquoi le chevalier a-t-il choisi un autre auditeur que Tiberge pour relater le récit de sa vie ?*

7. *Quel effet Prévost a-t-il voulu susciter par cet épilogue ?*

8. *Dans quelle mesure cet épisode se rattache-t-il au genre romanesque ?*

Écriture

9. *En quels termes Des Grieux rend-il hommage à son ami ?*

L'action

Le lecteur peut s'interroger sur la signification que Prévost a voulu donner au roman.

Ce dernier a dit et répété que son roman est une parabole*, qui évoquerait les thèmes évangéliques du fils prodigue et de la péche-resse repentie ; il a donc envisagé une signification morale et même chrétienne : le fils est humilié, puni par les épreuves subies, mais pardonné et reçu, sinon par son père – le père de Des Grieux est mort – mais par le substitut du père, le frère, qui l'attend dès son arrivée. Manon sera contrainte à la souffrance pour éprouver le véritable amour, sa mort peut être considérée comme le rachat de ses fautes.

Mais si le lecteur s'attache au ton, à l'orientation donnée par le narrateur à son récit, il entendra un vibrant plaidoyer à travers la confession : Des Grieux a voué tout son être à l'amour, sa seule raison de vivre, il a rompu avec les commandements de l'Église, le respect des parents, l'honnêteté ; étendu sur le corps de son amante, il ne veut pas se tourner vers le ciel, incarné dans un père «dénaturé», dans une société qui exclut les «petits» et refuse l'épanouissement du sentiment amoureux.

Aussi le roman qui débute par une déclaration de foi chrétienne se clôt-il sur un pessimisme radical : même si Manon est condamnée au dérèglement suscité par son «penchant» pour le plaisir, Des Grieux, qui essaie de fuir le compromis, se damne ; au moment où il se décide à vivre selon la loi de Dieu par le mariage, il est brisé. Comment donc ne pas conclure au refus de l'auteur de croire en l'amour, à ses yeux une chimère ?

Les personnages

Une fois revenu à la vie, le chevalier renonce à la possibilité du bonheur, il se résigne. Le roman se réduit à l'expression d'une angoisse existentielle, tragique, définitive, après avoir pendant quelques pages exprimé, avec un lyrisme nostalgique, les sommets d'un sentiment amoureux indicible ; et c'est en «célébrant» par l'écriture l'amante disparue que le héros trouvera sa raison de vivre.

DATES	ÉVÉNEMENTS HISTORIQUES	ÉVÉNEMENTS CULTURELS
1698	Paix de Ryswick : fin des conquêtes de Louis XIV.	
1699		Mort de Racine. Fénelon : *Télémaque*.
1709		Lesage : *Turcaret*.
1711		Addison fonde *The Spectator*.
1712		Naissance de Rousseau.
1713		Naissance de Diderot.
1715	Mort de Louis XIV.	Lesage : *Gil Blas* (début).
1716	Law fonde son système.	
1717	Début de la déportation des filles de la Salpétrière en Louisiane.	Watteau : *L'Embarquement pour Cythère*. Voltaire écrit *Œdipe* à la Bastille.
1718		Bienville fonde la Nouvelle-Orléans.
1719		Daniel de Foe : *Robinson Crusoé*.
1720	Faillite de Law. Fin des déportations en Louisiane.	
1721		Montesquieu : *Lettres persanes*.
1723		Marivaux publie *Le Spectateur français*.
1724		Lesage : *Gil Blas* (suite).
1725		Vivaldi : les *Quatre Saisons*.
1726	Mariage de Louis XV.	Voltaire exilé en Angleterre. Swift : *Voyages de Gulliver*.
1727		Pénélope Aubin : *The Illustrious Lovers*.
1730		Marivaux : *Le Jeu de l'amour et du hasard*.
1731		Marivaux : *La Vie de Marianne*.
1732		Naissance de Fragonard. Voltaire : *Zaïre*.
1733		Salons de Mme de Lambert et de Mme de Tencin.
1734		Voltaire : *Lettres anglaises*.
1735		Rameau : *Les Indes galantes*.
1736		Voltaire en relations avec Prévost.
1740	Frédéric II roi de Prusse.	Naissance de Choderlos de Laclos. Richardson : *Pamela*.

VIE ET ŒUVRE DE PRÉVOST	DATES
Naissance, le 4 avril, à Hesdin (Pas-de-Calais).	1697
Mort de sa mère. Brillant élève au collège des jésuites, à Hesdin.	1709
	1711
Première fugue : il s'enrôle dans l'armée.	1712
Élève au collège de jésuites de La Flèche (Sarthe).	1715
Nouvelle fugue à l'armée.	1716
Il est officier, mais doit fuir en Hollande, puis en Angleterre.	1718
	1719
Admis à l'abbaye bénédictine de Jumièges (Seine-Maritime).	1720
À cause d'une maîtresse, il se brouille avec son père.	
Il est prédicateur en divers lieux, notamment à Saint-Germain-des-Prés Des écrits historiques lui valent une pension de 600 livres.	1726
Il commence à écrire *Les Mémoires d'un homme de qualité*. De nombreux traits sont autobiographiques.	1727
Publication de deux tomes des *Mémoires*. Un incident avec son	1728
supérieur le fait fuir en Angleterre. Précepteur à Londres. Publie	1729
deux tomes des *Mémoires*. Puis passe en Hollande où un certain Lenki l'initie à diverses *« friponneries »*.	
Publie l'*Histoire de Monsieur Cleveland*, et les tomes V à VII des *Mémoires* (ce dernier est *Manon Lescaut*).	**1731**
S'enfuit de Hollande, arrive à Londres, commence à publier un périodique : *Le Pour et le Contre*.	1733
Retour en France.	1734
Réédition de *Manon* à Rouen.	1735
Le prince de Conti le prend comme aumônier.	1736
Mort de son père. Publie *Le Doyen de Killerine*.	1739
Voltaire le recommande à Frédéric II. Il publie : *Histoire de Marguerite d'Anjou ; Histoire d'une Grecque moderne ; Histoire de la jeunesse du Commandeur de ****.	1740

PRÉVOST ET SON TEMPS

DATES	ÉVÉNEMENTS HISTORIQUES	ÉVÉNEMENTS CULTURELS
1741	Guerre de succession d'Autriche.	Jeanne Poisson devient Marquise de Pompadour.
1747		Voltaire : *Zadig*.
1749		*Lettre sur les aveugles* : Diderot emprisonné.
1750		Mort de J.-S. Bach.
1753		Rousseau : *Le Devin de village*.
1755	Tremblement de terre de Lisbonne.	Mort de Saint-Simon.
1756	Début de la guerre de Sept Ans.	Rousseau chez Mme d'Épinay.
1759		L'*Encyclopédie* condamnée. Voltaire à Ferney : *Candide*.
1761		Rousseau : *La Nouvelle Héloïse*.
1762		Diderot : *Le Neveu de Rameau*. Rousseau : *L'Émile et le Contrat social*. À Amsterdam paraît une suite de *Manon*, attribuée à Laclos.
1763	Traité de Paris (10 janvier).	

VIE ET ŒUVRE DE PRÉVOST	DATES
Il collabore à la rédaction d'un pamphlet et doit s'enfuir à Bruxelles.	1741
Il traduit *Pamela* en français.	1742
Il prend une maison à Chaillot.	1746
Il publie des traductions ou fait œuvre d'historien.	1747
Traduction de *Clarissa Harlowe*, de Richardson.	1751
Édition corrigée de *Manon* à Amsterdam.	1753
Le pape Benoît XIV lui octroie le bénéfice du prieuré de Saint-Georges-de-Gesne (près du Mans). Écrit l'histoire de la maison du prince de Conti. Il collabore aussi au *Journal étranger*.	1754
Il entreprend une *Histoire générale des voyages*.	1755
Publication de l'*Histoire générale des voyages*.	1759
Mort de l'Abbé Prévost.	1763

PRÉVOST ET SON TEMPS

L'AIR DU TEMPS

En 1715 la mort de Louis XIV confirma l'affaiblissement de l'autorité qui provoqua une importante évolution des mœurs. En attendant la majorité du futur roi, le duc d'Orléans devient Régent et s'installe à Paris au Palais Royal.

Paris gagne une importance de premier plan, devient le centre de la vie publique, intellectuelle et culturelle et surtout le centre de la vie de société et des plaisirs.

En contraste avec l'austérité des dernières années du règne du vieux roi, l'époque est marquée par une volonté de jouissance.

Le goût des plaisirs
•

À Paris, les aristocrates, les nouveaux riches vont au théâtre, à l'opéra, au jeu; les salons de jeu clandestins fleurissent, comme cet hôtel de Transylvanie où Des Grieux apprend à «filer» la carte.

En été la mode des parties de campagne, à Auteuil, à Passy, à Chaillot invite les Parisiens à quitter la ville.

Le luxe s'introduit dans les maisons, le goût des bijoux, les carrosses particuliers.

Le règne de l'argent, vieux déjà d'une cinquantaine d'années, instauré par les grandes difficultés financières de Louis XIV, a créé une situation nouvelle : tout s'achète pour qui sait payer, même la naissance. Le manieur d'argent est attaqué dans les œuvres littéraires ou tourné en ridicule.

Les mœurs se relâchent et la recherche du bonheur entraîne la licence. Le Régent donne l'image du vice et l'époque est marquée par le vol, le crime et les grands scandales. Tous les moyens sont employés pour arriver à ses fins, la duperie, le «greluchonnage*», le commerce des charmes féminins.

Par l'habileté du héros du jour, l'Écossais John Law, en 1718, s'ouvre à Paris la Banque Royale, dans la rue Vivienne (à côté des appartements que le couple des amants prend en arrivant à Paris). Pendant deux ans, d'immenses fortunes se font, mais en 1720, la banqueroute est là, le fait d'un homme dont on disait : «Ce calculateur sans égal / Qui par les règles de l'algèbre / A mis la France à l'Hôpital.»

Par ailleurs, en 1717, John Law forme La Compagnie d'Occident ou des Indes destinée à repeupler les colonies. La propagande évoque le Mississippi comme «un territoire charmant, qui commence à se peupler...». Un corps d'archers est chargé de saisir par la contrainte des vagabonds, des filles de mauvaise vie, des orphelins, pour les embarquer vers les colonies. L'opinion publique s'émeut de ces procédés.

UN ÉCRIVAIN HORS DES NORMES

À cette date, le jeune Antoine-François Prévost, né en 1697, a eu le temps de vivre une jeunesse agitée, partagée entre des études chez les jésuites, des fugues dans l'armée, d'où il revient chez les jésuites. En 1713, il quitte l'armée et finit en 1727 par vivre chez les bénédictins, employé à la prédication, l'enseignement, à des travaux de recherche historique. Il écrit déjà beaucoup et rédige en secret le début d'une œuvre importante qui comportera sept volumes, *Mémoires et aventures d'un Homme de Qualité qui s'est retiré du monde* dont la parution s'étendra de 1728 à 1731.

Les hommes de lettres ne participent pas à la richesse suscitée par le goût du luxe et de l'argent qui se déchaîna sous la Régence, et la fortune de Prévost est toujours médiocre : précepteur à Londres, il est acculé au manque d'argent ; il va en Hollande où il publie, en même temps que son célèbre roman *Cleveland*, le dernier tome des *Mémoires*, constitué par *L'Histoire du Chevalier Des Grieux et de Manon Lescaut*. L'énorme succès du livre suscite un scandale.

L'écriture n'est pas considérée comme un métier ; les hommes de lettres ne fréquentent plus la Cour mais de nouveaux foyers intellectuels, où ils exercent une influence grandissante : les cafés, les clubs, les salons.

LA QUÊTE DU BONHEUR
COMME VISION PHILOSOPHIQUE

Prévost ne serait pas de son siècle s'il ne s'interrogeait pas sur la nature et le bonheur. Héritier encore fidèle des contraintes de la foi catholique du XVIIe siècle, il est marqué par un pessimisme que suscite la croyance en une nature perdue par le péché originel condamnant l'homme à vivre dans la crainte absolue d'un Dieu impitoyable. La notion de péché garde pour lui toute sa grandeur.

Mais dès le début du siècle, Voltaire écrit : « *La grande affaire et la seule qu'on doive avoir, c'est de vivre heureux.* » (*Correspondance*, mai 1728). Dès lors la quête du bonheur se révèle essentielle pour l'homme, l'aventure la plus passionnante. La psychologie se comprend dans une perspective métaphysique. Le christianisme se dilue dans un hédonisme* éclairant et constitue d'abord une réponse à une inquiétude naturelle, un chemin parmi d'autres vers le bonheur.

Prévost se sent écarté de la croyance en un bonheur possible et en exclut ses personnages.

LE ROMAN : UN GENRE
TOUT NOUVELLEMENT APPRÉCIÉ

Comme au siècle précédent, le roman demeure, et demeurera longtemps, un genre méprisé, *« une faible production qui ne méritait aucune louange »* (Lesage, *Gil Blas*, 1715).

Au début du XVIIIᵉ siècle le genre romanesque souffre encore du discrédit et de la censure officielle ou cachée qui le contrôle ; toutefois, dans la deuxième époque (1715-1760), le roman va se développer au-delà de ce qu'on pouvait attendre.

On reproche au genre d'être absent des doctrines classiques, de gâter le goût, d'être dangereux pour les mœurs. *« Jamais fille chaste n'a lu de romans ».* (Rousseau, *La Nouvelle Héloïse*).

Pour répondre à ces objections, les théoriciens font appel à plusieurs arguments : le roman peut se rapprocher de l'histoire, genre plus respectable. Prévost a répondu à l'attente du roman historique avec *Cleveland* (1732-1739), le *Doyen de Killerine* (1735) mais, plus généralement, le romancier fait appel à des techniques narratives nouvelles, destinées à favoriser l'illusion* : c'est ainsi que le roman prend la forme de chronique*, de mémoires*, de lettres. La thématique traditionnelle est gardée.

Qu'est-ce, à le bien définir, que le roman ? Une histoire, disons mieux, une fable*, posée sous la forme d'histoire, où l'amour est traité par l'art et par des règles. *« Un homme infatué ne se gouverne plus que par l'amour : tellement que l'amour est toute son occupation, toute sa vie, tout son objet, sa fin, sa béatitude, son Dieu. »* (Bourdaloue, *Sermon*, 1701).

Entre 1700 et 1740, le genre romanesque se développe prodigieusement et, en particulier, le roman à la première personne qui intervient dans les romans les plus connus de l'époque. Lesage, Marivaux et Crébillon en font un large usage.

Les exigences de la recherche du bonheur, axée sur la personne, font appel à ce mode d'expression qui ouvre toutes les possibilités d'exprimer les problèmes individuels. Sous l'égide des plus grands romanciers, Prévost et Marivaux, cette forme narrative met en lumière le statut spécifique du narrateur. Le récit y gagne en émotion et en poésie.

La critique n'a pu confirmer que *Manon Lescaut* ait été composé à partir de données biographiques précises : il est possible que le roman ait été composé dans la période anglaise de la vie de Prévost, même si l'insertion dans les *Mémoires* ne fut décidée que lorsque les *Mémoires d'un Homme de Qualité* eurent pris leur forme définitive, en 1731.
Étant donné l'impossibilité de reconstituer exactement la chronologie interne du roman et surtout d'insérer celle-ci dans le contexte historique – avant la mort de Louis XIV ou dans les débuts de la Régence –, on est amené à considérer le roman moins comme un document que comme une œuvre littéraire et de préciser sa place dans la littérature et ses antécédents.

On a reconnu quelques ressemblances entre le roman de Prévost et des écrits anglais devenus un genre littéraire à part entière grâce à Daniel Defoe, avec *Moll Flanders* (1722), en particulier pour le personnage de courtisane commun aux deux œuvres, avec également un roman anglais de 1688, *Oronoko,* de Mrs Behn qui donne les sources de l'épisode américain.

Mais c'est sans doute en Angleterre et sous la forme d'une traduction anglaise que Prévost découvrit une œuvre française, *Les Illustres Françaises,* de Robert Challe, parue en Hollande en 1713, œuvre maîtresse du roman d'amour. Le titre même apparente *L'Histoire du Chevalier Des Grieux et de Manon Lescaut* – qui associe le nom des deux protagonistes –, avec le roman de Challe, aux sept histoires qui forment le recueil des *Illustres Françaises* et en particulier avec la cinquième d'entre elles, *L'Histoire de Des Prez et de Mlle Lépine* et la sixième, *L'Histoire de M. de Frans et de Silvie.* Ce sont les innovations de romancier que Robert Challe apporte au genre lui-même qui doit retenir notre attention :
– ses personnages portent des noms français, ils font partie d'une humanité moyenne ;
– leurs aventures sont vraisemblables et se déroulent dans une époque contemporaine, dans un cadre familier au lecteur, Paris, ville où se vit tout ce qui passe pour important.

La Préface tient à souligner le point de vue réaliste des problèmes moraux du récit : « *Presque tous les romans ne tendent qu'à faire voir par des fictions que la vertu est toujours persécutée, mais enfin qu'elle triomphe de ses ennemis. Mon roman ou mes histoires, comme on voudra les appeler, tendent à une morale plus naturelle et plus chrétienne...* » (R. Challe, *Les Illustres Françaises,* Préface, Droz, 1991).

241

RACONTER UNE HISTOIRE
DANS UNE HISTOIRE

Au plan dramatique et au plan thématique les histoires de Robert Challe présentent des similitudes importantes, mais c'est au récit challien que Prévost emprunte sa technique narrative, la technique de l'encadrement – déjà présente dans les romans héroïques du XVIIᵉ siècle : comme dans *Manon Lescaut,* dans chacune des histoires des *Illustres Françaises,* un personnage de l'histoire-cadre fait, à d'autres, le récit de ses propres aventures ou de celles d'un proche. Il y avait des histoires insérées dans presque tous les romans antérieurs à *La Princesse de Clèves,* de *L'Astrée* à *Zaïde ;* en 1713, les *Illustres Françaises* était un ensemble d'**histoires** réunies dans le même cadre. *Manon Lescaut* tient à la fois de l'**histoire** telle qu'on la trouve dans le long roman où elle joue le rôle de « tiroir* », et de la **nouvelle**, forme de récit court, à sujet et personnages modernes, qui a remplacé le long roman, à partir de 1660 ; comme la première, *Manon Lescaut* est un épisode marginal d'une action plus importante et elle est racontée à la première personne par le héros ; comme la seconde, elle est courte et tragique.

Ce procédé de l'encadrement, Prévost l'utilise en confiant la narration à Des Grieux qui **raconte** son histoire, encore proche de l'événement. Ce discours oral suppose un auditeur, le marquis de Renoncour, l'Homme de Qualité, ni indifférent ni anonyme qui, par ses qualités d'honnête homme, donne au récit une caution morale certaine et incline le lecteur à la sympathie, plus que tout autre personnage qu'aurait pu inventer Prévost.

LE ROMAN À LA PREMIÈRE PERSONNE

Dans le récit à la première personne, proche des écrits autobiographiques, l'emploi du « je » favorise la confiance du lecteur, en lui donnant l'illusion de relation directe avec le narrateur ; mais il entraîne le romancier dans des difficultés multiples.

Les thèmes
•

Le choix des thèmes de cette forme narrative si répandue au XVIIIᵉ siècle est lié au désir des romanciers d'échapper à la critique majeure du genre, l'invraisemblance. Il faut « faire vrai ». Renoncour, l'homme de qualité, est donné comme l'auteur réel des *Mémoires.*

– Le récit à la première personne entraîne l'exploration de la vie intérieure et Des Grieux ne cesse de justifier son récit par le caractère hors du commun de l'aventure affective qu'il a vécue. L'exploration de son monde intérieur dévoile les aspects les plus tourmentés et les plus mystérieux de l'homme : Des Grieux a conscience d'un destin unique, placé sous le signe d'une fatalité mauvaise : « *Dans le malheur même, il faut que je sois distingué par des excès.* »

Même si le lecteur ne connaît pas exactement l'étendue des malheurs annoncés par Des Grieux lui-même, le discours du chevalier est entièrement orienté à partir de la situation la plus cruelle, celle suscitée par la mort de l'être aimé. Il s'agit donc, pour le narrateur, non pas de raconter les faits mais de reconstruire un passé habité par Manon, personnage présent et absent, connue, encore et toujours mystérieuse. Ce n'est pas le déroulement des événements qui importe mais l'exercice délicat, difficile, de la mémoire, l'essai constant d'établir la cohérence, d'éviter le désordre, de rappeler l'essentiel. Le but ultime du chevalier c'est, en narrant, en méditant sur le passé, d'arriver à comprendre l'histoire de son drame.
Le sujet même du roman à la première personne, c'est l'histoire d'une vie transformée par la passion en destin, perçue comme l'histoire d'une conscience.

– Le héros et la société
Cette expérience affective débute dans la jeunesse du personnage et dévoile la vie sociale et ses codes. Des Grieux et Manon n'appartiennent pas à la même classe sociale ; une rigoureuse hiérarchie les sépare. On en voit les effets régulièrement au fur et à mesure du déroulement du récit : Manon est toujours la victime première des errements du couple ; sa conduite fautive l'entraîne à la déportation, Des Grieux est chaque fois protégé par sa naissance, son air de noblesse et son habileté à plaider sa cause.
Voué à une passion violente, le couple est affronté à un obstacle incontournable, la société et ses vices, la corruption générale, une répression organisée contre tout ce qui peut porter atteinte au code en usage, pouvoir des nantis, des bien-nés qui conjuguent leurs efforts : l'aristocrate qu'est le père du chevalier accepte l'aide du vieillard libidineux G... M... pour arracher son fils aux mains d'une fille de naissance commune.

243

Poétique
•

La première particularité de cette forme narrative est le récit rétrospectif. Le lecteur doit prendre en compte le *« je »* narré*, contemporain du temps de l'aventure, le *« je »* narrant*, contemporain du temps de l'écriture, et qui met à distance le *« je »* narré et l'auteur face au *« je »* narrant.

LA REPRÉSENTATION DU PASSÉ

Que raconter ?
•

Travail de la mémoire
Dans son retour en arrière mémoriel, le narrateur délégué, le chevalier Des Grieux, n'oublie pas mais sélectionne : sa mémoire est inquiète, active, surtout habile à servir l'intention première, plaider en se confessant et pour ce, ne retenir que ce qui sert au but recherché.
– Cette remontée dans le temps entraîne inévitablement des pertes de mémoire, des choix qui créent des «angles morts». Des pans entiers du passé sont brièvement résumés : Des Grieux relate en deux pages deux années de sa vie chez ses parents ou à Saint-Sulpice et on s'étonne que le temps passé avec Manon et qui occupe la majeure partie du récit se limite en fait à quatre ou cinq mois : un mois rue Vivienne, puis quelques semaines à Chaillot. Le rythme du roman est scandé par la sélection d'épisodes choisis par la mémoire par rapport à l'intention didactique du roman.

La mémoire règle aussi le déroulement de l'échange narratif. Cette maîtrise du souvenir, le narrateur l'a acquise dans l'écart qui sépare le récit de l'événement ; or il s'agit de neuf mois, juste une durée qui permet au narrateur de se situer entre le désespoir et la sagesse. Découvrira-t-il l'erreur qui a fait surgir le drame ?
Par exemple, pour que soit éclairée la signification du roman, Prévost ne provoque pas la rencontre du chevalier et de Tiberge avant la mort de Manon. Si Tiberge arrivait avant le drame du Nouvel Orléans, il aurait pu venir en aide aux amants, combler le vide du désert par son intervention et empêcher la catastrophe. Il fallait que la solitude des amants fût totale pour que le destin s'accomplisse.
C'est que seule l'histoire du cœur est écrite. Des Grieux semble avoir vécu dans le seul but de raconter ; or ce n'est pas

244

l'histoire elle-même qui fait l'objet de la narration mais plutôt l'exercice difficile du souvenir, lutte constante contre l'oubli, l'interprétation erronée, une lutte qui permet de transformer une vie anecdotique en destin.

Il raconte son histoire, il ne la comprend pas encore.

Les «erreurs» historiques

On peut relever dans *Manon Lescaut* des erreurs historiques. Trois exemples peuvent être retenus :

– L'atmosphère immorale qui nimbe les années de vie commune des amants est plutôt celle d'une fin de règne, celui de Louis XIV, que le temps du début de la Régence, date qui serait celle de la fiction romanesque.

– La description pathétique du convoi des déportées, les chaînes qui retiennent prisonnière Manon dans la charrette ont quatre ans d'avance sur la réalité.

– On relève également une «erreur» dans le raccord de l'histoire du chevalier et celle de Renoncour à Calais, par rapport à la chronologie interne des *Mémoires* : c'est en juin 1716 et non en octobre que la rencontre devait avoir lieu et, pour rester dans l'exactitude chronologique, il suffisait de réduire à deux mois le deuil du chevalier après la mort de Manon.

Toutes ces «erreurs» s'expliquent par des raisons d'esthétique littéraire :

– Pour le premier cas, Prévost a besoin que, dans son récit coexistent les rigueurs de l'ordre moral et social «ancien», vestige du règne du vieux roi, incarné dans le personnage du père de Des Grieux et la nouvelle société déjà vouée à l'argent, et aux conséquences de son pouvoir sur les relations sociales, représentée par G... M... et son fils.

– Dans le deuxième cas, la mention des chaînes accentue le pathétique et le dramatique du dénouement. Enfin, si Prévost a refusé de raccourcir la durée du deuil du héros, c'est qu'il tient beaucoup plus aux effets littéraires de l'importance de ce deuil qu'à une exacte chronologie.

Comment raconter ?
•

Le passé raconté

En ce qui concerne la relation du passé, deux discours coexistent ou s'entrelacent dans la tentative de représentation d'un passé récent :

– le discours qui veut relater l'aventure, la suite des événements vécus par le narrateur/personnage et par Manon, une Manon inconstante, vénale, frivole ; le texte répète les mauvaises actions de la jeune femme, et met à chaque fois en lumière sa responsabilité dans les malheurs qui accablent le couple.

– le discours de la narration, par lequel, neuf mois après la mort de Manon, le narrateur tente de comprendre le pourquoi de l'enchaînement d'événements qui l'a conduit au drame final : se mêle alors au simple récit d'événements une modalisation de l'énoncé, qui met une certaine distanciation entre le narrateur et son récit. Les interventions du narrateur sont nombreuses, un mot, un paragraphe, mais elles se fondent si bien dans le récit qu'on sait difficilement qui parle, du narrateur repenti ou de l'amant de Manon.

Le narrateur maître du temps

Le narrateur a besoin de restituer une logique à des événements qui se sont déroulés trop vite pour que le personnage ait eu le temps de comprendre : « *Mais pour mieux faire entendre toutes les circonstances de notre ruine, il faut en éclaicir la cause* » (l. 4449 à 4450).

La narration étant postérieure au déroulement des événements, le narrateur possède une connaissance plus étendue que celle de son personnage : il connaît déjà les conséquences d'une aventure que le personnage vit et perçoit au fur et à mesure ; cependant, pour susciter et maintenir l'attention de son auditeur, il ne doit pas dévoiler les effets des événements mais gérer avec art la perspective temporelle de cette forme narrative. Dès le récit de sa première dissension avec Tiberge, Des Grieux laisse entendre, mais sans en dire plus, les conséquences néfastes que suscita son mépris pour les conseils avisés de son ami.

Le narrateur maître du récit / les restrictions de champ

Le roman à la première personne interdit l'omniscience au personnage/narrateur : Des Grieux dans sa confession qui le conduit à l'exploration de sa vie intérieure ne peut donner que sa propre vérité, entièrement subjective et donc partielle. Rousset parle de la «*myopie*» du chevalier aveuglé par sa passion ; sa lucidité ne s'exerce que pour saisir précisément l'ambiguïté de la conduite de Manon et celle de ses propres réactions. De plus, le personnage de Manon présenté par Des Grieux, est, en fait, une «reconstruction» par la mémoire affective d'un être ; et l'adoption systématique du «point de vue» du chevalier laisse à peu près entièrement dans l'ombre les sentiments de Manon, et amène ainsi à reconstruire une personnalité mystérieuse, ambiguë, ce que Proust nommera « *un être de fuite* » (*Un amour de Swann*, cité dans, Genette,

Figures III, p. 216). Peu importe ce qu'est Manon en réalité ; surgie des mots de son amant, le lecteur la voit uniquement par les yeux du chevalier qui célèbre dans son récit une femme passionnément aimée et disparue.

Ce recours aux restrictions de champ conduit à faire de la narration/confession **un plaidoyer**. Certes Manon, présentée comme une *« adorable créature »*, est en même temps donnée comme *« perfide »*, inconstante, vouée à la satisfaction de son plaisir, bassement intéressée. Mais avec le recul, le narrateur lucide et résigné reconnaît à Manon une innocence qu'il ne percevait pas dans le temps de l'aventure.

Quant au héros lui-même, il peut invoquer la fatalité pour expliquer son malheur, la Providence pour justifier son entrée dans le monde malhonnête des joueurs, *« la protection du Ciel »* qui lui inspire l'idée d'emprunter de l'argent à Tiberge ; ces puissances invoquées sont des formules nées de la tradition romanesque et destinées à délivrer le personnage d'une responsabilité évidente ; en fait, le récit n'est que la relation des faiblesses du personnage.

Aussi le personnage qu'est Des Grieux raconte-t-il son histoire moins pour évoquer son passé que pour donner un sens aux événements *« extraordinaires »* qu'il a vécus. Il s'interroge sur la cause du drame, sur l'enchaînement fatal des catastrophes qui l'ont atteint.

Dans la même perspective, le récit à la première personne ne permet pas au narrateur de présenter amplement les personnages secondaires, occupé qu'il est à décrire ses propres sentiments, ses motivations et ceux de son amante. Tiberge et Lescaut nous sont décrits à travers les dialogues qu'ils ont avec le héros ; et c'est dans les procédés stylistiques variés et caractéristiques que le lecteur peut saisir les sentiments de Tiberge, ses réticences, ses arguments pour convaincre Des Grieux. De la même façon, la relation des entretiens de Lescaut avec Des Grieux éclaire le lecteur par la différence du style des deux personnages, vocabulaire, forme et enchaînement des phrases, etc.

Le narrateur/personnage

•

Le narrateur Des Grieux raconte sa propre histoire dont il devient le personnage principal : le décalage temporel entre les deux perspectives, celle de Des Grieux racontant et celle de

Des Grieux/personnage raconté, amène le premier à évaluer, juger l'attitude du second.

L'étude des rapports entre le narrateur Des Grieux et son histoire illustre avec un éclat original la technique narrative du roman à la première personne.

Le récitant a une attitude ambiguë face à son personnage : il est à la fois narrateur / juge de son personnage, et dans ce cas il lui reconnaît la conscience de ses actes au moment de l'aventure, et le narrateur / encore ignorant au moment de l'écriture de la signification de ce qu'il a vécu. Plusieurs modalités se présentent.

Le narrateur juge d'un personnage déjà conscient

Des Grieux ne cache rien de ses erreurs passées, et accepte le jugement des moralistes rigoureux que sont Renoncour, Tiberge, son père :

« Je veux vous apprendre, non seulement mes malheurs et mes peines, mais encore mes désordres et mes plus honteuses faiblesses » (l. 193 à 195).

« Je dois le confesser à ma honte, je jouai, à Saint-Lazare, un personnage d'hypocrite » (l. 2226).

Le narrateur condamne le comportement de son personnage et semble intérioriser un code moral officiel, la loi. À cette occasion, il accorde au personnage, au temps de l'aventure, un « savoir » déjà égal au sien, et qui pouvait suffire à prévoir les effets de l'erreur :

« Je connaissais Manon ; pourquoi m'affliger tant d'un malheur que j'avais dû prévoir ? » (l. 4001).

Mais cette connaissance était vaine : le chevalier avait beau savoir, il n'a pas fait le « bon choix ». (*Cf.* l. 3732 à 3740 : *« le projet est joli... céder si facilement »*.)

Le narrateur incertain

Malgré le désir qu'il en a, le narrateur éprouve de grandes difficultés à comprendre ses sentiments : *« car j'ignore encore aujourd'hui par quelle espèce de sentiments je fus alors agité »* (l. 1815). Par ailleurs, la parole du narrateur n'est jamais confrontée à une parole extérieure. Le lecteur ne peut déterminer un jugement sur le récit et se laisse entraîner à la vision, imposée par le narrateur, d'un couple d'amants exceptionnel, une vision mythique d'un amour hors du commun.

Le narrateur/amant inconsolable

Par ailleurs, au-delà d'une condamnation morale des *« débordements passés »* par un narrateur qui parle *a posteriori*, il rappelle avec émotion l'incomparable passion, et il laisse alors le juge-

ment au lecteur : «[...] *je trouve encore de la douceur dans un souvenir qui me représente sa tendresse et les agréments de son esprit»* (l. 3371).
Le message est donc double et traduit une complicité toujours présente entre le narrateur et le personnage : que le lecteur accepte de remettre en cause ses certitudes morales face à un tel plaidoyer.

Manon Lescaut au Havre de Grâce. *Tableau de Mme Hortense Richard.*

Depuis 1731, le roman de l'abbé Prévost fut réimprimé plus de deux cents fois et commenté par les auteurs les plus connus. L'œuvre a suscité également une importante production d'adaptations dramatiques et/ou musicales. Elle apparaît aussi dans les gravures.

AU XVIIIe SIÈCLE

Immoralité de l'œuvre, style apprécié
•

Les critiques contemporains soulignent l'immoralité de l'œuvre qui sera saisie en 1733, puis en 1735, sans que l'auteur soit puni. Lorsque le roman se détache des *Mémoires d'un Homme de Qualité*, la presse dénonce ce *« livre abominable »* dont l'héroïne est *« une coureuse sortie de l'Hôpital et envoyée au Mississippi à la chaîne »*.

Le style est cependant apprécié et, en 1734, Lenglet-Dufresnoy, dans sa *Bibliothèque des romans*, écrit que *« son ouvrage est bien écrit, avec goût, et rempli de caractères vrais et intéressants »*.

L'amour, noble motif
•

> J'ai lu, ce 6 Avril 1734, Manon Lescaut, *roman composé par le père Prévost. Je ne suis pas étonné que ce roman dont le héros est un fripon et l'héroïne une catin qui est menée à la Salpêtrière, plaise, parce que toutes les mauvaises actions du héros, le chevalier Des Grieux, ont pour motif l'amour, qui est toujours un motif noble, quoique la conduite soit basse. Manon aime aussi ; ce qui lui fait pardonner le reste de son caractère.*
>
> Montesquieu, *Pensées et fragments inédits,*
> « Bibliothèque de la Pléiade », Gallimard, t. II, p. 61.

Dans une note de son ouvrage critique, *Idée sur le roman*, le Marquis de Sade salue *Manon Lescaut* avec hardiesse :

> Quelles larmes que celles que l'on verse à la lecture de ce délicieux ouvrage ! Comme la nature y est peinte, comme l'intérêt s'y soutient, comme il augmente par degrés, que de difficultés vaincues ! Que de philosophie à avoir fait ressortir tout cet intérêt d'une fille perdue ; ne dirait-on pas trop en osant assurer que cet ouvrage a des droits au titre de notre meilleur roman ?

AU XIXe SIÈCLE

La critique s'intéresse au roman en fonction des théories esthétiques de l'époque.

Adéquation entre le réel et la fiction
•

S'il y a un art, c'est qu'il est impossible au lecteur de sentir l'endroit où la réalité cesse, et où la fiction commence. Ce livre, avec tous ses étranges aveux et avec l'espèce de mœurs si particulières qu'il présente, ne plaît tant que par le parfait naturel, et cet air d'extrême vérité.

Sainte-Beuve, *Lundis*, t. IX, novembre 1853.

Réussite de la description des sentiments
•

Ce qu'il y a de fort dans Manon Lescaut, *c'est le souffle sentimental, la naïveté de la passion qui rend les deux héros si vrais, si sympathiques, si honorables, quoiqu'ils soient des fripons ; la composition en est fort habile ; quel ton d'excellente compagnie !*

Flaubert, *Correspondance*, 1861.

Romantisme
•

Alfred de Musset fait entrer Manon dans les images de la femme romantique :

> *Manon ! Sphynx étonnant ! Véritable sirène !*
> *Cœur trois fois féminin, Cléopâtre en paniers...*
> *Tu m'amuses autant que Tiberge m'ennuie.*
> *Comme je crois en toi ! Que je t'aime et te hais !*
> *Quelle perversité ! Quelle ardeur inouïe*
> *Pour l'or et le plaisir...*

Alfred de Musset, *Namouna*, 1832.

AU XXe SIÈCLE

Le tableau que Prévost nous donne de la société parisienne dans l'Histoire du chevalier Des Grieux ou dans les Mémoires d'un honnête homme reste foncièrement pessimiste... Consacrés aux obscurités et aux contradictions du cœur, ses romans décrivent inlassablement les postulations secrètes, les illusions, la mauvaise foi de l'être individuel ; ils cernent le désordre essentiel sur lequel repose la « nature » ; ils n'envisagent pas l'action, la lutte incessante au prix de laquelle se construit une civilisation. C'est dans l'Histoire de Guillaume le Conquérant, [...] que se définissent les modalités de l'action civilisatrice [...], les espaces immenses qui jettent l'angoisse dans ses romans sont aussi des espaces à conquérir. Prévost, à cet égard, est un homme des Lumières. [...] Dans l'histoire..., il met toute sa confiance, sans s'abandonner aux illusions. Dans le roman, il jette ses contradictions et ses doutes, il affronte les ombres du cœur humain, de la nature, de la condition présente de l'homme. Sans ce combat, il n'y aurait pas non plus de philosophie des Lumières.

J. Sgard, *L'abbé Prévost, Labyrinthes de la mémoire,*
PUF, 1988, pp. 138-139.

Manon et Des Grieux, sur le chemin du Havre de Grâce.
Gravure de Pasquier.

POÉTIQUE

L'architecture du récit est régulière :
L'« histoire », un récit rétrospectif dit par le narrateur/personnage, est encadrée par un prologue en deux temps, confié au narrateur Renoncour, et par un épilogue qui clôture le roman.

Le récit
•

Le roman se déroule suivant un trajet linéaire qui, selon une logique absolue, commence par la rencontre des deux protagonistes, Des Grieux et Manon, et finit par la mort de Manon.

Quatre épisodes reproduisent un schéma identique : le héros, Des Grieux, amant passionné de Manon, craint de perdre la jeune femme née avec *« un penchant »* pour le plaisir, qui se laisse séduire successivement par un riche financier, M. de B..., par le vieux G... M..., un nouveau riche, puis par le jeune G... M.... Manon est trois fois infidèle, ce qui suscite trois séparations, puis trois réunions passionnées : trois occasions pour Des Grieux de revivre les « surprises » de l'amour.
Le destin frappe la première fois avec le vieux M. de B... sans rencontrer d'obstacle : Manon va revoir Des Grieux à Saint-Sulpice et entraîne son amant dans une première défaite (1). Les amants se retirent à Chaillot. Une deuxième et troisième fois, le destin se manifeste par l'irruption dans la vie du couple d'un père et d'un fils. Les deux épisodes du père et du fils G... M... (2 et 3) séparés par l'interruption du repas sont symétriques : Manon succombe aux charmes de la richesse de ses séducteurs et dans les deux cas, les amants arrêtés dans leur chambre sont emmenés en prison. Une évasion est chaque fois projetée, réussie la première fois, elle échoue dans le second cas et conduit à la déportation de la jeune femme.
Un quatrième épisode reproduit le schéma tragique, malgré le comportement différent des protagonistes. Un obstacle incontournable, né de la classe sociale toute-puissante, s'oppose aux projets heureux du couple et, même si Manon n'est aucunement coupable et veut rester fidèle à son chevalier, l'accès à un nouveau monde n'a pas changé la fatalité qui interdit à l'amour une heureuse issue.

En 1753, Prévost insère l'épisode du prince italien – reproduction parodique et comique du schéma habituel – mais Manon renvoie le riche séducteur ! Schéma unique qui disparaîtra au profit de l'ancien cours des choses, l'épisode du fils G... M...

L'action
•

Le récit présente la succession chronologique des événements rapportés par le narrateur/héros lui-même.

Trois mouvements rythment l'action :

Alternativement les amants se rejoignent dans l'amour, s'éloignent l'un de l'autre, sans trouver de place pour eux sur la Terre.

Alternativement, le héros voit sa vie atteindre des hauteurs réjouissantes et plonger dans la misère : chaque fois, il trouve une situation plus misérable.

Alternativement, le héros se laisse aller à des réactions de désespoir, s'apaise et se résigne aux exigences de sa nouvelle vie.

L'action progresse donc en fonction de **péripéties extérieures** – le vol des économies, l'incendie, l'arrivée du jeune G... M... à l'auberge de Chaillot, les évasions, les assiduités des séducteurs de Manon, l'intervention de Lescaut, le duel – et **intérieures** – les réactions des personnages. L'action reprend son cours, chaque fois que le couple vit une pause de paix et que l'incident précédent a été résolu.

STRUCTURE NARRATIVE

Manon Lescaut se présente sous la forme d'un récit à tiroirs* et à narrateurs multiples :

1. L'instance littéraire : l'auteur, l'abbé Prévost.

2. Donné par Prévost comme l'auteur des *Mémoires*, l'Homme de Qualité s'adresse au public dans un avis au lecteur : «*si le public a trouvé quelque chose d'agréable et d'intéressant dans l'histoire de ma vie, j'ose lui promettre qu'il ne sera pas moins satisfait de cette addition*».

3. C'est encore lui qui fait office de narrateur au début de la première partie (p. 15) : «*Je suis obligé de faire remonter mon lecteur au temps de ma vie où je rencontrai pour la première fois le Chevalier Des Grieux*».

4. Il transmet le relais de la narration à Des Grieux qui commence : «*J'avais dix-sept ans...*» (p. 26) et parle jusqu'à l'heure du dîner.

5. Le premier narrateur reprend la parole, au moment du souper : «*Le chevalier Des Grieux ayant employé plus d'une heure à ce récit, je le priai de prendre un peu de relâche, et de nous tenir compagnie à souper*» (p. 129).

6. Des Grieux reprend la parole (p. 137) sans jamais s'interrompre, jusqu'à la fin du récit.

Voici donc une chaîne de narrateurs : Homme de Qualité-Des Grieux – Homme de Qualité-Des Grieux. Le récit est conduit linéairement, de la première rencontre, à la mort de Manon. À la fin du roman, seul reste comme narrateur Des Grieux. L'Homme de Qualité ne réapparaît pas pour conclure comme il avait procédé en introduisant. Les autres personnages disparaissent ; Tiberge s'est éclipsé. La chaîne des narrateurs s'est interrompue ; il ne reste que le narrateur principal, le chevalier, qui raconte et termine son histoire, non plus pour l'Homme de Qualité qui n'apporte aucun commentaire final, mais pour lui-même et pour le lecteur, directement resté en tête à tête avec le narrateur. À ce lecteur, sans intermédiaire, de tirer les conséquences de cette vie devenue un destin, de méditer sur le sens de ce destin, de revoir peut-être quelques-unes de ses opinions sur le discours officiel, moral, légal, raisonnable, à la lumière de cette aventure marginale, illégale et folle.

À PROPOS DE L'ŒUVRE

Les promenades du Luxembourg au XVIIIe siècle. *Gravure de Rigaud, 1729. B. N.*

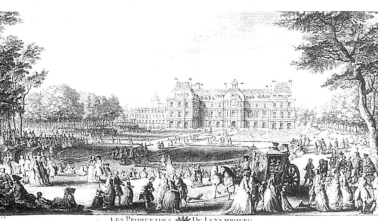

STRUCTURE NARRATIVE

DATES	LIEUX	ACTION
CHRONOLOGIE INTERNE DU ROMAN		
1712, le 28 juil.	Amiens	Rencontre de Manon et de Des Grieux, narrateur de leur histoire.
1712, le 29 août	Paris	Première trahison de Manon.
	à P... chez le père de Des Grieux	Il reste enfermé un an.
1713, en septembre	Paris	Entrée au séminaire de Saint-Sulpice.
1714, en septembre	Chaillot	Fuite avec Manon.
1714, en octobre	Paris	Deuxième trahison de Manon.
1714, en octobre	Paris	Ils sont en prison pour trois mois.
1715, en janvier	Évasion vers Chaillot	Seconde partie du récit.
1715, en février	Paris	Troisième trahison de Manon. Ils sont arrêtés. Manon est déportée.
	Pacy-sur-Eure	Rencontre de Renoncour. Des Grieux part avec Manon pour l'Amérique.
1715, en avril	La Nouvelle-Orléans	La vie en Louisiane pendant huit ou neuf mois.
1716, en janvier ou février	Dans le « désert »	Mort de Manon.
1716, vers octobre	Calais	Rencontre de Renoncour. Début du récit.
DURÉE TOTALE DE L'HISTOIRE		
1715 en février	Pacy-sur-Eure	Première rencontre de Renoncour et Des Grieux.
1716, vers octobre	Calais	Deuxième rencontre. Manon est morte en Amérique.

TRAITEMENT ET SIGNIFICATION DE L'ESPACE

Paris
•

« Une ville est un univers quand on y aime une femme. » (Laurence Durrell, *Justine*, 1957).

Dans le champ de son récit mémoriel, Des Grieux fait surgir, sans s'arrêter au pittoresque, un parcours à travers Paris. La rencontre des amants les amène d'Amiens à Paris et le départ pour la déportation les renvoie de Paris vers Pacy, puis au bout du monde. Paris devient ainsi le lieu tragique de leur aventure, Paris, lieu privilégié du roman, espace restreint et de plus en plus fermé : le chevalier vit ses aventures entre la rive droite, le Paris mondain de la rue Vivienne ou du Palais Royal, et la rive gauche, Saint-Sulpice, le Luxembourg, ou entre le faubourg luxueux de Chaillot et le sinistre faubourg de l'Hôpital. Rien de la vaste ville où l'on puisse disparaître, mais une suite de voies où l'on se rencontre et se retrouve : Lescaut, le frère, tombe sur son ennemi ; Des Grieux voit passer de sa fenêtre le carrosse de G... M... ; le vieux B. voit Manon à sa fenêtre et la police mandée par les riches et les puissants retrouve sans tarder les fugitifs.

Chaillot
•

À trois kilomètres des Tuileries, lieu d'exil pour Manon qui l'accepte de bien mauvaise grâce et qui aspire à le quitter à l'approche de l'hiver, lieu symbolique de l'absence de vie sociale donc vide de plaisirs, opéra, comédie, etc., un vide que le couple retrouvera à la Nouvelle-Orléans mais que Manon acceptera le jour où elle ne peut plus espérer un sort meilleur.

La province
•

Au-delà de l'espace urbain, le récit est parcouru par l'évocation de lieux provinciaux, Amiens où le chevalier fait ses études, P... dont il est issu, P... encore où son père l'enferme pendant un an après son escapade, P... enfin où il retourne sans doute à la fin du récit, quand son frère le rejoint à quelques lieues de Calais ; mais où est P... ? Prévost veut cacher le nom et le lieu de naissance de ses personnages. La règle des histoires secrètes le voulait.

L'ailleurs

•

C'est à l'Amérique que le chevalier demandera « *de goûter les vrais douceurs de l'amour* », avec une Manon fidèle dans un pays qui deviendra sa nouvelle patrie, « *Tout l'univers n'est-il pas la patrie de deux amants fidèles ?* » (l. 5362).

Des Grieux est le seul homme à embarquer et il croit en toute bonne foi à la terre d'asile qu'il gagne. Ce bout du monde est une sorte d'utopie qui permet aux amants d'espérer la fin de leurs malheurs.

Le chevalier croit trouver un espace vierge de civilisation, où il pourra aimer librement. Or que rencontre-t-il ? Un lieu dont il ne prend pas la peine de décrire l'exotisme à l'exception de quelques détails symboliques (la maison du gouverneur « *défendue par quelques ouvrages de terre* » et la cabane des amants, « *composée de planches et de boue* »), tant il y retrouve ce qu'il a fui : la civilisation de son pays, de Paris « en réduction », une hiérarchie sociale dont les représentants, le gouverneur, Synnelet, l'Église, lui rappellent son père, le Lieutenant de Police, le jeune G... M... ; Manon est à nouveau un objet de convoitise. Quant aux espaces immenses qui entourent la ville et qu'ils doivent traverser pour fuir la vengeance du gouverneur, c'est eux qui les arrêteront à jamais.

Le choix d'un tel paysage pour le dénouement de l'action tragique éclaire l'histoire des amants d'une lumière grandiose : les amants maudits et rejetés ont couru volontairement jusqu'aux extrémités du monde, au-delà même, jusqu'au désert, lieu vide, lieu de la nudité et de la misère totale.

Le retour

•

Mais la disparition de l'objet d'amour jettera Des Grieux vers « *sa patrie, pour y réparer, par une vie sage et réglée, le scandale de* [sa] *conduite* ». L'exil auquel l'avait contraint la passion disparaît au profit du retour dans l'espace géographique de ses pères.

Amiens, lieu où commence le récit du chevalier, rencontre initiale du couple, juillet 1712, Calais, retour en France, arrivée du chevalier, 1716, Paris lieu de l'aventure amoureuse, l'Amérique, lieu d'exil, nouveau monde, inconnu, éloigné, hostile et pourtant lieu refuge où le bonheur est attendu et apparemment possible, tels sont les éléments de l'espace « réel » du récit.

Le décor
•

Il est toujours sommaire : il est simplement fonctionnel et doté de précisions gratuites : ou bien l'aventure oblige à des rencontres providentielles ou malheureuses : Des Grieux et Manon s'arrêtent à Saint-Denis, l'auberge de Calais est à «*l'enseigne du Lion d'or*» comme telle autre auberge des *Mémoires*, ou le tragique exige les lieux désolés aperçus à l'arrivée en Amérique.

Les qualificatifs vagues, «*vaste plaine, campagne recouverte de sable*» ôtent à cet espace tout intérêt pittoresque qui n'existe que par rapport à Manon, à elle seule. Sans doute Prévost a-t-il choisi ce lieu désertique, selon une tradition biblique, comme le lieu de purification qui sauvera Manon de la damnation éternelle et qui conduira le chevalier à retrouver une vie digne de ses origines. Il est significatif ici que Prévost n'ait nullement évoqué la splendeur de la nature tropicale de la Louisiane*.

Le lieu imaginaire
•

Du récit surgissent, à maintes reprises, des termes qui évoquent le voyage, le brusque départ vers un lieu inconnu, provoqué par le refus du *hic et nunc* : après Saint-Sulpice, le chevalier «*se trouve emporté loin de son devoir*», emporté par une délectation victorieuse, et aborde une rive nouvelle, inconnue qu'il décrit avec angoisse et volupté, un espace qu'il décrit comme «*Ce pays inconnu, où l'on est transporté dans un nouvel ordre de choses, ce pays de l'instant qui dans l'écoulement et la scission de la durée, surgit ainsi à la faveur du contraste, ne ressemble en rien aux contrées déjà traversées...*» (G. Poulet, *Études sur le temps humain*, p. 193, Press Pocket, 1989.) Aussi n'aura-t-il de cesse avant d'avoir cherché et trouvé un lieu imaginaire, hors de l'espace ancien rassurant mais devenu hostile, où il pourra jouir en paix avec Manon des exigences impérieuses de son être, lieu intérieur, plus qu'éloignement dans l'espace.

TRAITEMENT ET SIGNIFICATION DU TEMPS

À un espace clos correspond un temps mesuré, un temps qui s'accélère et qui finit par faire défaut. Un temps tragique, dense, pressant, menaçant.

Le premier acte s'écoule pendant un an et demi : un mois à Paris, calculé avec une moqueuse précision par le père du chevalier, six mois ensuite dans l'enfermement de la maison familiale et six mois de réflexion (septembre 1712–septembre

1713), puis la durée d'une année «scolaire» à Saint-Sulpice (septembre 1713–juillet 1714), et c'est la perception subjective de la durée qui fera dire à Manon qu'il s'agit de deux ans. Durant cette exposition s'écoule le temps des vacances, de la scolarité, de la vie courante.

Le second acte ne dure que cinq ou six mois – un à Chaillot – et trois en prison, à Saint-Lazare, l'évasion et la fuite à Chaillot (juillet 1714–janvier 1715).

Le troisième acte, plus bref encore, une semaine entre la sortie de prison, le temps du greluchonnage*, la nouvelle arrestation, et celui où il sort libre du Châtelet jusqu'à la rencontre avec Renoncour à Pacy (janvier 1715-février 1715). Dans la première édition de 1731, pas de répit pour les amants qui viennent de se retrouver : le jeune G... M... se déclare le jour de l'évasion des amants ; le lendemain, l'accord est passé entre Manon et le nouveau prétendant, mais cette rapidité de la suite des événements sembla trop radicale à Prévost, qui décida d'accorder au couple réuni une durée de bonheur plus longue ; aussi inséra-t-il l'épisode du prince italien qui évoque une durée de plusieurs semaines de grand bonheur.

Au dernier acte, la durée se perçoit en heures dans une succession sans faille de scènes : la visite du père et la rupture, la confrontation avec le vieux G... M..., libération – il est 6 heures – et le chevalier apprend la condamnation de Manon ; ensuite le dialogue avec Tiberge, avec M. de T., avec le père au soir de la journée ; le lendemain le convoi s'ébranle vers Le Havre. Arrivée en Louisiane*, avril 1715, mort de Manon, janvier ou février 1716, juin 1716, arrivée de Tiberge à la Nouvelle-Orléans, octobre 1716 retour en France et rencontre de Renoncour à Calais.

S'ajoute un autre aspect du traitement et de la signification du temps ; il apparaît que le temps travaille contre le chevalier : il ne cesse de se hâter, d'agir pour sauver son couple, mais ses ennemis agissent plus rapidement ; pendant qu'il se précipite pour dénoncer le vol de ses domestiques, Lescaut débauche sa sœur ; s'il jouit un moment «*du délire du plaisir*» avec Manon, le vieux G... M... le retrouve sur l'heure – il est 10 heures et demie de la nuit ; enfin l'ordre de la délivrance du chevalier part en même temps que la condamnation fatale de Manon. Le récit débute par l'évocation d'une fatalité temporelle – le chevalier aurait dû quitter Amiens un jour plus tôt – et s'achève par un même hasard fatal : le héros prend le bateau un jour avant la lettre de Tiberge qui pouvait le sauver. «*L'ironie du sort s'exprime par le contretemps.*» (J. Sgard, *Labyrinthes de la mémoire*, PUF, 1986, p. 273.)

DES GRIEUX

Des Grieux est présenté, dès *l'Avis de l'Auteur* et dans le *Prologue* par le portrait qu'en fait Renoncour, comme pourvu de tous les dons et de toutes les séductions morales et physiques : jeune, beau, de haute naissance, riche, distingué et pour reprendre quelques formules du récit, d'une *« humeur douce et tranquille »*. Telle est sa « fiche d'identité ». Si on cherche à le caractériser dans le réseau des personnages, il ne déroge pas et pour Tiberge et M. de T., il est un ami fidèle, pour son père, un fils respectueux et aimant, et parle avec amitié de son frère.

Comment cette bonté naturelle l'entraîne-t-elle au vol, au meurtre, à l'escroquerie, au greluchonnage*, tous comportements qu'il avoue sans hésiter et qui n'empêchent pas d'emporter le lecteur dans une sympathie étonnante à son égard. Des Grieux est atteint dès la première apparition de Manon par une passion qui en fait un esclave *« soumis et dévoué »* de la jeune fille. Pour satisfaire le penchant au plaisir de son amante et trouver l'argent nécessaire, il ne recule devant aucune compromission, et devient peu à peu un héros tragique qui s'enfonce dans l'infamie, victime de l'amour total et pur qu'il éprouve pour Manon. Successivement parjure, lors de son départ précipité d'Amiens, tricheur avec l'aide de Lescaut, assassin du gardien de Saint-Sulpice, fripon et greluchon vis-à-vis de M. de G... M..., tels sont les qualificatifs attribués au chevalier.

Cependant lucide sur son comportement, conscient que sa passion le voue au malheur, il cède rapidement, chaque fois qu'il est sur le point de perdre Manon. Mais le chevalier est-il libre d'aimer ou de ne pas aimer Manon ? N'est-il pas victime, à la fois de la société qui lui interdit d'aimer une femme telle que Manon, et du destin qui l'accule à un amour impossible ? Prévost ne se prononce pas en moraliste, c'est une réponse métaphysique* qu'il donnera dans le dénouement.

MANON

Petite provinciale destinée à entrer au couvent, Manon ne fait pas mystère de confier à Des Grieux que c'est pour tenter d'entraver une *« pente au plaisir »*, déjà fortement déclarée, qu'on voudrait la confier aux religieuses.

Sa résignation face à ce sort peu enviable révèle sa malléabilité ; elle se modèle déjà sur l'événement qui se présente.

Son appétit des plaisirs implique une vie de luxe et une incapacité à envisager de manquer d'argent : *« Je connaissais*

Manon. [...] *Elle aimait trop l'abondance et les plaisirs pour me les sacrifier.* » Dès lors Manon cède, chaque fois qu'un homme lui offre la vie qu'elle désire à tout prix. Elle va au couvent mais suit le premier parti possible, elle se laisse enlever par M. de B., elle obéit à son frère qui lui présente le riche M. de G... M..., elle accepte les offres d'une vie fastueuse du jeune G... M...

Aussi par ses actes apparaît-elle comme vénale et perfide, cynique même.

Mais à deux reprises elle cède à son amant, quitte le vieux G... M... et ne refuse pas de suivre Des Grieux hors de la vue du jeune G... M...

Femme-objet, frivole, inconsistante et faible, dominée par la peur de la misère, elle ne peut s'insérer dans un réseau de personnages sinon comme un objet convoité par les hommes ; elle se partage mais elle n'appartient à personne, même pas à celui à qui elle réserve la place d'amant de cœur. Sa fidélité est une fidélité de cœur ; le code social pour une femme de son milieu lui ôte la possibilité de choisir, d'exercer sa volonté. La différence sociale ne permet pas aux amants de communiquer : ce que Des Grieux nomme une « *noire trahison* », Manon en parle comme d'« *une sotte vertu* ».

Manon est immuable, sans justification, sans distance avec elle-même, la morale n'a ni signification ni existence à ses yeux.

Et cependant Des Grieux décrit la métamorphose de Manon en Louisiane*. C'est qu'alors, exclue du cercle des nantis de la société, ne pouvant plus rien craindre ni espérer, Manon accédera à l'amour vrai pour son chevalier : « *C'est ici qu'on s'aime sans intérêt, sans jalousie, sans inconstance* » (l. 5612).

On devra s'interroger sur le processus d'idéalisation rétrospective de Manon par Des Grieux qui se double d'un jugement implacable de l'« *adorable créature* ».

On doit souligner l'absence de portrait de Manon, évoquée sur le mode de l'apparition et des effets provoqués sur le personnage qui la regarde. Cette absence de description dote le personnage d'une aura de mystère qui accentue la force de cette présence/absence ; cette évocation fantomatique de Manon laisse au lecteur toute liberté à son imagination, et a contribué à faire de ce personnage un mythe littéraire.

On trouve dans le roman une analyse pénétrante des passions, mais surtout, en fait, celle d'une passion première « dite », au singulier, l'amour. Des Grieux nomme ainsi le sentiment rare et exemplaire qu'il éprouve pour Manon ; à Tiberge, il en analyse les effets en ces termes : « *Je lui parlai de ma passion avec toute la force qu'elle m'inspirait...* »

NATURE ET EFFETS
DU SENTIMENT AMOUREUX

La passion est d'abord présentée comme le privilège d'une aristocratie de la sensibilité. Dans un commentaire qui suit la première trahison de Manon et l'analyse qu'en fait son père, le chevalier exprime cette particularité : « *Il y a peu de personnes qui connaissent la force de ces mouvements particuliers du cœur. Le commun des hommes n'est sensible qu'à cinq ou six passions* [...] *Mais les personnes d'un caractère plus noble peuvent être remuées de mille façons différentes ; il semble* [...] *qu'elles puissent recevoir des idées et des sensations qui passent les bornes ordinaires de la nature* » (l. 2180 à 2190).

Dès lors « la » passion – et non plus « les passions » – est-elle acceptée comme un bonheur exceptionnel ; mais en même temps, sa rareté et sa violence la présentent comme la marque de la fatalité. Selon le destinataire de son récit, Des Grieux évoque sa passion dans des termes différents ; à Renoncour, il décrit ce sentiment comme « *l'ivresse de l'amour triomphant* », à son père et à Tiberge comme une passion « *si violente qu'elle* [le] *rend le plus infortuné de tous les hommes* ».

Dès que le sentiment est né, et on le perçoit dans la rencontre d'Amiens, il engage la vie tout entière, d'une façon irréversible. La passion peut se porter sur « un objet d'amour » imparfait, voire indigne et le chevalier sait faire le compte des trahisons de Manon. Peu importe, cet amour fatal suscite un choix de vie que la volonté prend en charge et soutient sans faiblir, avec une constance parfaite. Le sentiment devient alors héroïque, soutenu avec une énergie qui permet au chevalier de survivre aux malheurs extrêmes et de reprendre chaque fois une courageuse décision destinée à rétablir une situation désespérée.

AMOUR ET MORALE

Aussi aimer n'est-il jamais considéré par l'auteur comme une faute ; seule la société est responsable des conséquences malheureuses nées des obstacles qu'elle oppose à ceux qui aspirent à un amour légitime et naturel. Des Grieux choisit sans hésiter entre la morale et l'amour : « *Qu'ai-je à mettre en balance avec elle ?* » (l. 3178). L'amour devient une « **valeur** » qui englobe l'être tout entier, le cœur, l'âme, la volonté, la conception éthique, la conscience même. C'est loin de son amante, dans des lieux retirés, que Des Grieux, au cours de monologues délibératifs, « accomplit » son état amoureux jusqu'aux extrémités les plus éloignées. Le nom propre dans l'expression, « *l'air de l'Amour même* » prend la place du nom commun et symbolise le nouveau visage du sentiment, celui du dieu antique. Le Dieu d'amour s'empare de l'âme du chevalier, voué à son culte comme il aurait pu l'être à la vertu ou au Dieu de la religion, même si le culte de ce dieu l'entraîne dans la déchéance.

Cependant, Des Grieux garde en lui la nostalgie de la vertu et de l'honneur, héritage de son éducation. Aussi tentera-t-il jusqu'au bout de concilier sa passion et les lois de sa classe sociale qui la lui interdisent. Mais la consécration de son amour par le sacrement religieux qu'il ne pourra obtenir du Ciel, le chevalier y parviendra par la célébration d'une passion purifiée, dégagée de toutes les contraintes sociales, élevée à la plus haute dignité : « *La passion unique transforme la vie en destin exceptionnel ; grâce à l'appui des réminiscences classiques et romanesques, l'amour passe du domaine des mouvements du cœur à celui du mythe.* » (J. Sgard, *Labyrinthes de la mémoire*, PUF, 1986, p. 149)

DIRE LA PASSION

Le corps « dit » la passion
•

Les bouleversements dramatiques vécus par l'homme passionné sont parfois si terribles que son corps peut chanceler sous le choc d'un malheur insoutenable ; il arrive que Des Grieux s'effondre, pense au suicide, soit contraint à la violence en se jetant sur le vieux G... M..., pousse des cris qui dépassent « toute imagination » ; il peut aussi sombrer dans « *une morne et sombre tranquillité* », face à la jeune prostituée que lui envoie son amante ; de la même façon, il supporte avec peine un excès de joie : « *Prends garde, ma chère Manon. Je n'ai point assez de force pour supporter des marques si vives de ton affection.* » (l. 5598.)
Mais jamais il ne cède à cette faiblesse physique, et l'héroïsme qui l'anime lui permet de continuer à poursuivre le rêve d'un amour absolu.

Paroles et sentiments
•

Très souvent Des Grieux, *« un revenant qui se met à parler »*
(J. Sgard, *op. cit.,* p. 87) ne peut exprimer la force de son
sentiment amoureux qu'il choisit parfois de décrire en termes
issus d'horizons divers et éloignés : *« Chère Manon, lui dis-je,*
avec un mélange profane d'expressions amoureuses et théolo-
giques ». Le discours amoureux et le discours religieux se
mêlent et forment un discours spécifique original. Le langage
n'est pas apte à définir *« ces mouvements particuliers du cœur »*
(l. 2181), tant la passion, difficile à cerner, est encore plus
difficile à exprimer.
Ce dialogisme* du discours du héros souligne la situation de
crise dans laquelle il se débat.

L'expérience amoureuse de Des Grieux échappe aux catégories
traditionnelles de la psychologie et il ne peut expliquer ce qu'il
a vécu : *« il faut avoir éprouvé de tels revers »*, *« par un change-*
ment incroyable à ceux qui n'ont jamais senti de passions vio-
lentes » (l. 3936). La relation de l'expérience immédiate prend
la place de la description du sentiment : *« [...] je versais des*
larmes [...] sans savoir encore de quel sentiment elles partaient »
(l. 522).

Enfin, souvent dans son récit, Des Grieux, soulignant la rareté
singulière de ce qu'il ressent pour Manon, met en évidence
l'insuffisance du langage de la raison : les réalités amoureuses
qui sont les siennes échappent au langage : *« Ah ! les expressions*
ne rendent jamais qu'à demi les sentiments du cœur » (l. 5299).
Dire le sentiment c'est à la limite le trahir, et c'est vouloir en
vain transposer l'inconnu dans le connu.

RAPPROCHEMENTS LITTÉRAIRES

Au XVIIe siècle
Manon Lescaut est un roman qui exhibe les faiblesses de
l'homme passionné et on retrouve cette analyse pessimiste
dans la conception de l'amour chez les personnages raciniens.
Roxane éprouve pour Bajazet un sentiment inexpliqué et inex-
plicable, Néron aime Junie contrairement à son intérêt poli-
tique. Cette vision pessimiste reflète l'atmosphère littéraire du
dernier tiers du XVIIe siècle. *La Princesse de Clèves*, de Madame
de Lafayette, *Les Maximes* de la Rochefoucauld, *Les Lettres*
portugaises de Guilleragues témoigneront de ce même désespoir impuissant face au sentiment amoureux.

L'amour et la mort

En liant ces deux thèmes, Prévost suit une tradition littéraire qui parcourt les siècles dans les genres romanesque et dramatique : *Andromaque, Phèdre, Roméo et Juliette, La Nouvelle Héloïse, Les Liaisons dangereuses, La Porte étroite.*

Les galeries du Palais-Royal.

266

ARGENT ET SOCIÉTÉ

L'action se déroule à une époque qui voit grandir le pouvoir des hommes d'argent. Les colonies produisent des richesses, des fortunes immenses se font, comme celle de M. de B. Les financiers font vivre somptueusement leurs conquêtes.
Dès lors deux «morales» coexistent, celle de Renoncour, de Tiberge, du père du chevalier, et celle des financiers. Dans cette nouvelle société, l'argent est la source de l'action humaine. M. de B., et M. G... M... sont des fermiers généraux dont la réussite matérielle permet la satisfaction de tous les désirs.

ARGENT ET BONHEUR

Manon et l'argent
•

« *Manon était une créature d'un caractère extraordinaire. Jamais fille n'eut moins d'attachement qu'elle pour l'argent, mais elle ne pouvait néanmoins être tranquille un moment avec la crainte d'en manquer. C'était du plaisir et des passe-temps qu'il lui fallait. Elle n'eût jamais voulu toucher un sou, si l'on pouvait se divertir sans qu'il en coûte* » (l. 1593 à 1599). Et il en coûte pour faire vivre Manon dans un plaisir perpétuel !
Et comment gagner sa vie honnêtement en excluant tout travail, du moins pour un homme de qualité ?
Le chevalier trouve de l'argent en empruntant, à son père, à Tiberge, à M. de T., à Lescaut. Il en trouve encore par le jeu ; parrainé par Lescaut, il fait «ses classes» à l'Hôtel de Transylvanie et justifie la pratique malhonnête du tricheur par un raisonnement limpide : étant donné que Des Grieux refuse les propositions de Lescaut de gagner de l'argent en se prostituant ou en vendant les charmes de Manon, il ne lui reste que le jeu comme moyen convenable à sa naissance. La société lui offre maints exemples de cet ordre ! Le héros, pris par sa quête éperdue de l'argent, se dégrade, et malgré les qualités de cœur qui restent intactes, il se dépouille des valeurs aristocratiques : il devient un amant qui vit aux dépens de la femme aimée.

Un cercle vicieux
•

L'argent enferme les femmes, perpétuels objets de désir, dans un cercle vicieux : pour garder sa dignité, rester «une honnête femme», il faut avoir de l'argent, mais pour en avoir il faut s'avilir, se vendre. Ce pouvoir de l'argent contraint les femmes au mensonge, au vol, mieux encore, à l'obligation de porter un masque : Manon met en scène avec son frère la comédie destinée à duper M. G... M..., et son fils.

Dès l'ouverture du roman, l'argent et son pouvoir se présentent dans les six louis d'or donnés par l'Homme de Qualité ; or cet argent, Des Grieux le prend pour pouvoir approcher son amante.

C'est l'intervention du destin, un incendie, qui fait disparaître l'argent gagné par Manon. L'argent fait «vivre» le bonheur, même s'il ne le crée pas. Des Grieux fait cette constatation : «*L'augmentation de nos richesses redoubla notre affection.*» Et Manon de répondre à son amant : «*Crois-tu qu'on puisse être bien tendre lorsqu'on manque de pain ?*» (l. 1804).

Chez Manon l'argent est lié directement au bonheur : «*Je travaille pour rendre mon chevalier riche et heureux*». C'est en termes matériels que Manon évoque le bonheur.

Aussi l'argent est-il une préoccupation constante pour Des Grieux qui, lui aussi, n'hésite pas à lier son bonheur à l'argent. Il lui faut toujours payer, le secours du geôlier, la fidélité des domestiques, le silence des cochers, le courage des militaires.

ARGENT ET ACTION ROMANESQUE

L'argent est un moteur social dans une société qui vit une ère nouvelle : dans *Manon Lescaut*, le thème de l'argent a une fonction de «force agissante», qui règle la conduite des personnages.

L'argent est d'une nécessité absolue pour que le couple d'amants survive à chaque péripétie qui déséquilibre leur mode de vie : le vol des économies, l'incendie suscitent inéluctablement une infidélité de Manon, et Des Grieux poursuit ainsi de pair la quête de l'argent et la quête amoureuse. Le héros est acculé peu à peu à une déchéance qui le conduit à jouer, à tricher, à accepter de «greluchonner», à mentir, à tuer.

Hors du cercle parisien, donc du cycle corrupteur de l'argent, Manon peut énoncer un ordre différent : «*Vous serez donc la plus riche personne de l'univers* [...], *car s'il n'y eût jamais d'amour tel que le vôtre, il est impossible aussi d'être aimé plus tendrement que vous l'êtes.*» (l. 5572)

Mais cette acceptation du dépouillement conduit au drame final, la mort de Manon, et le roman cesse, faute de pouvoir poursuivre la quête de l'argent ; il transcende, par la disparition de l'héroïne, le thème lié de la quête matérielle et de la quête amoureuse.

Rapprochements littéraires

•

À l'époque classique, les moralistes ont présenté l'argent, comme un mal moral et/ou social : *L'Avare, Le Bourgeois gentilhomme, Tartuffe*, entre autres, en ont dénoncé les conséquences désastreuses dans une famille ; de même La Fontaine et La Bruyère.

Au XVIIIᵉ siècle, Diderot, dans *Le Neveu de Rameau*, évoque la place dans la société des « nantis » et oppose un personnage pittoresque, un parasite, qui ne survit que grâce à cette faille sociale : « *L'or est tout* », et la pantomime des gueux illustre la situation d'aliénation, de dépossession de soi qu'entraîne le besoin d'argent.

Au XIXᵉ siècle, les personnages des romans de Zola, Nana, Madame Chanteau, de Flaubert, Madame Bovary, perdent leur « honnêteté » au contact de l'argent.

PARCOURS THÉMATIQUE

« Ô fortune [...] accorde-moi ici, du moins, la mort ou la victoire » (l. 5208).
Le héros de Prévost prend les accents d'Oreste ou de Bajazet pour exprimer le dilemme cruel qui l'enferme. Dès le début du récit, le narrateur/personnage met son aventure sous les auspices de la tragédie, sous la marque du malheur et d'une puissance supérieure fatale.
Il évoque *« l'ascendant de* [sa] *destinée qui* [l']*entraînait à* [sa] *perte »* (l. 287) et parle de sa passion en en dénonçant les funestes effets : *« [...] dans le précipice où mes passions m'ont entraîné »* (l. 239).

LA THÉMATIQUE TRAGIQUE

C'est Racine qui reçoit l'hommage le plus appuyé de Prévost ; il est en effet cité par le couple d'amants qui parodie quelques vers d'*Iphigénie* (l. 3778).
Sans aucun doute le recours à cette parodie est destiné à transposer dans un registre noble, une situation des plus vulgaires ; Manon, en effet, tente de rassurer son amant en promettant implicitement, à travers cette figure de style, qu'elle n'est pas prête à se vendre encore une fois et à risquer de retrouver l'Hôpital.
Mais avant même de parodier Racine, Prévost fait appel à des sources de comédie auxquelles il emprunte des situations dramatiques : le père de Des Grieux, au moment où il perçoit l'état de déchéance qui menace son fils, retrouve le ton et les paroles de don Luis, père de don Juan (*Dom Juan* de Molière), dans une situation analogue :

« De quel œil croyez-vous, à votre avis, que je puisse voir cet amas d'actions indignes [...] Ne rougissez-vous pas de mériter si peu votre naissance ? » (Dom Juan, IV, 4.)

« Qu'un père est malheureux, lorsqu'après avoir aimé tendrement un fils, [...], il n'y trouve à la fin qu'un fripon qui le déshonore. » (Manon Lescaut, l. 4770 à 4773.)

Les thèmes tragiques s'identifient à travers une récurrence de termes qui créent une ambiance racinienne. *« perfide, fatalité, fatal, ingrat, mort, ... »* : *« Perfide Manon, Ah, perfide ! perfide »* ; *« et l'ingrate se croit à couvert de mes reproches »* ; *« Par quelle fatalité, disais-je suis-je devenu si criminel ? »* (l. 1910).
La « tonalité » racinienne se perçoit également dans des grands thèmes tragiques qui parcourent les monologues délibératifs du chevalier :

« Ô Dieu ! m'écriai-je, en poussant mille soupirs ; justice du Ciel ! faut-il que je vive un moment, après une telle infamie ? »

Avec Oreste, Des Grieux pourrait s'adresser au Ciel en ces termes : *« Ta haine a pris plaisir à former ma misère »* (*Andromaque*, V, 5).

LE PERSONNAGE DU CHEVALIER

Des Grieux est présenté par Renoncour, lors des deux rencontres à Pacy et à Calais, d'abord comme un être marqué par une fatalité cruelle, un émigrant accompagnant un convoi de déportées et habité par une étrange passion pour une de ces filles, puis comme une épave, totalement dépouillé, rescapé d'un naufrage et revenant dans la société en désespéré.

Une atmosphère tragique entoure le personnage dès le début et le rapprochement de deux dates séparées par deux années enferme le héros dans un temps tragique limité et marqué par le sceau du malheur.

Au cours de cette durée, Prévost, comme Racine, « représente » la passion à travers l'action des héros qui se jettent dans des décisions brutales, privées de toute logique ; la situation ainsi créée plonge le héros dans une confusion telle, que seul un discours de révolte, de violence et de douleur tragiques lui vient aux lèvres.

UNE TRAGÉDIE SANS DIEU

Même si Des Grieux invoque souvent une transcendance païenne *« le Ciel, le destin, la fatalité »*, et chrétienne *« la Providence, la protection du Ciel, secours célestes »*, il évoque aussi bien « l'ascendant » des astres, et le lecteur saisit sans hésitation que le personnage de Prévost ne reconnaît pas toujours l'existence d'une puissance supérieure, juge et arbitre des actions humaines ; certes comme le dit J.-L. Bory (*Manon Lescaut*, préface, coll. Folio, Gallimard, p. 27), *« Des Grieux galope vers l'abîme »*, mais pour Prévost, c'est la société et ses codes d'une **rigueur absolue qui font obstacle à la liberté de choix des amants**. Le ressort de la tragédie de Des Grieux et de Manon **est social et psychologique.**

Après chacune des trahisons de Manon, Des Grieux pouvait revenir dans le droit chemin et la jeune femme pouvait résister à son « penchant ». Mais ils retombent inexorablement dans les pièges que leur tend leur statut social. Sont-ils coupables ou non ? Nos héros sont-ils dominés par une force irrépressible qui les écrase ou sont-ils punis parce qu'ils ne s'appuient pas sur les exigences de la responsabilité ?

Le vouloir humain de Bajazet, de Roxane, d'Oreste et de Phèdre se heurte à une puissance supérieure dont ils reconnaissent l'existence ; et pour eux, comme pour Manon et Des Grieux, se pose la même question : Atalide, Bajazet avaient la liberté d'échapper au pouvoir cruel du sultan en recourant à un ordre rationnel impliqué dans le statut royal de Bajazet, mais l'irruption d'un autre ordre, irrationnel, dicté par l'amour et la jalousie (amour de Bajazet et d'Atalide, jalousie de Roxane) suscite le carnage final.

LA STRUCTURE DRAMATIQUE

Le simple récit de la nouvelle se change en structure de tragédie, qui se déroule en trois scènes autour des trois trahisons de Manon.

Trois scènes rattachées au registre dramatique soulignent la montée de la tension jusqu'à l'acmé* finale. Prévost reprend trois fois le même schéma dramatique, une scène de dépit, une scène de réconciliation :

– La scène de Saint-Sulpice progresse à travers un affrontement dramatique, encore adouci par une tonalité lyrique ; le jeu des « *tu* » et des « *vous* » se poursuit dans un dialogue pathétique, et braque la lumière sur le chevalier. Manon ne répond que par ses larmes, sa beauté et sa coquetterie.

– Chez le vieux G... M..., la scène crée une toute autre situation : le ballet des personnages symbolise l'entente du couple mais le rapport des protagonistes a évolué : c'est Manon qui prend l'initiative de l'action et Des Grieux, atteint dans son amour et sa dignité, cède et choisit de s'enfoncer dans une première étape de déchéance ; le dialogue n'est pas rompu, l'action peut encore progresser.

– La troisième scène, chez le jeune G... M..., fait surgir la distance entre les amants : la tension dramatique s'intensifie à travers le quiproquo créé par l'envoi de la jeune prostituée ; le dialogue de mots est rompu, les amants ne communiquent plus que par les gestes, les attitudes, sans que l'entente puisse être rétablie.

C'est l'acmé de la crise : le dilemme est insoluble comme dans la tragédie. On évoque l'ultime affrontement de Roxane et de Bajazet. La tragédie a trouvé, en cet instant, son unité, sa nécessité, sa grandeur.

Mais la tragédie racinienne se déroule entre les dieux, des rois, des princes ; le roman de Prévost a pour personnages, selon Montesquieu, « *un fripon* » et « *une catin* », mieux encore, deux êtres que le destin réunit arbitrairement, alors qu'ils n'auraient jamais dû se rencontrer. Un jeune homme «bien né», une jeune fille, «*de naissance commune*», l'histoire de gens insérés dans une époque précise qui ne comporte aucun élément d'un environnement tragique spatial et temporel.

UN MÉLANGE DES GENRES

Et comment ne pas relever les aspects comiques du roman de Prévost? Les personnages rient souvent et sans retenue, ils aiment monter de petites comédies pour berner un comparse; la petite pièce de théâtre jouée par Manon, Lescaut et le chevalier à l'intention du vieux G... M..., la mystification destinée au prince italien, le projet audacieux et «*plaisant*» de manger aux frais du jeune G... M... Trop de traits comiques qui rompent l'unité de ton tragique, même si la comédie finit mal!

Elysabeth Vidal (Manon) et Alain Gabriel (Des Grieux), à l'Opéra comique en 1990. Auteur : Auber, adaptateur : David Freeman, direction musicale : Patrick Fournilier.

Le succès du roman tient à l'unité profonde de l'œuvre.

L'UNITÉ D'ACTION

Celle-ci est faite de l'expression d'un seul désir, celui du personnage/héros, pour un seul objet, l'héroïne, désir qu'entrave un seul obstacle, la société et ses codes. Et dans cette société, un seul obstacle, l'argent, sans lequel le désir du héros ne peut être satisfait. Le titre réduit au nom de l'héroïne souligne ce point de vue.

LA STRUCTURE

Certes l'action débute *in medias res**, mais, à partir du commencement du récit, à Calais, elle est enfermée dans une structure linéaire qui insère la fable* entre deux moments : la rencontre à Pacy et celle de Calais deux ans plus tard, rapportées par Renoncour dans un prologue. À Calais le héros devient narrateur de l'histoire dont il est le personnage, histoire qu'il prend à son début, la rencontre avec l'héroïne à Amiens jusqu'à la fin, à la mort de Manon dans le désert américain.

LA TECHNIQUE NARRATIVE

Elle assure une remarquable unité au récit par le point de vue d'un seul narrateur qui raconte, à la première personne, les aventures qu'il a vécues et les personnages rencontrés ; c'est lui seul qui assure récit et commentaires de ce retour dans le passé. Au moment de la parution du roman, la critique s'est élevée contre l'immoralité de l'œuvre mais elle a souligné **les qualités du style de Prévost dont l'harmonie et l'équilibre assurent une remarquable unité.**

L'expression du sentiment jaillit du flux de l'écriture : tout tend au but recherché par le narrateur/personnage, fondre les deux plans du discours, celui qui raconte, le « je narrant* » et ce qui est raconté, le « je narré* », dans une unité qui représente la tension entre l'instinct, celui qui a présidé à l'aventure et le besoin de justification, celui que recherche le narrateur ; ainsi s'explique l'absence presque totale de réalisme. Le monde des réalités ne doit pas préoccuper le narrateur en quête de vérité. D'où un dépouillement stylistique remarquable. C'est ce qu'obtient le savant recours à des modes de discours* variés qui tous tendent à un but unique : les paroles de Manon sont le plus souvent rapportées par la voix du narrateur, filtrées par le style indirect qui garde un voile mystérieux sur les raisons du comportement de Manon ; le style direct, réservé le plus souvent aux discussions du personnage/narrateur avec Tiberge, le supérieur de Saint-Lazare, Lescaut, son père, souligne une habileté rhétorique au service du plaidoyer entrepris pour justifier la violence de sa passion. Les monologues délibératifs traduisent l'égarement du narrateur/personnage et concourent au même but : rechercher, à travers le récit mémoriel, les réponses aux questions qui le torturent sur le sens de son aventure, lorsqu'il entreprend son récit.

Chaillot au XVIIIe siècle. *Gravure de Talé.*

Le roman s'ouvre sur l'arrivée du convoi des déportées à Pacy, le récit de Des Grieux commence par l'arrivée de Manon à Amiens, et l'arrivée du chevalier à Calais clôt le roman, parcouru de ce fait par le thème du voyage.

Le voyage exclut la possibilité de s'arrêter en un lieu pour y vivre en paix un amour partagé. Les enlèvements et les fuites des amants rythment chaque épisode de l'aventure.

C'est de la description du voyage que Prévost tirera les effets les plus intéressants du traitement et de la signification des lieux romanesques.

Il est intéressant, en confrontant deux scènes de voyage, de saisir la portée de ces éléments narratifs et descriptifs, la scène inaugurale du Prologue de *L'Histoire du chevalier des Grieux et de Manon Lescaut* à Pacy et celle de la rencontre à Amiens des protagonistes, au début du récit du chevalier.

En analysant le choix des éléments descriptifs des deux scènes, on s'aperçoit que les différences en font deux scènes dont le contraste radical est porteur de sens.

La confrontation des deux descriptions, celle qui ferme et celle qui inaugure le voyage de Manon dans sa courte vie, amène à saisir, à travers les déplacements, les symboles de la fortune et de la déchéance de l'héroïne : au départ « *le coche d'Arras* » moyen de locomotion usuel, l'apparition de Manon, « *il en sortit quelques-unes qui se retirèrent aussitôt. Mais il en resta une [...], elle me parut si charmante* », à la fin « *deux chariots couverts, une mauvaise hôtellerie, une populace curieuse, une douzaine de filles de joie, parmi* [elles] *Manon, dont* [la] *tristesse et la saleté de son linge* [...] ».

Le mode des déplacements des héros est tout aussi symbolique ; ils vont et viennent dans les aller-retour rapides ou lents : c'est dans une joyeuse hâte qu'ils ont quitté Amiens, et gagné Saint-Denis dans la journée, lieu de l'union affective ; mais deux jours seront nécessaires au chevalier enlevé par son frère pour faire à rebours le même trajet.

À Paris, Des Grieux et Manon quittent en carrosse la maison de G... M... pour aller au Châtelet mais repartiront dans « *une misérable voiture* ». Ces courts déplacements donnent une plus vaste portée au destin des amants et lui confèrent sa valeur mythique : « *aimer, c'est s'abandonner au bondissement des chevaux dans un espace illimité ; mourir, c'est suivre des chevaux épuisés, qui s'arrêtent dans une cour fermée* ».(J. Sgard, *Labyrinthes de la mémoire*, PUF, 1986.)

AMITIÉ
•

• **Dans le roman** : Tiberge n'est pas seulement l'ecclésiastique vertueux, dogmatique et sentencieux, tel qu'il peut apparaître au destinataire du récit ; il est, avant tout, l'ami du chevalier. Élevé avec Des Grieux depuis l'enfance, ayant suivi les mêmes études, plus âgé que lui de trois années, il précède Des Grieux dans l'existence. Avec une énergie inlassable, une constante attention, il tente de prévenir son ami en lui dénonçant ses erreurs ou encore à en retarder les conséquences ; sa générosité sans défaut se manifeste même quand il comprend que l'argent qu'il prête est destiné à « perdre » Des Grieux. Avec héroïsme, il se lance dans un voyage hasardeux jusqu'en Amérique pour exercer encore et encore une charité amicale et généreuse. En quelque sorte, il est un double du chevalier dans la mesure où confronté à la même tentation de la volupté, tentation qu'il a surmontée, il a conquis la sagesse que ne peut acquérir Des Grieux. Ami désormais solide et ferme, il assiste, sans en être atteint, aux effets de la « folie » de Des Grieux.

C'est avec bonheur que le chevalier retrouve son ami, qu'il salue la fidélité de ses sentiments en lui reconnaissant une influence sur sa conduite nouvelle. Le thème du bonheur par l'amitié parcourt la littérature.
• **Rapprochements** : Dans *L'Énéide* de Virgile, deux héros légendaires, Nisus et Euryale, qui vont jusqu'à la mort pour témoigner de leur attachement réciproque, incarnent l'amitié.
Montaigne, dans les *Essais*, évoque son amitié pour son ami, La Boétie, en ces termes bien connus : « *Si on me presse de dire pourquoi je l'aimais, je sens que cela ne se peut exprimer qu'en répondant : "Parce que c'était lui, parce que c'était moi".* »
La Fontaine, dans ses *Fables* (X. 2), énonce les exigences de l'amitié :

> « *Soyez-vous l'un à l'autre un monde toujours beau*
> *Toujours divers, toujours nouveau ;*
> *Tenez-vous lieu de tout, comptez pour rien le reste.* »

Tel Des Grieux, un personnage d'*Andromaque* (III, 1), Oreste, refuse les conseils éclairés de son ami Pylade : « *J'abuse, cher ami, de ton trop d'amitié.* »

Voltaire dans une lettre à Vauvenargues (17 avril 1743) termine ainsi : « *Vous êtes la plus douce de mes consolations dans les maux qui m'accablent.* »
Michel Butor, dans *Passage de Milan*, décrivant la vie d'un immeuble parisien, évoque l'attachement amical de deux amies dans une formule délicate : « *Le temps nous a si bien unies que je suis dans le sien maintenant.* »

CARROSSE, COCHE, CHAISE DE POSTE, FIACRE, CHARIOT
•

• **Dans le roman** : Comment se déplace-t-on dans *Manon Lescaut* et quelle signification donner à une telle variété de moyens de locomotions ?
En suivant le fil du texte, lors des deux rencontres racontées par Renoncour, apparaissent deux chariots couverts, moyen de locomotion qui vient de faire une longue étape, et réservé à des prisonnières destinées à la déportation.

Deux ans après, à Calais, le héros « *portait sur le bras un vieux portemanteau* » ; il se déplaçait donc à pied, déplacement ignoré des aristocrates et réservé au peuple. Avant même de déléguer la parole au chevalier, l'Homme de Qualité symbolise par ces deux détails réalistes, le malheur des deux héros.

Puis le récit rétrospectif reprend l'action dans ses débuts et, là également, le moyen de locomotion tient une place importante et chargée de sens.

À Amiens, le jour de la rencontre, c'est en coche que Manon arrive, transport « en commun » usuel à l'époque, mais c'est « *une chaise de poste* » que Des Grieux retient pour la fuite matinale, qui emporte Manon en toute hâte et que le chevalier escorte à cheval ; déplacement adapté à la condition du chevalier et de sa nouvelle compagne et leur situation d'amants. Le changement de locomotion arrache Manon au sort commun pour l'introduire dans une société de gens fortunés et maîtres de leurs décisions.

À partir de la première trahison de Manon, il faut souligner la récurrence d'un moyen de locomotion, dont la fonction et la signification sont importantes dans l'aventure des amants, **le carrosse** : le carrosse de louage du père du chevalier qui l'emporte loin de Paris, contre sa volonté, le carrosse de M. de B., riche fermier général qui séduisit Manon et qui la déposa à Saint-Sulpice, le carrosse que loue Manon pour fuir et enlever son amant : « *Manon fournit aux frais car j'étais sans un sou.* »

Le carrosse est un signe extérieur de réussite sociale, de richesse, d'une valeur infinie aux yeux de Manon. Après Saint-Sulpice, elle décide de s'accorder l'entretien d'un carrosse avec l'argent du financier, dépense qui effraie Des Grieux ; c'est pour payer cocher, chevaux et carrosse que Manon, une deuxième fois, sera infidèle et obligera le chevalier à trouver de l'argent par n'importe quel moyen. Mieux encore, Manon est séduite par l'offre somptueuse du fils G... M... arrivant à Chaillot, « *bien informé de l'humeur de Manon* », et prenant soin de faire voir « *le carrosse, les chevaux et tout le reste des présents* ». Notons l'ordre de présentation des promesses du jeune libertin. S'ajoutent l'offre d'« *un hôtel meublé et de trois laquais* », et le commentaire du chevalier : « *Mais c'en est un bien séduisant qu'un hôtel meublé avec un carrosse et trois laquais ; et l'amour en a peu d'aussi forts.* » (l. 3785)

Même après un séjour à l'hôpital, Manon ne peut se passer de voiture particulière dont elle assume l'entretien par ses gains au jeu, sans se résoudre à la solution plus raisonnable du **fiacre**.

C'est donc le carrosse qui, plus que toute autre chose, perd le couple. Des Grieux, quand il est seul, se contente d'un fiacre ; il va même jusqu'à marcher à pied : d'abord « *je me fis un plaisir de marcher fièrement à pied* », mais ensuite le ton est désespéré, « *Je marchai dans les rues comme un furieux jusqu'à la maison de M. de T.. Je levais, en marchant, les yeux et les mains pour invoquer toutes les puissances célestes* » (l. 5131).

Cette déchéance dans « le paraître » annonce la marche douloureuse dans le désert que la mort seule interrompra, « *Nous marchâmes aussi longtemps que le courage de Manon put la soutenir* ». (l. 5899)

L'abandon nécessaire d'un moyen de transport, dans un siècle où seuls les malheureux marchaient à pied, souligne l'exclusion du couple d'une société

278

qui les a rejetés. Manon n'est-elle pas punie, dans cette ultime marche qui la tue, pour n'avoir pas pu se passer de carrosse ?

• **Rapprochements** : L'incipit du *Roman comique* ouvre le roman par l'arrivée d'une troupe itinérante de comédiens et une description pittoresque et réaliste de la charrette qui les amène ; les notations réalistes sont nombreuses et savoureuses, et même si le choix de ce moyen de locomotion se veut le symbole du genre romanesque retenu, le lien avec le roman picaresque, on peut rapprocher le traitement du thème, si différent dans les deux romans, et dans la description et dans la symbolique.

Dans *Madame Bovary* la promenade en fiacre avec Léon, « *les stores tendus* », d'où ne dépasse qu'« *une main nue* », est comparée à un voyage sur un navire, et suggère l'évasion ; mais cette libération amoureuse attendue par Emma ne se trouve que dans la mort ; c'est la mort que sa liaison, « accomplie » dans la clôture du fiacre, lui apportera.

CHRONOTOPE
•

• **Dans le roman** : À la suite de Bakhtine, on définira le chronotope, ce qui se traduit littéralement par « temps-espace », comme « *la corrélation essentielle des rapports spatio-temporels, telle qu'elle a été assimilée dans la littérature* ». (*Esthétique et théorie du roman*, Gallimard, p. 237.)

Dans *Manon Lescaut*, apparaît le chronotope récurrent de la rencontre : à Amiens, la rencontre du chevalier et de Manon est marquée par la nuance temporelle, « *j'avais dix-sept ans* [...] *J'avais marqué le temps de mon départ d'Amiens* [...] *que ne le marquais-je un jour plus tôt !* » (l. 246), et se distingue par « **un fort degré d'intensité et de valeur émotionnelle** » : puis les autres chronotopes analogues, les deux rencontres de Renoncour et du chevalier à Pacy et à Calais, la rencontre de Manon et de Des Grieux à Saint-Sulpice, à la Salpêtrière, sont chargées des mêmes connotations ; les chronotopes de la route offrent le même intérêt : ils sont le lieu de choix des contacts de hasard ; là peuvent se rencontrer des personnes d'âge, de condition, de situations différents et des liens peuvent se nouer entre des destins très éloignés qui vont ainsi échapper aux interdits comme la séparation des classes sociales ; c'est le cas de Des Grieux, jeune aristocrate, et de Manon, une jeune fille de naissance commune.

Dans cette intersection spatio-temporelle, rencontre et route, les événements s'accomplissent : « *il semble que le temps se déverse dans l'espace et s'y coule* ». (Bakhtine, *op. cit.*, p. 385.)

Un autre chronotope récurrent présente une fonction différente, il localise **dans le récit les péripéties de l'action** : le salon au sens large, et qui, dans le roman, prend la forme de la salle où l'on prend des repas, et l'heure du souper réunit des personnages, à des heures importantes : le premier souper, interrompu par l'enlèvement du chevalier, le souper chez le père du chevalier, le souper qui réunit le couple d'amants, Lescaut et le vieux G... M..., le repas avec le jeune G... M..., M. de T..., Manon et Des Grieux, le souper chez le jeune G... M.... En ces lieux d'intersection des séries temporelles et spatiales, « *se nouent les intrigues et ont lieu souvent les ruptures, enfin (et c'est très important), s'échangent les dialogues* » (*op. cit.*, p. 303).

Ces dialogues, le dialogue quasiment muet du souper interrompu, le dialogue à double sens du souper avec le vieux G... M..., celui préparé à l'avance pour le repas avec le fils, le dialogue marqué par une cruelle ironie avec le père de Des Grieux, révèlent les caractères, les idées et les passions des personnages. Dans ces chronotopes du dîner apparaît, omniprésent, un thème essentiel du roman, l'argent.

À travers ce procédé littéraire se conjuguent, dans la vie des personnages, l'histoire, le social, le public et le privé.

Il est le principal générateur de la « fable* » du roman. La représentation est concentrée dans un petit nombre de scènes qui éclairent. « *De la sorte, le chronotope, principale matérialisation du temps dans l'espace, apparaît comme le centre de la concrétisation figurative, comme l'incarnation du roman tout entier* ». (Bakhtine, *op. cit.*, p. 391)

• **Rapprochements** : Dans *La Princesse de Clèves*, le chronotope récurrent de la rencontre de l'héroïne dans une salle des différentes demeures princières, à la fin du règne de Henri II, scande les étapes de la découverte par la princesse de son amour pour Nemours, sous les yeux des premiers personnages du royaume : le bal, les visites chez la dauphine, la visite de Nemours dans la chambre de la princesse et le vol du portrait chez Monsieur de Clèves, la scène aperçu par Nemours dans le salon du château de Coulommiers concrétisent la matérialisation du temps dans des espaces analogues et font évoluer l'intrigue à travers des moments privilégiés.

Dans *Le Rouge et le Noir*, de Stendhal, les rencontres, dans le salon de Monsieur de la Môle, de Mathilde et de Julien, suscitent des dialogues qui révèlent l'exaltation de Mathilde et l'étonnement de Julien. C'est l'origine d'une étape essentielle de l'action.

On pourrait faire la même analyse des rencontres de Gervaise avec Coupeau, les lavandières, sa rivale, etc. (Zola : *L'Assommoir*).

LA MORT DE L'HÉROÏNE (représentation littéraire)
•

La représentation littéraire de la mort de l'héroïne est, comme la scène de la première rencontre, une scène « obligée » du répertoire romanesque, plus rare dans le répertoire théâtral.

Les grands textes littéraires en présentent diverses versions, comme autant de variations sur le fonds commun ; c'est une affaire d'époque, de genre, de style, ce qui amène à une analyse des différentes modes littéraires, des esthétiques, des sensibilités propres à chaque époque.

Pourquoi écrire la mort et lire la mort ? Deux principes directeurs :
– la « re-présentation » de la mort – mettre en mots la mort –, c'est faire que le drame existentiel devienne le drame textuel ; il s'agit, autrement dit, de dramatisation littéraire ;
– la sublimation de la mort par le biais de la sensibilité artistique.
• **Dans le roman** : Marquée par la prétérition* : « *n'exigez point* », qui laisse le

lecteur imaginer la scène, la représentation de la mort de Manon est accompagnée et suivie par l'expression des effets qu'elle produit sur le héros. L'idéalisation est tout entière dans la signification du dénouement dramatique : la mort de Manon, au moment où la décision de son amant les amène à réintégrer l'ordre moral et social, doit-elle être interprétée comme un coup de l'ironie tragique du sort ou comme le signe de l'expiation d'une Marie-Madeleine* repentie et dans ce cas, d'une faveur du ciel ?

• **Rapprochements** :

Racine, *Phèdre*, V, 7 (1677).

– L'apparition de Phèdre est dramatique par l'imminence de l'issue fatale, par les symptômes de l'empoisonnement et elle est sublimée par l'ambiguïté de la mort tragique, l'épreuve étant un signe de la grandeur héroïque.
– Le poème funèbre ou le primat de l'esthétique : la mort est ici «parlée » dans la langue racinienne et sublimée par les effets stylistiques.

Bernardin de Saint-Pierre, *Paul et Virginie* (1788).

– La mise en scène de la mort de Virginie est prise en charge par le narrateur/spectateur. Narrateur et spectateurs créent un effet de dramatisation* et jouent le rôle du chœur antique.
– La sublimation de l'héroïne est faite à travers plusieurs modes : la représentation textuelle du personnage, marquée par des qualificatifs mélioratifs, son corps statufié ; l'attitude plastique symbolise et exorcise les horreurs de la réalité.

Chateaubriand, *Atala* (1801).

– La mise en scène de la mort d'Atala se fait par une scénographie «donnant à voir » un spectacle qui se perçoit à travers la théâtralisation des gestes et des attitudes.
– La sublimation naît de la présence d'une dimension religieuse qui fonde le mythe romantique de la passion, en butte à des interdits, mais vaincus par la foi chrétienne.

Flaubert, *Madame Bovary* (1857).

– C'est une remarquable dramatisation du réel qui met en scène la mort d'Emma Bovary : dans la description de l'agonie d'un réalisme clinique, une succession de cinq séquences descriptives insère la scène de l'aveugle, symbolique, sorte de résumé de la vie du personnage.
– Plus de sublimation dans cette page, mais la présence insistante du narrateur dans l'écriture : seul le style survit à l'annulation du personnage, trois phrases espacées comme le son d'un glas, «*une convulsion la rabattit sur le matelas. Tous s'approchèrent. Elle n'existait plus*».

PREMIÈRE RENCONTRE

J. Rousset, dans *Leurs yeux se rencontrèrent* (Corti, 1984) propose une grille apte à saisir les constantes de la forme narrative du récit d'un événement «*à la fois inaugural et causal*», la scène de rencontre.

• **Dans le roman** : Dans la scène de rencontre du chevalier Des Grieux et de Manon, se retrouvent les éléments de «la mise en place », avec les indications spatio-temporelles, «les positions» des acteurs, le portrait manifestant la beauté de l'héroïne et enfin le nom.

C'est ensuite «la mise en scène» que le critique commente en en donnant les éléments successifs : l'effet, l'échange et le franchisssement.

Ces traits constants se retrouvent très fréquemment dans la pratique narrative, et forment *«une cellule permanente»* soumise à des variations liées à la fable*, à l'époque (Rousset, *op. cit.*, p. 12).

Le chevalier Des Grieux vient de terminer ses études à Amiens d'où il doit repartir le lendemain matin pour retourner à P..., sa ville natale. Il rencontre dans la cour de l'hôtellerie, sortie du coche d'Arras, une jeune fille inconnue pour laquelle il éprouve subitement un amour violent.

C'est le jeune homme qui raconte rétrospectivement la scène de rencontre.

Le récit / L'effet

Le récit est fait d'une succession d'actions relatées au passé simple, dans l'ordre chronologique, accompagnées d'indications spatio-temporelles. La scène est, dans un premier temps, animée : arrivée du coche, promenade du héros, déplacements des personnages. Puis, une immobilisation subite de l'héroïne, *«il en resta une»*, l'isole sous le regard du jeune homme, *«elle me parut»* et l'énoncé de la première étape (l'effet) : *«je me trouvai enflammé tout d'un coup jusqu'au transport»*.

L'échange

Dès lors, la scène se déroule en fonction de l'alternance des pronoms personnels de la première et de la deuxième personne qui déclenche contact et dialogue, *«je me trouvai, j'avais le défaut [...]»*, / *«elle reçut mes politesses, elle me répondit [...]»* ; enfin une construction en parataxe* conclut l'accord qui implique la fusion du couple, *«je combattis la cruelle intention de ses parents / Elle n'affecta ni rigueur ni dédain.»* L'échange est indiqué dans cette formulation condensée mais explicite : *«je m'avançai vers la maîtresse de mon cœur [...] Je lui demandai.»*

Le narrateur insère, dans le récit, des commentaires de ses sentiments, qui le caractérisent et soulignent sa prise de conscience des effets de la rencontre.

Le franchissement

Le dialogue, rapporté au style indirect, indique la décision du franchissement, *«j'entrais fort bien dans le sens de cette ruse»* et la fuite est annoncée implicitement par les propos du chevalier : *«Je l'assurai que [...] j'emploierais ma vie à la délivrer [...]»*.

Enfin le décalage temporel suscite une mise à distance de l'événement qui colore d'une légère ironie le récit de cette rencontre et des conséquences immédiates qu'elle provoqua.

• Rapprochements

Rabelais, *Pantagruel* (chapitre IX) : *«Comment Pantagruel trouva Panurge, lequel il ayma toute sa vie.»*

Shakespeare, *Roméo et Juliette* (I, 5) : Roméo : *«Jamais avant cette nuit je n'avais vu la vraie beauté.»*

Madame de Lafayette, *La Princesse de Clèves,* (1678) : *«Monsieur de Nemours fut tellement surpris de sa beauté que, lorsqu'il fut proche d'elle, il ne put s'empêcher de donner des marques de son admiration.»*

Rousseau, *Les Confessions* (1782) : « *Prête à entrer dans cette porte, Madame de Warens se retourne à ma voix. Que devins-je à cette vue !* »

Stendhal, *Le Rouge et le Noir* (1838) : « *Julien se tourna vivement, et frappé du regard si rempli de grâce de Madame de Rênal, [...] il oublia tout [...]* » ; « *Madame de Rênal resta interdite ; ils étaient fort près l'un de l'autre à se regarder.* »

Flaubert, *L'Éducation sentimentale* (chapitre I) : « *Ce fut comme une apparition.* » ; « *Jamais il n'avait vu cette splendeur de sa peau brune, la séduction de sa taille [...]* » ; « *Leurs yeux se rencontrèrent.* »

LA PRISON
•

• **Dans le roman** : La thématique de la clôture parcourt le récit ; sa place et sa fonction sont chargées d'une signification qui concourt au but didactique du roman.

La prison et la société : Dans le roman, on trouve peu de documents sur la prison ; une fois encore, Prévost se soucie peu de réalisme, et la description est faite en fonction du personnage principal, Des Grieux. On constate que l'emprisonnement est facilement obtenu par les puissants, pour écarter de leur chemin ceux qui les dérangent. M. de G... M... a le pouvoir de faire enfermer facilement deux jeunes gens qui le gênent, dont l'un de bonne naissance, et sans démarche auprès des familles. Mais chaque fois que Des Grieux est emprisonné, il est traité selon son rang, en prisonnier de qualité.

Saint-Lazare : Ce n'est pas vraiment une prison mais un prieuré habité par les « lazaristes » qui, au XIIe siècle, avaient la charge des lépreux. À l'époque de Manon, les religieux gardent emprisonnés des jeunes gens dont la pension est payée par leur famille. La prison est destinée à redonner à ceux qui lui sont confiés le sens de la morale et de l'honnêteté ; le supérieur connaît le passé de Des Grieux mais, même si l'accueil plein de douceur qu'il réserve au jeune homme témoigne de sa compréhension, celui-ci est plongé dans la honte et le désespoir par le fait que ses frasques aient été rendues publiques. Et malgré un traitement adouci, la règle de la congrégation est encore très dure pour notre héros.

Le Petit Châtelet : C'est une prison pour dettes et le chevalier ne risque pas d'avoir pour compagnons des criminels. M. de G... M... « ménage » le chevalier. Grâce à l'argent de Des Grieux, les coupables sont bien traités et le Lieutenant de Police est même disposé à l'indulgence ; mais le père de Des Grieux ne fait pas la même analyse de la situation.

La Salpêtrière : C'est une des maisons reliées à l'Hôpital général qui comporte aussi la Pitié (pour enfants), Bicêtre (pour les hommes), le Refuge (pour filles nobles). À l'époque de Prévost, c'est le plus grand hôpital du royaume et la maison d'arrêt qui y est jointe est redoutée des prostituées parisiennes qui en sortaient souvent pour la déportation. Manon est enfermée par lettre de cachet, elle est donc envoyée à la « correction », dont le régime est moins dur que le « Commun ».

Personne jamais, sinon son amant, ne cherche à la faire sortir de prison, ni famille, ni amis. On la déportera précipitamment sans faire avertir sa famille.

Symbolique du thème : Le personnage de Manon est présenté très souvent dans un «enfermement». Dès le début du récit, c'est dans un *«chariot couvert»* que Manon entre en scène ; puis à l'intérieur de l'hôtellerie, elle est décrite prisonnière, enchaînée *«par le milieu du corps»* ; on apprend ensuite qu'elle est enfermée dans des prisons parisiennes. Dès le début du récit, le chevalier avait présenté la jeune fille comme une jeune femme destinée à l'enfermement d'un couvent. À la fin du roman, le corps de Manon est enfermé dans une fosse.

Des Grieux est lui aussi emprisonné à plusieurs reprises, dans la maison de famille par son père, puis à Saint-Lazare, au Châtelet.

Les amants sont prisonniers ensemble dans une terre d'exil d'où ils ne pourront s'échapper que par la mort de la jeune femme. L'emprisonnement qui les accable à plusieurs reprises provoque chaque fois la séparation, et à la fin, une séparation définitive.

Le thème de l'enfermement prépare, par paliers, l'ensevelissement du corps de Manon dans la fosse et évoque, sans rupture, l'anéantissement de la vie du couple. La signification du thème reste identique ; les héros ne tirent aucune leçon de l'enfermement mais rejettent les causes de leur incarcération sur autrui, la société, M. G... M...

Ce thème de la prison est lié à un thème opposé, celui de l'évasion : l'évasion vers Paris, vers Chaillot, vers une autre terre, l'Amérique, tous lieux qui devraient combler le désir unique d'un amour partagé, dans un monde accueillant et tolérant. D'où la fonction du voyage dans le roman, fait de déplacements rapides et soudains pour s'évader vers le «rivage désiré». (*cf.* Le Voyage, p. 276).

• **Rapprochements** : Le thème de la prison, récurrent dans la littérature, apporte souvent une signification différente de celle qui apparaît dans *Manon Lescaut.*

Corneille, *L'Illusion comique* : Clindor est profondément modifié par l'épreuve de l'emprisonnement, qui, pour lui, est une épreuve de vérité. Racine, *Bajazet* : L'enfermement du héros de la tragédie racinienne, dans les limites carcérales du sérail, est la source de puissants effets pathétiques : la clôture rigoureuse du lieu en fait une prison pour les personnages et conditionne leur situation. Elle renouvelle dans sa représentation «concrète» l'impitoyable huis-clos racinien qui ne s'entrouvre que pour la mort, mais une mort acceptée par le héros tragique.

Dans *Thérèse Desqueyroux*, roman de François Mauriac, l'héroïne, au sortir de son procès qui a prononcé un non-lieu, revient chez elle, enfermée dans une carriole ; c'est dans ce voyage qu'elle prépare la confession qu'elle souhaite faire à son mari.

Les personnages des militants dans *Le Mur* de Sartre attendent en prison leur exécution, et en présence d'un médecin font face à la mort en essayant de la penser.

Enfin **Meursault**, dans *L'Étranger* de Camus, affronte le monde de ceux qui s'efforcent de nier l'absurde, c'est-à-dire le monde religieux. C'est en vain que l'aumônier tente de l'accompagner à cette heure dernière. Meursault, dans sa cellule, accepte son sort et peut dire : *«je m'ouvrais pour la première fois à la tendre indifférence du monde».*

LA LOUISIANE

MEXIQUE

PAYS DES TRACUANONS

LES C

LA FLORIDE

LAC ERIE

Les Illinois

Tropique du Cancer

acmé : point culminant.

actant : force agissante dans un réseau de personnages.

argent : Les unités monétaires mentionnées sont, par ordre chronologique :
l'écu : depuis Saint Louis, valait 6 ou 3 livres ;
la livre : même valeur que le franc, ici franc-or, créé par Jean le Bon vers 1356 (du nom de la pièce où était inscrit francorum rex) ;
la pistole : ancienne monnaie espagnole (1554), valant 10 livres ;
le louis d'or : pièce de 20 francs-or créée par Louis XIII en 1640.
Il est très difficile de donner la valeur exacte de ces pièces de nos jours : faut-il calculer en pouvoir d'achat, ou en valeur-or de maintenant ? Un compromis valable est de compter : un franc-or = 20 F.

caractérisation : trait spécifique définissant un personnage.

chronique : recueil de faits rapportés par écrit dans l'ordre de leur déroulement.

dialogisme : en rhétorique, c'est le fait de rapporter les idées ou les sentiments des personnages sous forme de dialogue.

didactique : la didactique est concernée par les théories et les méthodes d'enseignement.
L'adjectif signifie : qui a pour but d'enseigner.

dramatique : quand des personnages sont menacés par un danger, leur situation devient dramatique.
La dramatisation est l'art de créer et de mettre en scène de telles situations.

éponyme : qui donne son nom à.

fable : histoire, récit fictif.

greluchonnage : de greluchon (de greluche : fille). C'est l'amant de cœur d'une femme entretenue par un autre homme. (Larousse).

hédonisme : le principe de l'hédonisme est la recherche du plaisir.

illusion : ici au sens montré par Corneille dans *l'Illusion comique* : art de représenter l'imaginaire en le donnant comme réel.

in medias res : expression latine pour : en pleine action.

incipit : les lignes ou pages constituant le début d'un roman, d'une histoire.

intertextualité : correspondance d'une œuvre avec une ou plusieurs autres sur le plan des idées.

« je narrant » : et *« je narré »* : c'est le même « je », mais avec un décalage obligatoire dans le temps. Le premier raconte (dans l'écriture) ce qu'il a fait dans le passé (temps de l'aventure).

Louisiane : Bienville la fonda en 1718, au nom de Louis XIV. C'était un immense territoire : tout le bassin du Mississippi, jusqu'à la frontière du Canada. Elle fut vendue aux U.S.A. par Napoléon, en 1803.

lyrisme : au sens le plus général, désigne un style où s'exprime avec passion des sentiments personnels, en tous cas exaltés.

Marie-Madeleine : la femme pécheresse de l'Évangile (Luc, 24,10).

mémoires : toujours au pluriel dans ce sens : c'est le récit des événements marquants d'une personne célèbre.

métaphore : une comparaison (sous-entendue) qui change le sens d'un mot, ex : la lumière de l'esprit.

métaphysique : adj. : au-delà de la réalité sensible. La métaphysique est une réflexion philosophique sur la recherche des premiers principes et des causes premières, au-delà des phénomènes observables.

mode de discours : manière d'énoncer les idées, d'avancer une argumentation.

narrataire : c'est celui auquel le narrateur destine son récit, sa narration des faits.

narration : voir à « narrataire ».

parabole : manière de raconter une histoire en usant de comparaisons dans des domaines familiers aux auditeurs.

parataxe : terme de rhétorique ; construction par juxtaposition, aucun mot de liaison n'indiquant la nature du rapport entre les phrases.

poétique : la poétique étudie le fonctionnement de l'écriture créatrice d'un texte.

prémisses : faits ou déclarations à l'origine de conséquences constatées.

prétérition : figure de rhétorique ; c'est le fait d'annoncer qu'on ne parlera pas d'un sujet, mais en même temps d'en parler par ce moyen.

roman galant : le roman pastoral (l'*Astrée*), les romans traitant d'aventures amoureuses, étaient appelés romans galants.

sémantique : la sémantique est la science qui s'attache exclusivement au sens des mots.

tiroir : dans l'expression « roman à tiroirs », il semble qu'un tiroir s'ouvre au début de chaque épisode.

vaudeville : pièce de théâtre, comique, en général très légère. À rapprocher de : théâtre de boulevard.

BIBLIOGRAPHIE

ÉDITIONS

L'Histoire du chevalier des Grieux et de Manon Lescaut est d'abord parue en 1731, dans le tome VII des *Mémoires et aventures d'un homme de qualité*.

En 1753, Prévost en donne une édition séparée, augmentée. On la trouve, entre autres, dans les éditions de :

– R. Étiemble, *Romanciers du xviiie siècle*, t . I, « Bibliothèque de la Pléiade », Gallimard, 1959.

– F. Deloffre et R. Picard, *Manon Lescaut*, Classiques Garnier, 1965 ; réed. mise à jour en 1990.

Éditions en format de poche :

– Abbé Prévost, *Manon Lescaut*, coll. Folio classique, Gallimard, 1972.

– *Manon Lescaut*, notice d'Adolphe Bouvet, Bordas, 1965.

– *Manon Lescaut*, notice de Danièle Achach, Larousse, 1973.

ÉTUDES

Sur le roman au xviiie siècle

– G. May, *Le Dilemme du roman au xviiie siècle*, PUF, 1963.

– H. Coulet, *Le Roman jusqu'à la Révolution*, PUF, 1967.

– R. Démoris, *Le Roman à la première personne*, Colin, 1975.

Sur les romans de Prévost

– *Actes du colloque d'Aix-en-Provence*, 1963, Aix, 1965.

– J. Sgard, *Prévost romancier*, Corti, 1968 ; réed. 1989.

– J. Sgard, *L'abbé Prévost, Labyrinthes de la mémoire*, PUF, 1986.

– J. Ehard, *L'idée de nature en France dans la première moitié du xviiie siècle*. S.E.V.P.E.N., Paris, 1963.

R. Mauzi, *L'idée de bonheur dans la littérature et la pensée française au xviiie siècle*, Colin, Paris, 1979.

Édition au format de poche : Albin Michel, S.A., 1994.

Sur *Manon Lescaut*

– J.-L. Jaccard, *Manon Lescaut : le personnage romancier*, Paris, Nizet, 1975.

– S. Delasalle, *Lecture d'un chef-d'œuvre : Manon Lescaut*, in Annales : *Économies, Sociétés, Civilisations*, XXVI, mai-août, 1971.

– J. Proust, *Littérature*, Larousse, 1971, « Le corps de Manon ».

– E. Auerbach, *Mimesis*, ch. XVI, Gallimard, 1968.

FILMOGRAPHIE ET SCÉNOGRAPHIE

- **Film** : H. Clouzot, *Manon*, 1949.
- **Opéra** : D. Aubert, *Manon Lescaut*, 1856.

Imprimé en France, par la Nouvelle Imprimerie Laballery - N° 512193
Dépôt légal : février 2016 - Collection n° 65 - Édition n° 05 - **16/9685/5**